蠕变力学

CREEP MECHANICS

穆霞英 编著

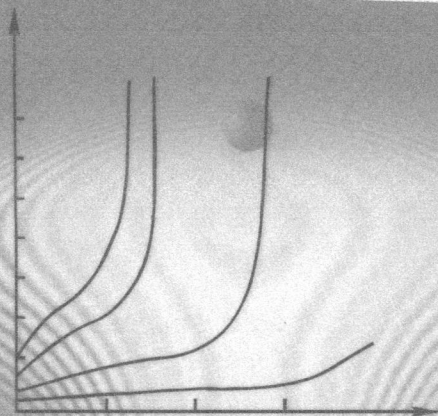

西安交通大学出版社

XI'AN JIAOTONG UNIVERSITY PRESS

内 容 提 要

本书从金属材料的高温蠕变特性分析入手，系统介绍了一维及多维蠕变理论，并着重阐述了结构零件在稳态与瞬态蠕变时的强度计算方法及蠕变有限元分析（附有程序）。此外，还介绍了蠕变计算、蠕变破坏及蠕变疲劳等方面的最新研究成果。

本书可供力学、动力、航空、化工、机械等专业高年级本科生和研究生教学使用，亦可供有关专业的工程技术人员及科研工作者参考。

蠕 变 力 学

穆霞英　　编　著

责任编辑　　蒋　潞

*

西安交通大学出版社出版

（西安市兴庆南路 1 号）

联系邮箱：190293088@qq.com

西安日报社印务中心印刷

*

开本 787mm×1092mm　1/32　　印张　9.25　字数：　207 千字

1990 年 6 月第 1 版　　1990 年 6 月第 1 次印刷

2025 年 8 月第 4 次印刷

ISBN 978 - 7 - 5605 - 0310 - 3　　定价　25.00 元

主 要 字 符 表

σ_{ij}，$\boldsymbol{\sigma}$	应力张量	ε_{ij}，$\boldsymbol{\varepsilon}$，e_{ij}	应变张量
σ_r、σ_θ、σ_z $\tau_{r\theta}$、$\tau_{\theta z}$、τ_{zr}	柱坐标应力分量	ε_r、ε_θ、ε_z $\gamma_{r\theta}$、$\gamma_{\theta z}$、γ_{zr}	柱坐标应变分量
σ_r、σ_θ、σ_φ	球坐标主应力 分量	ε_{ij}^c，$\boldsymbol{\varepsilon}_c$	蠕变张量
		ε_a，ε_c	弹性应变，蠕变应变
S_{ij}，$\boldsymbol{S}$	应力偏张量	ε_{ij}^p，$\boldsymbol{\varepsilon}_p$	塑性应变张量
$\sigma_{ij}\cdot$	等效弹性应力	ε_{ij}^e，$\boldsymbol{\varepsilon}_e$	弹性应变张量
σ_{ij}^R	残余弹性应力	ε_{ij}^T	热应变张量
σ_m	平均应力	$\dot{\varepsilon}_{ij}$	应变率张量
$\bar{\sigma}$	等效应力	$\dot{\varepsilon}_{ij}^c$	蠕变率张量
σ_s	屈服极限	$\dot{\varepsilon}_{ij}^p$	塑性应变率张量
σ_c	蠕变极限	ε_m	平均应变
σ_r	松弛极限	$\bar{\varepsilon}$	等效应变
σ_f	持久极限	$\bar{\varepsilon}_c$	等效蠕变应变
σ_0	持久强度	$\bar{\varepsilon}_p$	等效塑性应变
σ_e	相当应力	$\dot{\bar{\varepsilon}}$	等效应变率
σ_R	参考应力	$\dot{\bar{\varepsilon}}_c$	等效蠕变应变率
$\sigma(0)$	初始应力	$\dot{\bar{\varepsilon}}_p$	等效塑性应变率
$\boldsymbol{\sigma}^{ss}$	稳态应力	$\boldsymbol{\varepsilon}(0)$	初始应变
E_{ijkl}	弹性刚度张量	ε_{in}	非弹性应变
C_{klmn}	弹性柔度张量	u、v、w	位移分量
E	弹性模量	D	损伤因子
G	剪切模量	Ψ	连续性因子

1

ν	泊松比、频率	t_R	破坏时间
α	线胀系数、内外径之比	V	体积
ρ	材料密度 无量纲径向坐标	F	蠕变势函数,截面积
T_m	材料熔点	$\overline{E}$	弹性应变能
A、B、n	材料常数	W	蠕变耗散应变能
m	材料常数 权系数	U_c	蠕变耗散余能
ω	角速度	N_f	疲劳破坏循环次数
T	温度	N	形函数
t	时间	δ	单元结点位移向量
κ	曲率	ξ、η	局部坐标
P	外力	$[B]$	B 矩阵
$\overline{T}$	表面力	$[D]$	弹性矩阵
q	均布载荷集度	$[D]_p$	塑性矩阵
M_k	扭矩	$[D]_{ep}$	弹塑性矩阵
M_x	弯矩	$[K]$	刚度矩阵
M_r、M_θ	径向、切向单位弯矩	$[K]_{ep}$	弹塑性刚度矩阵
J_{nx}	广义二次矩	J_n	广义极惯矩
W_{nx}	广义抗弯模量	W_n	广义抗扭模量

目　　录

第一章 概 论

§1.1 蠕 变

蠕变(Creep)，其英文原意是爬行，意译为蠕变(或徐变、徐滑等)，顾名思义缓慢地变形，即有时间效应的含义。观察许多材料在拉伸载荷下的变形规律可以发现，在温度不变、载荷不变的条件下，试件的变形也会随着时间的增长而缓慢增大，这一现象称为蠕变现象。上面的定义是狭义的。实际上，当零部件的变形随时间增长时，应力也可能变化，因此蠕变广义的定义为：当固体受恒定的外力作用时，其应力与变形随时间变化的现象。这种现象的特征是：变形、应力与外力不再保持一一对应关系，而且这种变形即使在应力小于屈服极限时仍具有不可逆的变形性质。

对于大多数金属材料而言，蠕变变形在室温环境下通常很小，可以忽略不计，但对某些金属材料，如铅、铝等就不能忽视(同样对高分子聚合物如有机玻璃、橡胶等也是如此)。然而，在高温情况下则都必须考虑。同时，材料的机械性能伴随着温度的升高有显著的变化，例如钢和铁当温度超过 $300℃$ 时，其弹性模量 E、屈服极限 σ_s、强度极限 σ_a 等明显地随着温度升高而降低，并且在同一温度下还受加载速度(或应变速度)的影响。于是，材料在高温下受载将会发生显著的塑性流动，以致一定时间后导致金属部件的破坏。

蠕变现象同样对建筑材料与塑料有实际意义，蠕变规律对于不同材料是各异的，本书着重研究金属材料的蠕变，但这种研究方法与某些基本概念仍适用于其它一些材料。

§1.2 蠕变力学的发展与研究

在弹性力学、塑性力学等课程中，进行构件的强度分析时，均未涉及加载时间对构件强度的影响，但实际上有许多零部件长期在高温下进行工作，材料性质随着温度而改变，构件的应力也因温度与时间的双重影响而重新分配，因此在分析长期处于高温状态下工作的部件强度时，必须考虑蠕变问题。这一问题在现代工业中显得十分重要，如蒸汽透平、喷气发动机、蒸汽锅炉、石油工业设备及核反应堆的热端部件、化工容器和热工仪表等都存在着蠕变问题。

在工程实际中，往往由于材料的蠕变，破坏了机组的正常运行。例如蒸汽透平叶片与涡轮机叶轮的径向位移超出了叶片与机壳的间隙而顶住；蒸汽管道接头部分联结螺栓的松脱；叶片根部因长期蠕变而断裂；等等，以致引起严重事故。1974 年 6 月 19 日在美国 Tennessee 州，有一台蒸汽涡轮机的一个低压转子在 565℃下运转，当转速达 3400 r/min 发生爆炸，断成 30 多片。该转子是由 Cr-Mo-V 合金钢锻造的，自 1957 年 5 月开始运转直到事故发生，共运行了 106000 小时。经力学分析并考察了破坏机理，最后断定转子的破坏是由于蠕变与低周疲劳交互作用的效应所引起的。这些事例说明蠕变问题的研究随着动力机械、化工机械与宇航事业的发展，显示出日益重要的地位，同时也促进了蠕变力学这门学科的形成与发展。

从历史上看，蠕变现象早在 18 世纪就已经引起人们的注意。1883 年法国的维卡特（Vicaf）[1]曾对钢索进行了试验，并作了定量分析。1910 年，英国物理学家 Andrade[2]发表了他的基本理论研究成果，并首次提出了蠕变这个名词，于是蠕变这个专门术语一直沿用至今。习惯上讲，金属蠕变理论的建立由此时算起已有 70 余年的历史。随着工业的发展，蠕变的研究大致从两方面着手进行：一是从微观角度出发，研究蠕变机理及冶金因素对蠕变特性的影响来提高金属的蠕变抗力，致力于高温耐热合金的制造；另一是从唯象研究的途径出发，以宏观实验为基础，由观察宏观的蠕变现象着手，在实验的基础上分析研究所得到的实验数据，建立描述蠕变规律的理论，研究构件在蠕变情况下的应力与应变计算方法及其寿命的估算方法。前一途径属于金属物理学方面学者的研究工作，而后一途径属于连续介质力学的范畴，也是本书主要研究的内容。近年来，由于工程应用的需要，蠕变力学已明确作为固体力学的一个分支，因此连续介质力学中与物性无关的基本方程在蠕变力学中仍然适用。

由于唯象研究需要从宏观试验着手，因此下面首先介绍单向应力状态下的基本试验，以了解材料的蠕变特性，作为建立蠕变理论的基础。

§1.3　蠕变试验、蠕变曲线

零件的蠕变计算是以单向应力状态的蠕变试验结果为基

础的,这是最基本的试验。试验装置如简图 1-1 所示。把试件放在保持恒温(可以自动调节温度)的炉子内,试件一端固定,另一端与杠杆相联。在杠杆的外端加静载(即重锤),杠杆上设有分载荷,随着试件伸长逐渐移动分载荷(即移动锤),使试件处于恒温恒应力状态(有些设备没有分载荷,而是在恒温恒载荷下进行试验)。试验装置还附有变形测量机构(引伸仪),采用固定在试件上的特殊引长夹板,将夹板端部由炉子引出,然后定时测量夹板的位移。根据试验数据可以画出以纵标为应变 ε、横标为时间 t 的典型曲线如图 1-2 所示,称为蠕变曲线。图中 ε_0 为瞬时应变,ε_c 为蠕变应变(蠕变曲线也可以用 $\varepsilon_c - t$ 曲线表示纯蠕变变形的规律)。

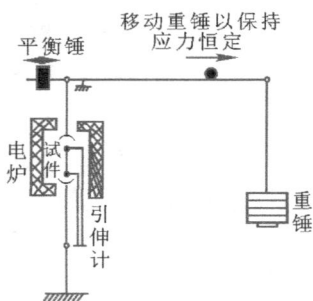

图 1-1 蠕变试验装置   图 1-2 蠕变曲线

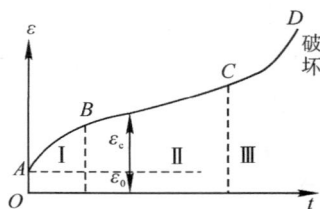

Andrade 指出典型的蠕变曲线可以分作三个阶段:

第一阶段——图中 AB 段,蠕变速率不断降低、材料发生硬化的阶段,称为不稳定蠕变阶段(或过渡蠕变阶段)。

第二阶段——BC 段,即直线段,蠕变速率达到最小值,通常这个阶段比较长,是设计人员所感兴趣的,因此也是研究最早的一段，称为稳定蠕变阶段（又称稳态蠕变阶段）。

第三阶段——CD 段（某些材料在 C 点开始发生颈缩），蠕变速率迅速上升，蠕变变形迅速发展，直到材料破坏，故又称破坏阶段。

实际上蠕变曲线的形状随应力水平不同而剧烈地变化，图 1-3 表示了钢在 540℃时不同应力水平下的蠕变曲线。在高应力下蠕变第二阶段几乎消失，而许多材料又显示出在低应力下不出现第三阶段。

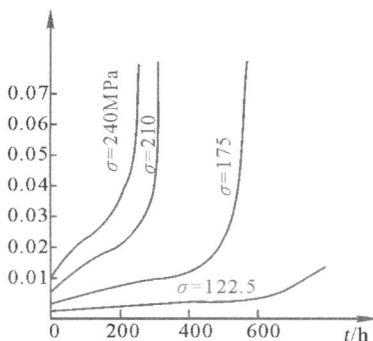

图 1-3　不同应力下的蠕变曲线

§1.4　蠕变断裂试验

作恒温下载荷不变的拉伸试验，直到试件破坏，可以记录破坏时间，与蠕变试验不同的是可以不必随时测量变形。有的蠕变试验机可以兼做两种试验（国内如吴忠试验机厂生产的高温蠕变持久强度试验机）。由试验结果可以得到 $\sigma_0 - t_R$

曲线，σ_0 表示持久强度，t_R 表示破坏时间。图 1-4 表示双对数坐标下的试验曲线，称为持久强度曲线（又称"蠕变破坏曲线"）用来描述材料的蠕变寿命。

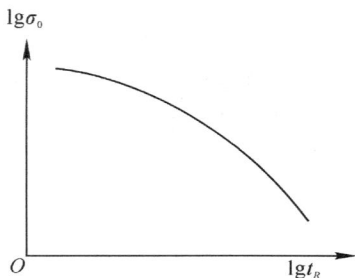

图 1-4　持久强度曲线

§1.5　应力松弛、松弛试验、松弛曲线

当试件的变形在恒温下保持不变（即试件变形受到限制）时，可以发现试件的应力随着时间增加而减少的现象，称为应力松弛，简称松弛。

假设试件在拉伸载荷作用下的初始应力小于屈服极限，试件的总变形 ε 在整个试验过程中保持为常数，即

$$\varepsilon = \varepsilon_e + \varepsilon_c = 常数 = \varepsilon(0) = \varepsilon_0$$

式中 $\varepsilon(0)$、ε_e 各表示初始变形及弹性变形。随着加载时间的增加，蠕变变形逐渐增长，而弹性变形因总变形不变则逐渐减少，弹性变形转化成蠕变变形，按照弹性关系 $\varepsilon_e = \sigma/E$，由于弹性变形降低引起应力相应地减少，这就是产生应力松弛的原因。在松弛过程中随时间所增加的蠕变变形与前述蠕变

现象在性质上相同，因此可以说松弛是蠕变现象的另一种表现。

在拉伸载荷下保持试件伸长不变的试验为松弛试验，由试验结果可以建立纵标为应力 σ，横标为时间 t 的松弛曲线，它描述了应力松弛规律，如图 1-5 所示。图中应力下降的速率在开始阶段比较快，以后逐渐缓慢，最终应力趋于极限值 σ_r，不再继续松弛。

松弛试验机设备比较复杂，为了保持总应变恒定，需要能够检测微小应变的精密应变检测仪，还需要具有能连续卸载的加载机构以及联系加载机构和应变，检测装置的信号回路。以 Boyd 松弛试验机为例，其原理图如图 1-6 所示。试件在电炉内固定于 AC 之间。用同一材料制成的伸长引出棒

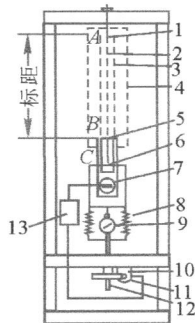

1.上部卡盘；2.试件；3.伸长引出棒；4.电炉；5.下部卡盘；6.加载用卡盘；7.电接点式的千分表(测伸长用)；8.弹簧；9.千分表(测载荷用)；10.电动机；11.蜗杆齿轮；12.载荷调节用驱动螺栓；13.连接器。

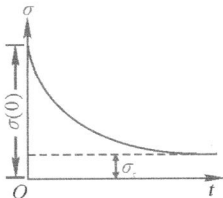

图 1-5　松弛曲线　　　　图 1-6　Boyd 松弛试验机

与试件平行并通过钢棒引出炉外，用装有电接点的千分表测定伸长。载荷由试件下端的弹簧施加于试件，当试件伸长时，来自千分表的信号驱动电动机以改变弹簧刚度进行卸载，最终保持总应变不变。这种试验机很敏感，只要有 3.4×10^{-4} mm 的伸长，电动机就开始转动，试件温度分布为 $\pm 1℃$，温度变化范围为 $\pm 0.5℃$。

§1.6 变载荷蠕变试验

前述为恒温常载下的蠕变基本试验，为了进一步了解变应力情况下的蠕变规律，曾有学者进行过阶梯加载试验与卸载试验。

§1.6.1 阶梯加载试验

进行应力水平由 σ_1 到 σ_2 的阶梯加载形式的蠕变试验，得到的蠕变曲线如图 1-7 所示。若 $\sigma_2 > \sigma_1$，往往可以发现，阶梯加载的蠕变曲线后续段在开始变载处有硬化，以后逐渐与应力水平为 σ_2 的蠕变曲线接近吻合。

§1.6.2 卸载试验、蠕变恢复

经过一段拉伸蠕变期再进行卸载，试件除弹性变形完全恢复外，蠕变变形部分缓慢缩小，这种现象称为蠕变恢复（或称反蠕变），如图 1-8 所示。对大部分材料而言，蠕变恢复量随时间而增加，但只能恢复第一阶段所积聚蠕变量的一部分[3, 4]。值得指出的是这种蠕变恢复现象必须在保持高温的条件下才会发生，如果温度随卸载降至室温，上述蠕变恢复现象就不会出现。

经过预蠕变后若进行部分卸载，就会发现蠕变暂时中止

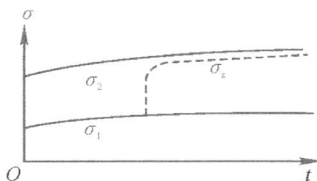

图 1-7　阶梯加载蠕变

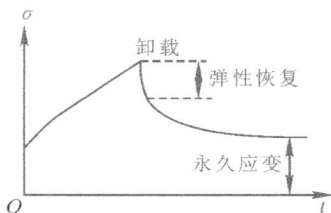

图 1-8　蠕变恢复

或休息的现象，经过短时恢复后继续蠕变，如果再重新加载到原值，开始时蠕变速度比卸载时的蠕变速度有所提高，但很快恢复到正常蠕变值，如图 1-9[5] 所示①。令 A_1、A_2 表示卸载点，B_1、B_2 表示再次加载点，据观察在短时期内由卸载点 A_1、A_2 到加载点 B_1、B_2 的恢复量，相对于卸载点 A_1、A_2 的蠕变量是很小的。

通常应力缓慢地变化时，反蠕变因素可以忽略，但在周期性应力状态下，蠕变恢复则是一个重要的考虑因素。目前对这些问题的研究还比较少，因而在实际的结构计算中上述效应都未加考虑。

值得指出的是，高温下的试验数据往往具有分散性，分散度上升

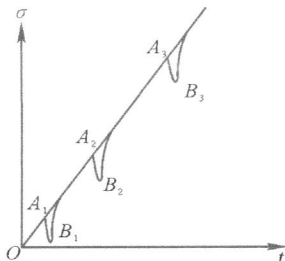

图 1-9　多次卸载与加载

的原因不仅是由于试件不同，更重要的是蠕变对应力与温度

────────────

①　也有资料表明，在部分卸载后，经长时间恢复再加载时并无恢复到原曲线的趋势。

变化都很敏感，蠕变试验要求测量或控制的微小变化（或精度）通常在实际中往往难以达到。

§1.7 蠕变的物理基础

蠕变变形与应力水平及温度范围密切相关。当温度到达 $0.3T_m$（T_m 为材料熔点）以上时蠕变是明显的，因此在工程上当绝对温度 $\geqslant 0.5T_m$ 时蠕变变形绝不能忽略。

蠕变的物理机理主要由蠕变位错和蠕变扩散两种机理构成。在低应力时位错运动停止或进行得很缓慢，但金属原子因扩散运动能连续移动而发生蠕变，这时蠕变扩散是主要的；然而在高应力下则发生位错蠕变并且与应力有很强的非线性关系。大量的工程结构中起主要作用的是位错蠕变机理。

若用位错理论来解释蠕变现象，材料因外载作用产生应力后，在晶体内发生位错运动，且产生位错增殖而使晶体加工硬化。在低温时，加工硬化形式不变，但温度较高时，由于热振动和原子扩散运动加剧，位错逐渐变得容易进行，并出现回复现象，当加工硬化与回复现象逐渐达到平衡状态就是蠕变第二阶段。至于蠕变第三阶段出现蠕变速度迅速上升以致最终产生断裂，一般认为有两个原因：一是晶粒由于蠕变而变形，滑移通常要经过晶界进入下一晶粒，结果变形集中于晶界，从而产生应力集中，特别在晶界交叉部分因应力集中而形成微小裂纹；二是点阵缺陷在晶界析出，以致在晶界处产生空位（空穴），结果加快了蠕变速度。

思 考 题

解释下列现象：蠕变，松弛，蠕变恢复。

第二章　一维应力蠕变理论

§2.1　概　　述

根据蠕变试验，可以得到材料在恒温下不同应力水平的蠕变曲线，这些曲线用方程式来表达并不困难。早在 1910 年，Andrade 曾提出恒温恒载下的蠕变可以表达为下列方程

$$\varepsilon_c = (1 + \beta t^g) e^{kt} - 1 \tag{a}$$

(a)式称为蠕变方程[①]，当 $kt < 1$ 时，e^{kt} 按级数展开，此方程可近似写成

$$\varepsilon_c = \beta t^g + kt \tag{b}$$

(b)式中右端的第一项及第二项分别表达第一阶段与第二阶段的蠕变特征（ε_I 及 ε_{II}），如图 2-1 所示。而常数 β、g、k 一般与材料、应力、温度有关，其中 g 值恒小于 1。

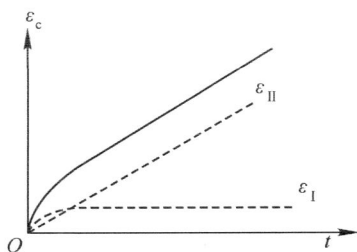

上述方程在一定程度上反映了蠕变变形的特征，在

图 2-1　蠕变曲线的描述

---

① 当时 Andrade 提出 g 为 $\dfrac{1}{3}$。

第一阶段 $\dot{\varepsilon}_c$ 随时间下降，而第二阶段 $\dot{\varepsilon}_c$ 为常数。但这些方程都是在特定条件下得到的，不能描述变温变应力情况下的应力应变规律。

由实验资料可知，蠕变量 ε_c、蠕变率 $\dot{\varepsilon}_c$、应力 σ、时间 t 及温度 T 之间存在着较复杂的关系。因为影响蠕变的因素很多，蠕变的机理复杂，而且对不同材料，不同温度和应力等条件下符合的情况亦不同，所以要得出统一的蠕变公式极其困难，为此人们提出某些假设，以最少的变量来反映蠕变的主要因素，建立蠕变理论。归纳起来有：陈化理论、时间硬化理论、应变硬化理论、塑性滞后理论等，而应用较多的则是时间硬化理论与应变硬化理论。

§2.2　陈化理论

Soderberg[8]提出：当温度一定时，蠕变变形、应力和时间存在一定关系

$$\varepsilon_c = f(\sigma, t) \qquad (2-1)$$

这种观点认为在蠕变过程中，有时效、扩散、回复等因素影响蠕变的进行，在这些因素中最主要的是金属在高温负荷下所保持的时间。

对于金属材料而言，蠕变曲线的第一、第二阶段往往具有几何相似的性质，如图 2-2 所示。故式(2-1)又可表示为

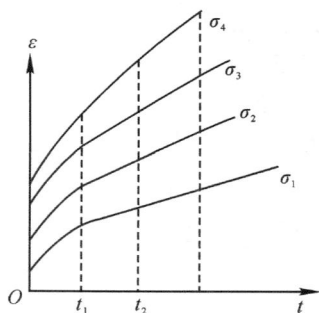

图 2-2　蠕变曲线几何相似性

$$\varepsilon_c = f_1(\sigma) f_2(t) \qquad (2-2)$$

在工程上许多材料符合下面的形式，即

$$f_1(\sigma) = \sigma^n \qquad (c)$$

式中应力指数 n 约在 2 与 10 之间，也就是说蠕变应变与应力之间存在很强的非线性关系。

在恒应力情况下 $f_1(\sigma) =$ 常数，函数 $f_2(t)$ 描写了蠕变曲线的形式，常用 $\Omega(t)$ 表示，即 $f_2(t) = \Omega(t)$，它是与蠕变曲线成一定比例的函数，当蠕变时间不太长时能很好地符合关系式

$$\Omega(t) = At^m, \ 0 < m < 1$$

由式(c)和式(2-2)得到陈化理论公式

$$\varepsilon_c = \sigma^n \Omega(t) \qquad (2-3)$$

或

$$\varepsilon_c = A\sigma^n t^m \qquad (2-4)$$

其中 A、m、n 为材料常数，由蠕变试验资料来确定。

松弛情况：因 $\varepsilon_e + \varepsilon_c =$ 常数 $= \varepsilon(0)$，则有

$$\frac{\sigma}{E} + \sigma^n \Omega(t) = \frac{\sigma(0)}{E}$$

整理可得松弛应力

$$\sigma = \sigma(0) - E\sigma^n \Omega(t) \qquad (2-5a)$$

或

$$\sigma = \sigma(0) - EA\sigma^n t^m \qquad (2-5b)$$

式(2-3)、式(2-4)是陈化理论常用的形式。除此以外，Работнов[7]还提出以应变为自变量的公式

$$\sigma = f(\varepsilon, t) \qquad (2-6)$$

他把蠕变曲线转换成以时间为参数，以 σ、ε 为坐标的 $\sigma - \varepsilon$ 曲线如图 2-3 所示，表示不同时刻的应力-应变曲线，这组曲

线称为等时线①。通过对许多试验曲线的整理和总结发现：所得的一组 σ-ε 曲线往往具有几何相似性。因此式（2-6）可以表达为

$$\sigma = \varphi(\varepsilon)\Psi(t) \qquad \text{(d)}$$

当 $t=0$ 时，取 $\Psi(0)=1$ 则图 2-3 中的 $\varphi(\varepsilon)$-ε 曲线就表示材料单向拉伸图，即为 $t=0$ 时的等时线。

函数 $\Psi(t)$ 是任意选择的，根据经验，往往采用 $\Psi(t)=\dfrac{1}{1+at^b}$ 的形式，它与实验符合较好，其中 a、b 为材料常数。

图 2-3 等时线

松弛情况：变形 ε 为常数，即 $\varphi(\varepsilon)=$ 常数 $=C$，可得松弛方程

$$\sigma = \frac{C}{1+at^b} \qquad \text{(e)}$$

陈化理论总的特点是以全量形式表示，且在公式中包含时间变量 t。按照该理论，当载荷突变时蠕变变形也会发生突变，这与实际不符。但对于缓慢变化的载荷，理论与实验结果能够相符，而且计算比较方便，因此在工程设计中得到应用。

§2.3　时间硬化理论

该理论的基本思想认为，在蠕变过程中蠕变率降低显示

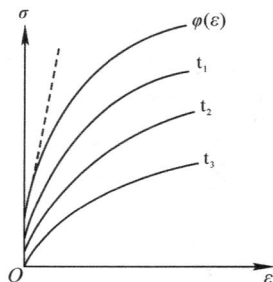

---

① 在强度计算中用到，将在第三章讨论。

出材料硬化的主要因素是时间，而与蠕变变形无关。因此理论公式可描述为：当温度一定时，应力、蠕变率与时间之间存在一定关系

$$\Phi(\dot{\varepsilon}_c, \sigma, t) = 0 \qquad (f)$$

由(2-3)、(2-4)式对时间求导可得

$$\dot{\varepsilon}_c = \sigma^n B(t) \qquad (2-7)$$

或

$$\dot{\varepsilon}_c = A m \sigma^n t^{m-1} \qquad (2-8)$$

其中 $\int_0^t B(t)\mathrm{d}t = \Omega(t)$ 或 $B(t) = \dfrac{\mathrm{d}}{\mathrm{d}t}\Omega(t) \qquad (2-9)$

公式(2-7)、(2-8)是时间硬化理论常用的表达式，特别是式(2-8)。而公式(2-7)是由 Качанов[8] 提出的。

蠕变情况下，$\sigma =$ 常数，由式(2-7)、(2-8)积分所得的蠕变表达式必与陈化理论所得公式(2-3)、(2-4)相同。

由(2-9)式可以建立 $B(t)$ 与 $\Omega(t)$ 的函数关系如图 2-4 所示。函数 $B(t)$ 与温度、时间有关，且为时间的减函数，随着时间增加趋近于极限值 B_1，这时 $\Omega_1 = B_1 t$，蠕变率 $\dot{\varepsilon}_c$ 达到最小值，因此公式(2-7)可以描述蠕变的第一、第二阶段。

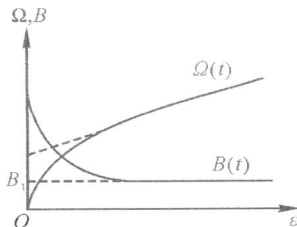

图 2-4 与的关系

松弛情况：$\varepsilon =$ 常数，则

$$\dot{\varepsilon} = \dot{\varepsilon}_e + \dot{\varepsilon}_c = \frac{\dot{\sigma}}{E} + \dot{\varepsilon}_c = 0$$

利用初始条件 $t=0$，$\sigma = \sigma(0)$，积分式(2-7)、(2-8)可得

$$\sigma = \sigma(0)[1 + (n-1)E\sigma^{n-1}(0)\Omega(t)]^{-1/(n-1)}$$
$$(2-10a)$$

及 $\qquad \sigma = \sigma(0)[1 + (n-1)AE\sigma^{n-1}(0)t^m]^{-1/(n-1)}$
$$(2-10b)$$

该理论同样适用于应力变化是单调的或缓慢的情况。

§2.4 应变硬化理论

最原始的设想是：蠕变过程中有类似于常温下金属加工硬化的现象(反映在塑性变形过程中屈服应力有所提高)亦有蠕变硬化现象(反映在蠕变过程中蠕变率降低)，它与蠕变变形的程度有关而与时间无关。后来 Nadai[9]、Davis[10] 等进行了高温下金属硬化的实验，研究结果证明：蠕变变形与瞬时塑性变形不同，瞬时塑性变形并不引起蠕变硬化，而影响蠕变硬化的仅是蠕变变形量。在物理上可以这样解释：因瞬时变形，剪切集中在某些滑移平面束，而蠕变则或多或少均匀遍布于颗粒的全体积。因此该理论可描述为：

当温度不变时，σ、ε_c、$\dot{\varepsilon}_c$ 之间存在一定关系，即
$$\Phi(\sigma, \varepsilon_c, \dot{\varepsilon}_c) = 0$$
其基本思想是：蠕变过程中起强化作用的主要因素是蠕变变形，而与时间无关。

应变硬化理论常用的公式是由 Davis[10] (1943 年)及 Чуриков 等[11] (1949 年)所提出的公式：
$$\dot{\varepsilon}_c \varepsilon_c^\alpha = \beta \sigma^m \qquad (2-11)$$

$$\dot{\varepsilon}_c \varepsilon_c^\alpha = a e^{\sigma/b} \quad (或 \ \sigma = b \ln \frac{\dot{\varepsilon}_c \varepsilon_c^\alpha}{a}) \qquad (2-12)$$

式中 α、β、a、b、d 及 m 都是由实验确定的常数。因蠕变曲线满足几何相似性，实验资料表明，各常数之间存在下述关系：

对(2-11)式 $\qquad m \geqslant 1+\alpha$ $\qquad\qquad$ (g)

对(2-12)式 $\qquad \dfrac{\sigma}{b} \geqslant \ln(1+d)$ $\qquad\qquad$ (h)

下面讨论(2-11)、(2-12)两式的蠕变与松弛的表达式。

蠕变情况：σ＝常数，且 $t=0$ 时 $\varepsilon_c=0$，积分式(2-11)、式(2-12)，得到蠕变方程

$$\varepsilon_c = [\beta(1+\alpha)]^{1/(1+\alpha)} \sigma^{m/(1+\alpha)} t^{1/(1+\alpha)} \qquad (2-13)$$

及 $\qquad \varepsilon_c = [\alpha(d+1)]^{1/(d+1)} e^{\sigma/b/(d+1)} t^{1/(d+1)} \qquad (2-14)$

此蠕变表达式显然与(2-4)式等价(对同一实验资料而言)。松弛情况：$\varepsilon(0)=\varepsilon_e+\varepsilon_c$，即 $\varepsilon_c = \dfrac{\sigma(0)}{E} - \dfrac{\sigma}{E}$，代入式(2-11)、式(2-12)并利用初始条件，$t=0$ 时 $\sigma=\sigma(0)$，积分可得

$$t = \frac{1}{\beta E^{(1+\alpha)}} \int_{\sigma}^{\sigma(0)} [\sigma(0)-\sigma]^a \frac{\mathrm{d}\sigma}{\sigma^m}$$

及 $\qquad t = \dfrac{1}{\alpha E^{(d+1)}} \displaystyle\int_{\sigma}^{\sigma(0)} [\sigma(0)-\sigma]^d e^{-\sigma/b} \mathrm{d}\sigma$

从应变硬化理论公式分析，在蠕变情况下 σ＝常数，则 $\dot{\varepsilon}_c \varepsilon_c^\alpha$＝常数，即 $\dot{\varepsilon}_c$＝常数$/\varepsilon_c^\alpha$，随着 ε_c 增大 $\dot{\varepsilon}_c$ 下降，因而它能描写材料强化的过程。但 $\dot{\varepsilon}_c$ 不可能成为常数，只有当 ε_c 变化非常微小时才可看作常数，这里含有近似的意思。因此该理论主要描写蠕变第一阶段的硬化过程，用于短时间的试验比较合适。

理论公式中的常数通常是先求得蠕变表达式，由恒温恒

应力蠕变试验曲线拟合来确定，再通过松弛试验作进一步验证。应该注意到(2-12)式限于 $|\dot{\varepsilon}_c\varepsilon_c^d|>a$ 时才成立，因当 $|\dot{\varepsilon}_c\varepsilon_c^d|\leqslant a$ 时 $\sigma=0$。Работнов 提出 (2-12) 式应修改为如下形式

$$\dot{\varepsilon}_c\varepsilon_c^d = a(e^{\sigma/b}-1)$$

§2.5　恒速理论

除上述理论之外，为适应工程实际情况的应用，有些学者提出下列近似公式

$$\dot{\varepsilon} = Q(\sigma) \qquad (2-15)$$

当应力为常数时 $\dot{\varepsilon}=$ 常数 $=(\dot{\varepsilon})_{min}$，它能描述蠕变第二阶段，因此被称为恒速理论。该理论忽略了第一阶段蠕变及瞬时变形，故不能描述松弛情况。

在工程上由于有些零部件(如汽轮机蒸汽管道等)长期在高温下工作，因此第二阶段蠕变为主要部分。在瞬时变形与第一阶段蠕变可以忽略的情况下，恒速理论常被使用，因此提出最早、研究最多的就是恒速理论。不同的学者曾根据经验提出了函数 $Q(\sigma)$ 的各种形式，如 $B\sigma^n$、$Csh\dfrac{\sigma}{d}$、$ge^{\sigma/R}$、$a(e^{\sigma/b}-1)$、$\sigma e^{f(\sigma)}$ 等，其中 B、a、b、C、d、g、R、n 皆为与温度有关的常数。

而用得比较多的是幂函数形式

$$\dot{\varepsilon} = B\sigma^n \qquad (2-16)$$

在工程应用中(2-16)式可确切地表示为

$$\dot{\varepsilon}_{min} = B\sigma^n \qquad (2-17)$$

根据蠕变试验资料将 σ 与对应的 $\dot{\varepsilon}_{min}$ 画在对数坐标上，可以发现，在相当一段应力范围内得出的点子将近于直线，如图 2-5 所示。在其上任取两点 1 和 2，所对应的坐标满足 (2-17) 式的对数式，由此可确定 B、n 值（或由最小二乘法拟合 (2-17) 式而得）。

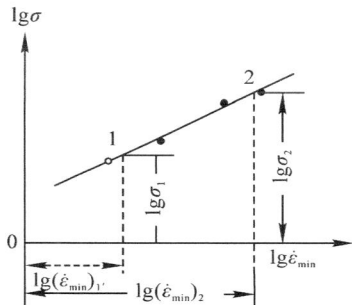

图 2-5　$\lg\sigma - \lg\varepsilon_{min}$ 曲线

　　此外，Norton 考虑到瞬时弹性变形即 $\dot{\varepsilon} = \dot{\varepsilon}_e + \dot{\varepsilon}_c$，提出如下公式

$$\dot{\varepsilon} = \frac{\dot{\sigma}}{E} + B\sigma^n \qquad (2-18)$$

符合此式的材料定义为 Hooke-Norton 材料，或对符合 $\dot{\varepsilon}_c = B\sigma^n$ 的材料简称 Norton 材料。(2-18) 式为最简单的一维本构关系，可以求解松弛问题，曾应用于大型结构的强度分析。

　　蠕变情况：　　　　$\varepsilon_c = B\sigma^n t$ 　　　　　(2-19)

　　松弛情况：$\varepsilon =$ 常数，因此 $\dfrac{\dot{\sigma}}{E} + B\sigma^n = 0$，利用初始条件，$t = 0$ 时 $\sigma = \sigma(0)$，积分可得松弛应力

$$\sigma^{1-n} = \sigma(0)^{1-n} - (1-n)EBt \qquad (2-20)$$

§2.6　塑性滞后理论

　　上述理论的特点是用应力、应变或应变速度等变量来表达蠕变的规律，而不考虑以前的历史，这是固态方程的概念，因此它们共同的缺点是不能描述蠕变恢复现象，而

Работнов[7,12] 所提出的塑性滞后理论可以描述此现象。该理论是在 Volterra 提出的弹性后效理论基础上发展起来的。所谓弹性后效理论是考虑有后效的弹性体，卸载后变形需要经过相当长时间才逐渐达到完全恢复，这种现象称为弹性后效。Работнов 考虑到蠕变情况亦有后效现象，但变形是属于塑性的，卸载后变形不可能全部恢复，因此称为塑性后效现象，并认为这种有后效的弹塑性体不论在加载过程还是卸载过程，应变是时间的函数且由两部分组成，一是与应力呈非线性关系的瞬时变形部分，另一是由过去加载所产生的后效部分，即曾经在瞬时 t_0 所加载荷对瞬时 t 变形的影响。塑性后效理论建立的应力、应变、时间之间关系的表达式为

$$\varphi(\varepsilon) = \sigma(t) + \int_0^t K(t-\xi)\sigma(\xi)\mathrm{d}\xi \qquad (2-21)$$

这是第二类 Volterra 积分方程。

ξ——积分变量，由 0 变到 t。

$K(t-\xi)$——积分方程的核，以 ξ 为自变量，是时间 t 的减函数，当 $\xi > t$ 时无意义。

(2-21)式右边第一项表示瞬时应力(因 $t=0$ 时，第二项为零，即得 $\varphi(\varepsilon) = \sigma$ 为瞬时应力应变关系)，第二项描述加载历史对变形的影响。

蠕变情况：$\sigma =$ 常数 $= \sigma_0$，可得

$$\varphi(\varepsilon) = \sigma_0 [1 + G(t)] \qquad (2-22)$$

$G(t)$——后效函数

$$G(t) = \int_0^t K(t-\xi)\mathrm{d}\xi \qquad (\mathrm{i})$$

$\varphi(\varepsilon)$ 为高温拉伸试验所得到的已知函数，$G(t)$ 为吻合蠕变曲线前提下，形式可以任选的时间函数，对许多材料以 $G(t) = at^b$ 的形式与试验吻合较好，而 a、b 为实验常数，

由 $G'(t) = K(t)$ 可得核函数

$$K(t-\xi) = ab(t-\xi)^{b-1} \tag{j}$$

由积分方程(2-21)对 $\sigma(t)$ 求解有

$$\sigma(t) = \varphi(\varepsilon) - \int_0^t \gamma(t-\xi)\varphi(\xi)\mathrm{d}\xi \tag{2-23}$$

其中 $\gamma(t-\xi)$ 是积分方程的解式。

松弛情况：$\varepsilon = $ 常数 $= \varepsilon(0)$，由(2-23)式可得松弛曲线

$$\sigma(t) = \varphi(\varepsilon)[1-R(t)] \tag{2-24}$$

$R(t)$——松弛函数

$$R(t) = \int_0^t \gamma(t-\xi)\mathrm{d}\xi \tag{k}$$

积分方程(2-21)的核函数确定后，可以根据积分方程理论求得解式 $\gamma(t-\xi)$，确定松弛函数 $R(t)$，代入(2-24)式得到松弛曲线公式。

下面讨论如何求得蠕变恢复量。设应力在屈服极限以内，其初始变形 $\varepsilon(0) = \dfrac{\sigma}{E}$ 如图 2-6 中 A 点，经过时间 t_0 进行卸载，卸载点为 B 点，t_0 瞬时变形为 ε_b。A、B 点各对应于图 2-7 中 A_1、B_1 点。经时间 $\bar{t}$ 后变形的改变由两部分组成：

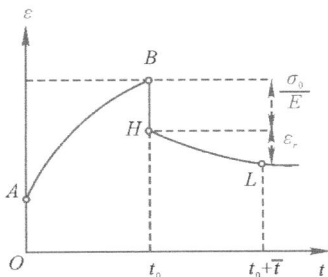

图 2-6　蠕变恢复曲线　　　　图 2-7　φ-ε 曲线

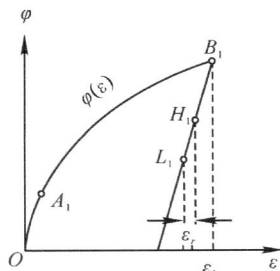

一是即时恢复的弹性应变部分 BH，另一是在时间 $\bar{t}$ 的蠕变恢复量 ε_r（即图 $2-6$ 中的 HL），现在的问题就是求 ε_r。图 $2-6$ 中的 H、L 对应于图 $2-7$ 中的 H_1、L_1，因卸载时应力-应变曲线按线性规律，故 $B_1H_1L_1$ 为直线。

卸载点 B 发生在 $t=t_0$ 时刻，故有

$$\varphi(\varepsilon_b)=\sigma(t_0)+\int_0^{t_0}\sigma(\xi)K(t_0-\xi)\mathrm{d}\xi$$

在 t_0 段 $\sigma=$ 常数，故 $\varphi(\varepsilon_b)=\sigma[1+G(t_0)]$；在 L 点：$t=t_0+\bar{t}$，对应于 $\varphi(\varepsilon)-\varepsilon$ 图上的 L_1 点，按卸载曲线有

$$\varphi(\varepsilon_L)=\varepsilon(\varepsilon_b)-E(\varepsilon_r+\frac{\sigma}{E})=\sigma(t_0+\bar{t})+$$

$$\int_0^{t_0+\bar{t}}\sigma(\xi)K(t_0+\bar{t}-\xi)\mathrm{d}\xi$$

其中，从 t_0 到 $t_0+\bar{t}$，$\sigma=0$，从 0 到 t_0，$\sigma=$ 常数。因此

$$\varphi(\delta_b)-E(\varepsilon_r+\frac{\sigma}{E})=\sigma\int_0^{t_0}K(t_0+\bar{t}-\xi)\mathrm{d}\xi,$$

而

$$\int_0^{t_0}K(t_0+\bar{t}-\xi)\mathrm{d}\xi=\int_0^{t_0+\bar{t}}K(t_0+\bar{t}-\xi)\mathrm{d}\xi-$$

$$\int_0^{t_0+\bar{t}}K(t_0+\bar{t}-\xi)\mathrm{d}\xi$$

故　　$$\varphi(\varepsilon_b)-E(\varepsilon_r+\frac{\sigma}{E})=\sigma[G(t_0+\bar{t})-G(\bar{t})]$$

从而得到蠕变恢复表达式

$$\varepsilon_r=\frac{\sigma}{E}[G(t_0)+G(\bar{t})-G(t_0+\bar{t})] \tag{1}$$

§2.7　蠕变理论的实验验证与比较

要估价前述理论的可靠性必须通过实验来验证。下面介绍几种不同方案的实验资料。

(一)常载荷下的蠕变试验及松弛试验

Davis[10]采用铜试棒,在165℃及230℃下进行2600小时及1200小时的蠕变试验,并在165℃下进行$\sigma(0)=949$MPa的松弛试验。Чуриков 和 Качанов 等根据上述试验数据,按应变硬化理论、时间硬化理论及陈化理论公式(2-3)画出理论曲线并与试验曲线进行比较,如图2-8、2-9所示。说明应变硬化理论与蠕变曲线能很好符合,而与松弛曲线符合的情况则 Качанов 公式略差。

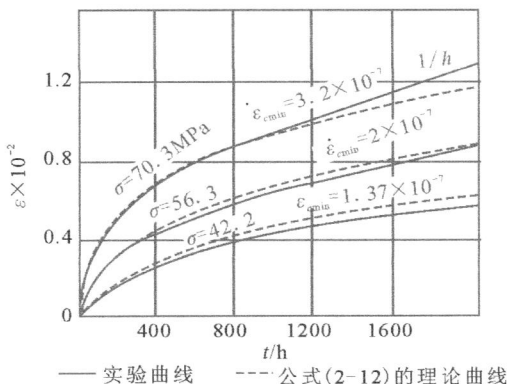

图 2-8　铜在165℃温度下的蠕变曲线

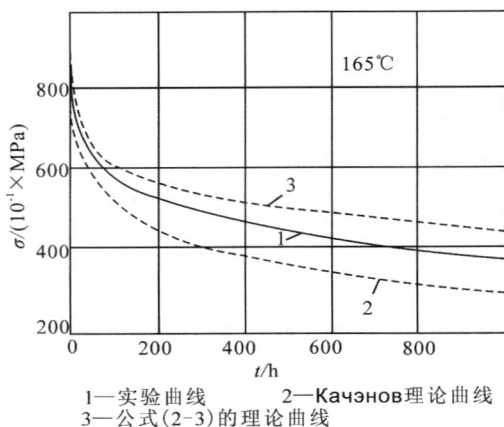

1—实验曲线　　　2—Качэнов理论曲线
3—公式(2-3)的理论曲线

图 2-9　铜在 $\sigma(0)$ 为 94.9 MPa 时的松弛曲线

Johnson[13]用铬钼钢在 525℃ 条件下进行试验，Koncon 采用不同理论画出理论曲线，由图 2-10 可见，在不长的时间

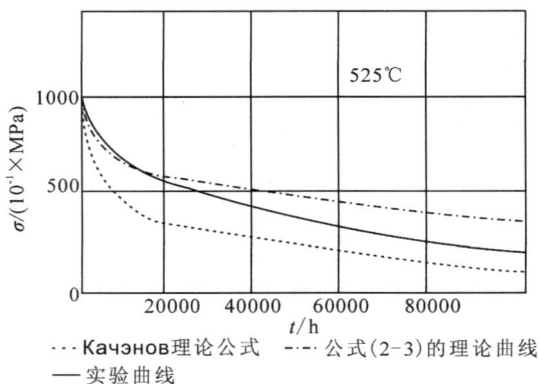

··· Качэнов理论公式　　 -·- 公式(2-3)的理论曲线
—— 实验曲线

图 2-10　铬钼钢在 $\sigma(0)$ 为 146 MPa 时的松弛曲线

内，按公式(2-3)所绘的理论曲线与试验曲线比较接近；嗣后试验曲线沿着 Качанов 公式(2-7)所建立的理论曲线发展。另有学者将 Даниловская[14] 对 30ХМ 钢在 500℃ 下进行的松弛试验与应变硬化理论比较，如图 2-11 所示。

力学所柯受全等[15]曾用 45 号钢试棒在温度 500℃ 下进行蠕变试验验证，认为应变硬化理论、陈化理论（即文献中的硬化理论、时效理论）、塑性滞后理论等都近似地与实验曲线符合，能够满足实用精度。其中应变硬化理论比时效理论为佳，塑性滞后理论在计算上比较复杂，但合适地选择积分方程的核函数能满意地符合试验曲线。另外，应变硬化理论公式中的常数有两组，它反映了蠕变第一阶段与第二阶段得出的常数不同。可详见文献[15]。

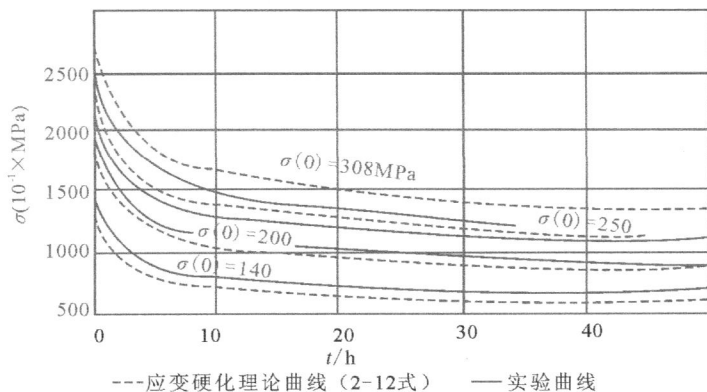

---应变硬化理论曲线（2-12式）　——实验曲线
图 2-11　30ХМ 钢在 500℃ 温度下的松弛曲线

(二)变载荷下的实验验证

(1)阶梯加载情况

Жуков[16] 等所进行的试验以赤铜为材料，采取的温度是 200℃，分别进行了应力为 75 MPa、105 MPa 的蠕变试验，以及应力由 75 MPa 变到 105 MPa 的阶梯加载蠕变试验，如图 2-12 所示，说明应变硬化理论与塑性滞后理论与实验符合得很好。

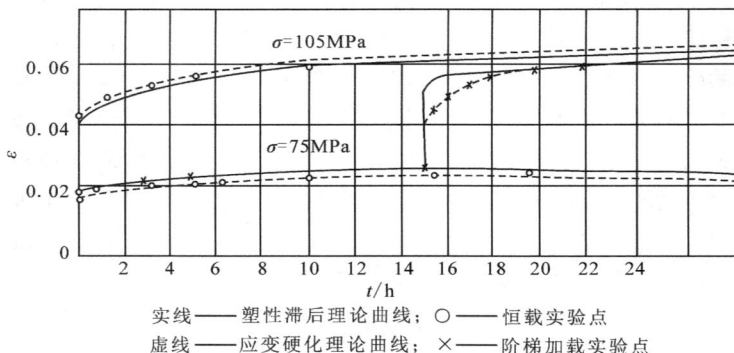

实线——塑性滞后理论曲线；○——恒载实验点
虚线——应变硬化理论曲线；×——阶梯加载实验点

图 2-12　赤铜在 200℃时进阶梯加载的蠕变曲线

（2）复杂加载情况

Даниловская[14]等采用 30ХМ 钢在 500℃下进行了预先蠕变后松弛和预先拉伸后松弛的两组试验。具体方案是：一组在 $\sigma = 200$ MPa 常载下进行 25 小时蠕变，后以 $\sigma(0) = 200$ MPa 进行 50 小时的松弛试验；另一组先进行恒速加载到达塑性变形（显然这时应力比上面一组的 $\sigma(0)$ 要高），然后迅速降低到 $\sigma(0)$ 再进行松弛试验。试验结果如图 2-13 所示（实线为实验曲线，虚线为理论曲线），说明预先蠕变使试件强化，应力降低得慢；但预先有瞬时塑性变形的松弛曲线则与未预加蠕变的情况相同，这说明瞬时塑性变形对蠕变并无强化作用。从而进一步验证了应变硬化理论。

还有一些学者研究了不同变载方案下的蠕变规律如文献[17]、[18]等。总的说来，试验与理论的符合情况与材料有关，许多材料用应变硬化理论、塑性滞后理论能与实验符合得较好，但难以求解；时间硬化理论与陈化理论较简单，适用于应力变化缓慢的情况，因此在工程上已得到较多的应用。

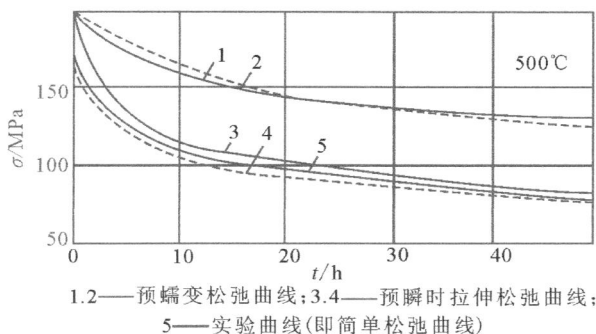

1.2——预蠕变松弛曲线；3.4——预瞬时拉伸松弛曲线；
5——实验曲线(即简单松弛曲线)

图 2-13　30XM 钢在不同加载方案下的松弛曲线

§2.8　变温下的蠕变规律

上述蠕变理论公式都是在温度恒定的条件下导出的，实际上许多零件并非在恒温下负载，如热交换器、蒸汽管道等往往在周期性变化的温度下工作，因此有必要研究温度变化对于蠕变规律的影响。工程上通常采用参数法处理，今简述如下：

(一)时间温度参数法的概念

如果应力不变，不同温度下的蠕变曲线组如图 2-14(a)

所示，图中温度 $T_3 > T_2 > T_1$，因此

$$\varepsilon_c = f(\sigma, T, t) \qquad (2-25)$$

由于恒应力下不同温度的蠕变曲线往往存在几何相似性，故可近似表达为

$$\varepsilon_c = f_1(\sigma) f_2(\theta) \qquad (2-26)$$

（或恒应力下 $\varepsilon_c = A f_2(\theta)$）

其中
$$\theta = f_3(T, t)$$

如果上面关系成立，则如图 2-14(a)所示的一组蠕变曲线可由图 2-14(b)所示的简单曲线来代替，即可由已知温度的蠕变曲线来推测 T_1—T_3 区间内其它温度的蠕变曲线。显然 θ 与温度有关，并且也是表达时间的参数，故称为时间-温度参数。而(2-26)式的函数形式曾由 Dorn[19]、Penny[20] 等作过研究，以下着重介绍 Dorn 的观点。

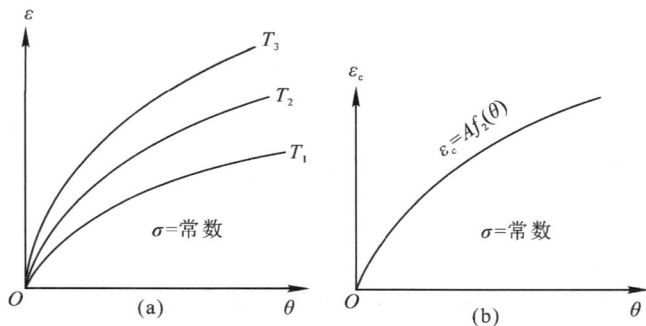

图 2-14　参数法图示

（二）变温下的蠕变规律

今以应变硬化理论为例进行讨论，即

$$\dot{\varepsilon}_c \varepsilon_c^d = a \, e^{\sigma/b}$$

据试验数据分析，式中的系数 a 受温度变化的影响较大，是主要的，而其它系数 d、b 受温度变化的影响较小，在较窄的温度范围内可看作与温度变化无关。J.E.Dorn 根据纯金属试验从微观角度分析，当温度高于 $0.5 \, T_m$（熔点）时，蠕变激活能与原子自扩散激活能近似相等，他考虑蠕变过程是扩散过程，由原子自扩散机理所支配，提出

$$a = a_0 \, e^{-Q/RT} \tag{2-27}$$

式中 Q、R、T 各表示激活能、气体常数、绝对温度。从而有

$$\varepsilon_c^d \, d\varepsilon_c = a_0 \, e^{-Q/RT} \, e^{\sigma/b} \, dt \tag{m}$$

令

$$d\theta = e^{-Q/RT} \, dt$$

于是

$$\varepsilon_c^d \, d\varepsilon_c = a_0 \, e^{\sigma/b} \, d\theta$$

再令

$$\varepsilon_c' = \frac{\partial \varepsilon_c}{\partial \theta}$$

则

$$\varepsilon_c^d \, \varepsilon_c' = a_0 \, e^{\sigma/b}$$

这样，蠕变规律的形式不变，只是把时间坐标 t 变换为 θ 而已，因此 θ 就是时间-温度参数，其表达式为

$$\theta = \int e^{-Q/RT} \, dt \tag{2-28}$$

这是最基本的形式。

若温度按周期性变化，$T = T_0 + T_1 \sin\omega t$，把 $\frac{1}{T}$ 展成级数 $\frac{1}{T} = \frac{1}{T_0}\left(1 - \frac{T_1}{T_0}\sin\omega t\right) = \frac{1}{T_0} - \frac{T_1}{T_0^2}\sin\omega t + \cdots$ 取前两项代入 (m)式并进行积分，得到变温下的蠕变方程

$$\frac{\varepsilon_c^{(1+d)}}{1+d} = a_0 \, e^{\sigma/b} \, e^{-Q/RT_0}$$

$$\int_{t0}^{t} e^{-\frac{Q}{R}(-\frac{T_1}{T_0^2}\sin\omega t)} dt$$

$$= a_0 e^{\sigma/b} e^{-Q/RT_0} \int_{t0}^{t} \sum_{n=0}^{\infty} \frac{1}{n!} \left(\frac{T_1 Q}{T_0^2 R}\right)^n (\sin\omega t)^n dt$$

$$= a_0 e^{\sigma/b} e^{-Q/RT_0} \sum_{n=0}^{\infty} \frac{1}{n!} \left(\frac{T_1 Q}{T_0^2 R}\right)^n \int_{t0}^{t} (\sin\omega t)^n dt$$

Иваноba[21] 曾采用 ЭИ－4376 钢在应力 $\sigma = 4$ MPa 作用下，分别进行恒温 650℃、700℃ 的蠕变试验及温度在 650～700℃ 范围内呈周期变化情况下的试验，周期为 0.5、1、2 小时。结果表明，温度周期变动时蠕变曲线在恒温 650℃ 及 700℃ 蠕变曲线之间，试验结果与理论曲线相符。

（2-27）式中试验常数 a_0 及 $\frac{Q}{R}$ 可利用 650℃ 和 700℃ 的试验数据来确定，按应变硬化理论公式求得的 a 值为

$$650℃ \quad a = 3.98 \times 10^{-14}$$
$$700℃ \quad a = 50.12 \times 10^{-14}$$

由（2-27）式可解得：$a_0 = 1.01 \times 10^8$，$\frac{Q}{R} = 4.55 \times 10^4$。

（三）一般简化处理

考虑到应力影响和温度影响的蠕变曲线由第一阶段到第二阶段往往存在几何相似性如图 2-3 及 2-14(a) 所示，因此变温下的蠕变规律可用应力 σ、时间 t、温度 T 单独的函数表示为

$$\varepsilon_c = f_1(\sigma) f_2(t) f_3(T) \qquad (2-29)$$

而前几节所讨论的蠕变规律仅是恒温下即 $f_3(T) =$ 常数的特殊情况。通常 $f_3(T)$ 采用 $Ce^{-Q/RT}$ 的形式，例如 Odquist 曾对

Norton 材料提出如下形式

$$\dot{\varepsilon}_c = B_0 \sigma^n e^{-k/T}$$

实际上上式所采用的 θ 表达式与式(2-28)一致。

§2.9 算　例

例 2-1　一超静定桁架由三根等截面杆构成,如图 2-15
所示。该桁架在 500℃ 环境
下承受集中载荷 P,试按陈
化理论公式(2-4)分析蠕
变应力。已知其材料常数
为 $E = 2 \times 10^5$ MPa, $A = 5$
$\times 10^{-13}$, $n = 2$, $m = 0.7$ 及
$P = 20$ kN, 截面积 $F =$
1 cm², 杆长 $l_1 = 10$ cm。

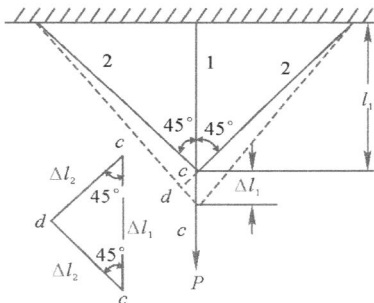

图 2-15

解: 对蠕变问题的分
析,如同弹塑性问题一样要满足平衡、变形协调及本构关
系。分析节点 c 的受力情况可建立平衡方程:

$$\sigma_1 + 2\sigma_2 \cos 45° = \frac{P}{F}$$

变形协调关系:　　　　　$\Delta l_1 = \Delta l_2 / \cos 45°$

即　　　　　　　　　　　$\varepsilon_1 = 2\varepsilon_2$　　　　　　　　(n)

蠕变状态本构方程:因 $\varepsilon = \varepsilon_e + \varepsilon_c$,故

$$\varepsilon_1 = \frac{\sigma_1}{E} + A\sigma_1^n t^m, \quad \varepsilon_2 = \frac{\sigma_2}{E} + A\sigma_2^n t^m \qquad (o)$$

利用(n)、(o)两式及已知常数可以解得

$$\begin{cases} \sigma_2 = \dfrac{\dfrac{P}{EF}t^{-m} + A\left(\dfrac{P}{F}\right)^2}{\dfrac{1}{E}(2+\sqrt{2})t^{-m} + 2\sqrt{2}\dfrac{P}{F}A} \\[3em] \sigma_1 = \dfrac{P}{F} - \sqrt{2}\,\sigma_2 \end{cases}$$

$t=0$ 时可得到初始弹性解

$\sigma_2(0) = 58.58$ MPa

$\sigma_1(0) = 117.16$ MPa

当 $t \to \infty$ 时，$\sigma_2 = 70.7$ MPa，$\sigma_1 = 100$ MPa，此时应力与时间无关，称为稳定解。

由计算结果可见，在蠕变过程中即使外载荷不变，应力也会随时间变化发生重新分配，但逐渐逼近稳定解。

例 2－2 同上题数据，仍采用公式(2-4)，但略去弹性变形，试分析其蠕变应力及 10000 小时后 C 点的位移 Δ。

解：这时蠕变本构方程因略去弹性变形部分而变成

$$\varepsilon_1 = A\sigma_1^n t^m, \quad \varepsilon_2 = A\sigma_2^n t^m$$

其它方程仍同上例，于是可解得蠕变应力

$$\sigma_2 = 70.7 \text{ MPa}, \quad \sigma_1 = 100 \text{ MPa}$$

所得结果与上例的稳定解相同，这说明忽略弹性应变部分可以直接求得蠕变的稳定解（这个概念将在第四章作详细讨论）。

C 点位移 Δ 可粗略地看作是稳定应力解所引起的蠕变位移与初始的弹性位移的叠加，即

$$\Delta_C = \varepsilon_1 l_1 = A\sigma_1^n t^{0.7} l_1 = 3.2 \times 10^{-3} \text{ cm}$$

$$\Delta(0) = \frac{\sigma_1(0)}{E} l_1 = 5.85 \times 10^{-3} \text{ cm}$$

$$\Delta = \Delta_c + \Delta(0) = 9.05 \times 10^{-3} \text{ cm}$$

这时 Δ_c 与 $\Delta(0)$ 同量级，显然把 $\Delta(0)$ 略去，会带来很大误差。

例 2-3 设例 2-1 中杆 1 与杆 2 夹角为 θ，试用时间硬化理论 $\dot{\varepsilon}_c = \sigma^n B(t)$ 分析其蠕变应力。

解： 这时所需满足的基本方程参照例 2-1 为：

平衡方程 $\qquad\qquad \sigma_1 + 2\sigma_2 \cos\theta = \dfrac{P}{F}$

几何关系 $\qquad \varepsilon_1 \cos^2\theta = \varepsilon_2$ 即 $\dot{\varepsilon}_1 \cos^2\theta = \dot{\varepsilon}_2$

蠕变本构方程 因 $\dot{\varepsilon} = \dot{\varepsilon}_e + \dot{\varepsilon}_c$，故有

$$\dot{\varepsilon}_1 = \frac{1}{E} \frac{\mathrm{d}\sigma_1}{\mathrm{d}t} + \sigma_1^n B(t)$$

$$\dot{\varepsilon}_2 = \frac{1}{E} \frac{\mathrm{d}\sigma_2}{\mathrm{d}t} + \sigma_2^n B(t)$$

由上述方程整理得到

$$\frac{\mathrm{d}\sigma_1}{\mathrm{d}t} = \frac{\left\{ 2\cos\theta \left[\left(\dfrac{P}{F} - \sigma_1 \right) \big/ 2\cos\theta \right]^n - 2\sigma_1^n \cos^3\theta \right\} E B(t)}{1 + 2\cos^3\theta}$$

$$\sigma_2 = \left(\frac{P}{F} - \sigma_1 \right) \big/ 2\cos\theta \qquad\qquad (2-30)$$

式(2-30)需按数值计算法求解(在第六章中将讨论其解法)。

例 2-4 一蒸汽管道的凸缘接头螺栓如图 2-16 所示。已知螺栓的初拉力 $P = 30$ kN，截面积 $F = 3$ cm^2，为避免高温下应力松弛而引起凸缘漏汽，当螺栓应力因松弛而降低

40％时需拧紧一次，试按公式(2-17)进行分析，需要多长时间拧紧一次？其材料为碳素钢，温度为 425℃ 时 $E=1.77 \times 20^5$ MPa，$B=2.26 \times 10^{-25}$ cm^{2n}/(10N)^n 小时，$n=6$。

解： 因凸缘接头的刚度比螺栓刚度大得多，故可假设凸缘是刚性的（即假定蠕变过程中凸缘的厚度不变），由此分析螺栓应力。

螺栓的初始变形 $\varepsilon(0)=\dfrac{\sigma(0)}{E}=\dfrac{P}{EF}$

松弛情况：$\dot{\varepsilon}=\dot{\varepsilon}(0)=\dfrac{1}{E}\dfrac{d\sigma}{dt}+$

$\dot{\varepsilon}_c=0$ 即 $\dfrac{1}{E}\dfrac{d\sigma}{dt}+B\sigma^n=0$ 利用初始条

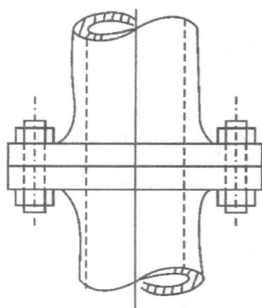

图 2-16

件：$t=0$ 时 $\sigma(0)=100$ MPa，积分后可得松弛应力

$$\sigma=\frac{\sigma(0)}{\left[1+(n-1)EB\sigma(0)^{n-1}t\right]^{\frac{1}{n-1}}}$$

当应力降低 40％，即 $\sigma(t)=60$ MPa 时，可解得 $t=5930$ 小时。

习　题

1.试比较各种蠕变理论的基本思想、理论、公式和适用范围（包括蠕变和松弛），列表示之。

2.已知 3 根等长杆构成的桁架如图 2-17(a)所示，在 500℃ 时承受载荷 $P=20$ kN，杆件截面积 $F=10$ cm^2，在该温度下材料的 $E=1.8 \times 10^5$ MPa，$n=2$，$\Omega-t$ 曲线如图 2-17(b)。试求：

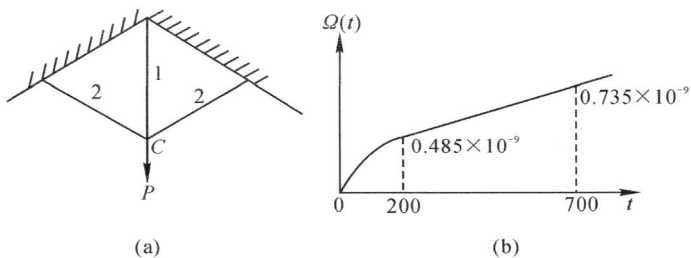

图 2 - 17

(1)略去弹性应变,按陈化理论公式(2－3)求蠕变应力。

(2)按时间硬化理论 $\dot{\varepsilon}_c = B(t)\sigma^n$ 求 C 点位移不变时的松弛应力。

(3)用恒速理论求 $t＝1000$ 小时后杆件的应变。

3.试导出时间硬化及应变硬化理论公式(2－8)、(2－11)的松弛应力表达式。

第三章 多维应力蠕变理论

本章研究多维应力状态下的蠕变理论，它以弹塑性变形理论为基础，因此首先简要回顾弹塑性本构关系。

§3.1 弹性变形本构关系

由弹性力学已知，体内一点的应力状态一般可用 9 个分量表示，在直角坐标系中为 σ_x、σ_y、σ_z、τ_{xy}、τ_{yx}、τ_{yz}、τ_{zy}、τ_{zx}、τ_{xz}，也可以用应力张量来表示，即

$$\sigma_{ij} = \begin{bmatrix} \sigma_x & \tau_{xy} & \tau_{xz} \\ \tau_{yx} & \sigma_y & \tau_{yz} \\ \tau_{zx} & \tau_{zy} & \sigma_z \end{bmatrix} \tag{a}$$

同样，体内一点的应变状态由 9 个分量表示，亦可用应变张量 ε_{ij} 表示

$$\varepsilon_{ij} = \begin{bmatrix} \varepsilon_x & \varepsilon_{xy} & \varepsilon_{xz} \\ \varepsilon_{yx} & \varepsilon_y & \varepsilon_{yz} \\ \varepsilon_{zx} & \varepsilon_{zy} & \varepsilon_z \end{bmatrix} = \begin{bmatrix} \varepsilon_x & \dfrac{\gamma_{xy}}{2} & \dfrac{\gamma_{xz}}{2} \\ \dfrac{\gamma_{yx}}{2} & \varepsilon_y & \dfrac{\gamma_{yz}}{2} \\ \dfrac{\gamma_{zx}}{2} & \dfrac{\gamma_{zy}}{2} & \varepsilon_z \end{bmatrix} \tag{b}$$

在(a)、(b)式中 $\tau_{xy} = \tau_{yx}$，$\tau_{yz} = \tau_{zy}$，$\tau_{zx} = \tau_{xz}$，$\gamma_{xy} = \gamma_{yx}$，$\gamma_{yz} = \gamma_{zy}$，$\gamma_{zx} = \gamma_{xz}$。故 σ_{ij} 与 ε_{ij} 皆为对称张量。σ_{ij} 存在 3 个应力不变量，ε_{ij} 亦存在 3 个应变不变量。

令
$$S_x = \sigma_x - \sigma_m = \sigma_x - \frac{1}{3}(\sigma_x + \sigma_y + \sigma_z) \\ \cdots\cdots \\ e_x = \varepsilon_x - \varepsilon_m = \varepsilon_x - \frac{1}{3}(\varepsilon_x + \varepsilon_y + \varepsilon_z)$$ (c)

可得应力偏张量 S_{ij} 及应变偏张量 e_{ij}

$$S_{ij} = \begin{bmatrix} S_x & \tau_{xy} & \tau_{xz} \\ \tau_{yx} & S_y & \tau_{yz} \\ \tau_{zx} & \tau_{zy} & S_z \end{bmatrix}$$ (d)

$$e_{ij} = \begin{bmatrix} e_x & \dfrac{\gamma_{xy}}{2} & \dfrac{\gamma_{xz}}{2} \\ \dfrac{\gamma_{yx}}{2} & e_y & \dfrac{\gamma_{yz}}{2} \\ \dfrac{\gamma_{zx}}{2} & \dfrac{\gamma_{zy}}{2} & e_z \end{bmatrix}$$ (e)

应力偏张量 S_{ij} 与 σ_{ij} 的主方向一致，且亦存在 3 个不变量，应力偏张量不变量的表达式为

$$J_1 = S_{ij} = S_x + S_y + S_z = 0$$

$$J_2 = \frac{1}{2}S_{ij}S_{ij}$$

$$= \frac{1}{6}\big[(\sigma_x - \sigma_y)^2 + (\sigma_y - \sigma_z)^2 + (\sigma_z - \sigma_x)^2 + 6(\tau_{xy}^2 + \tau_{yz}^2 + \tau_{zx}^2)\big]$$ (3-1)

$$J_3 = \frac{1}{3}S_{ij}S_{jk}S_{ki}$$

令 $\bar{\sigma} = \sqrt{3J_2}$ (3-2)

因在单向应力为 σ_0 时 $\bar{\sigma} = \sigma_0$，故称 $\bar{\sigma}$ 为等效应力，J_2 与 $\bar{\sigma}$ 在后面经常用到。

弹性应力应变关系按照广义胡克定律

$$
\left.
\begin{array}{l}
\varepsilon_x = \dfrac{1}{E}\left[\sigma_x - \nu(\sigma_y + \sigma_z)\right] \\
\cdots\cdots \\
\gamma_{xy} = \dfrac{1}{G}\tau_{xy} \\
\cdots\cdots
\end{array}
\right\}
\qquad (f)
$$

写成张量表达式为

$$
\varepsilon_{ij} = C_{ijlk}\sigma_{lk} \qquad (3-3)
$$

式中 E、ν、G 分别为弹性模量、泊松比及剪切模量，C_{ijlk} 为弹性柔度张量。

由方程组(f)的前三式之和得到弹性体积变化规律

$$
\begin{aligned}
\theta &= \varepsilon_x + \varepsilon_y + \varepsilon_z \\
&= \frac{1-2\nu}{E}(\sigma_x + \sigma_y + \sigma_z) = \frac{\sigma_m}{K} \qquad (3-4)
\end{aligned}
$$

其中 $K = \dfrac{E}{3(1-2\nu)}$，其中 θ、K 分别为体积变化和压缩系数。

利用(c)、(3-4)式的关系可推得用偏量表示的广义胡克定律关系式

$$
e_{ij} = \frac{1}{2G}S_{ij} \qquad (3-5)
$$

方程(3-5)虽能列出 6 个方程，但只有 5 个是独立的，故弹性本构关系如用偏量形式表示，应为方程(3-4)与(3-5)两式。

§3.2 塑性变形本构关系

由塑性力学可知，屈服条件是材料从弹性状态进入塑性状态时应力分量之间所必需满足的条件，它可以写作 $f(\sigma_{ij})=C$。$f(\sigma_{ij})$ 为屈服函数，C 为材料常数，此式在应力空间中描述为一个外凸的曲面，称为屈服面。通常应用较多的是 Mises 屈服准则与 Tresca 屈服准则（即最大剪应力准则），其表达式分别为

Tresca 条件　　$\sigma_1-\sigma_3=\sigma_s$（而 $\sigma_1>\sigma_2>\sigma_3$）　　（3-6）

屈服面为正六角柱体。

Mises 条件　　$J_2=\dfrac{1}{3}\sigma_s^2$ 或 $\bar\sigma=\sigma_s$　　（3-7）

屈服面为圆柱体。

对于加载到屈服的实验符合 Mises 准则的材料称为 Mises 型材料（或 J_2 型材料），符合 Tresca 准则的材料称为 Tresca 型材料，但多数金属材料符合 Mises 型。因此本书着重研究 Mises 型理论。

如果材料的应力应变曲线在塑性阶段很平缓可作为理想塑性材料，当材料进入屈服后应力保持不变，因而在塑性加载过程中屈服面保持不变（或屈服条件不变），前述屈服条件仍然适用。但是对于硬化材料（其应力应变曲线表现出在塑性阶段应力随应变单调增加），由于屈服强度随塑性变形程度而提高，故屈服面形状随之改变。在材料发生塑性变形后，再次进入塑性状态时应力分量之间所必需满足的条件称为强化条件，它在应力空间中所描述的曲面称为后继屈服

面，以区别于初始屈服面。后继屈服面的形状和变化规律与材料的性质及加载历史有关，通常用不同的硬化模型来描述。以等向强化模型为例[①]，屈服面在塑性流动过程中均匀扩大，其表达式为

$$\overline{\sigma} = H\left(\int_l \mathrm{d}\overline{\varepsilon}_p\right) \qquad (3-8)$$

此式为判断后继屈服的条件，即硬化条件(亦称加载条件)。这里 $\mathrm{d}\overline{\varepsilon}_p$ 为等效塑性应变增量，$\int_l \mathrm{d}\overline{\varepsilon}_p$ 为沿加载路径的等效塑性应变总量，用来描述塑性变形程度。以 $\overline{\sigma}$ 描述屈服强度，因此式(3-8)表达了屈服强度随塑性变形程度而变化的关系。在应力空间中则是一组半径随塑性变形程度增大的同心圆柱体。而

$$\mathrm{d}\overline{\varepsilon}_p = \frac{\sqrt{2}}{3}\left[(\mathrm{d}\varepsilon_1^p - \mathrm{d}\varepsilon_2^p)^2 + (\mathrm{d}\varepsilon_2^p - \mathrm{d}\varepsilon_3^p)^2 + (\mathrm{d}\varepsilon_3^p - \mathrm{d}\varepsilon_1^p)^2\right]^{1/2}$$

$$(3-9)$$

式(3-8)在单向应力状态下应与单向拉伸时的 $\sigma - \varepsilon_p$ 关系符合，即 $\sigma = H(\varepsilon_p)$，故函数 H 由单向拉伸试验资料画出 $\sigma - \varepsilon_p$ 图即可确定。

上面讨论了初始屈服及后继屈服的判断准则，下面讨论应力应变关系。塑性应力应变关系总的来说可以分作两大类，全量类型与增量类型理论，分述如下：

§3.2.1 全量理论

全量理论可以依留申小弹塑性理论为代表，其基本观点是：

(1)在塑性状态，体积变化按照弹性变化规律，即

---

① 其它模型将在第六章中讨论。

$$\theta = \frac{\sigma_m}{K}, \ K = \frac{E}{3(1-2\nu)}$$

若 $\nu = \frac{1}{2}$，则 $K = \infty$，它必引起 $\theta = 0$，为体积不可压缩。

（2）应力偏量与应变偏量相似（两个张量的主方向重合，分量成正比），表达式为

$$e_{ij} = \frac{1}{2G'}S_{ij} \qquad (3-10)$$

G' 表示一个非负的比例因子，它是载荷、位置的函数。在等向强化情况下，G' 仅与等效应力 $\bar{\sigma}$ 及等效应变 $\bar{\varepsilon}$ 有关。

$$\begin{aligned}
\bar{\sigma} &= \sqrt{\frac{3}{2}}\,(S_{ij}S_{ij})^{1/2} \\
&= \frac{1}{\sqrt{2}}\big[(\sigma_x - \sigma_y)^2 + (\sigma_y - \sigma_z)^2 + (\sigma_z - \sigma_x)^2 + \\
&\quad 6(\tau_{xy}^2 + \tau_{yz}^2 + \tau_{zx}^2)\big]^{1/2} \\
\bar{\varepsilon} &= \sqrt{\frac{3}{2}}\,(e_{ij}e_{ij})^{1/2} \\
&= \frac{\sqrt{2}}{3}\big[(\varepsilon_x - \varepsilon_y)^2 + (\varepsilon_y - \varepsilon_z)^2 + (\varepsilon_z - \varepsilon_x)^2 + \\
&\quad \frac{3}{2}(\gamma_{xy}^2 + \gamma_{yz}^2 + \gamma_{zx}^2)\big]^{1/2}
\end{aligned} \qquad (3-11)$$

利用 $\bar{\sigma}$ 及 $\bar{\varepsilon}$ 表达式和 (3-10) 式可得

$$\frac{1}{2G'} = \frac{3\bar{\varepsilon}}{2\bar{\sigma}}$$

此处 G' 仍是一个未知量，因此还需要一个补充条件来确定它。

（3）依留申根据实验观察提出了单一曲线假设，认为 $\bar{\sigma}$

与 $\bar{\varepsilon}$ 之间存在一定关系而与应力状态无关，因此可由单向拉伸曲线确定。当泊松比 $\nu = \dfrac{1}{2}$ 时，$\bar{\sigma} - \bar{\varepsilon}$ 曲线与单向拉伸应力应变图完全重合。若单向拉伸曲线方程为 $\sigma = \Phi(\varepsilon)$，则

$$\bar{\sigma} = \Phi(\bar{\varepsilon}) \qquad (3-12)$$

式(3-12)也就是依留申本构理论的硬化条件[①]（即加载条件），于是有

$$\frac{1}{2G'} = \frac{3\bar{\varepsilon}}{2\bar{\sigma}} = \frac{3\bar{\varepsilon}}{2\Phi(\bar{\varepsilon})}$$

把上式代入(3-10)式并写成分量形式，全量理论的本构方程为

$$\left. \begin{aligned} \varepsilon_x - \varepsilon_m &= \frac{3\bar{\varepsilon}}{2\bar{\sigma}}(\sigma_x - \sigma_m) \\ &\cdots \\ \gamma_{xy} &= \frac{3\bar{\varepsilon}}{\bar{\sigma}}\tau_{xy} \\ &\cdots \\ \bar{\sigma} &= \Phi(\bar{\varepsilon}) \end{aligned} \right\} \qquad (3-13)$$

$$\varepsilon_x + \varepsilon_y + \varepsilon_z = \frac{1}{3K}(\sigma_x + \sigma_y + \sigma_z) \qquad (3-14)$$

该理论的根本缺陷在于应力应变具有一一对应关系，因而不能描述塑性变形与加载历史有关的事实。但在简单加载（加载过程中应力分量成比例增长）情况下是合理的，若与简单加载情况略有偏离（称偏离加载），实验也得出相当满意的结果。至于复杂加载的情况则应由下面的理论来描述。

---

① （3-12）式区别于（3-8）式，它不能反映加载历史。

§3.2.2　增量理论

该理论的特点是应力与应变成增量关系。众所周知，根据 Drucker 定理所建立的塑性势理论，其流动法则为增量类型理论的一般形式。下面归纳增量理论的基本规律：

（1）总应变增量为弹性部分与塑性部分增量之和

$$d\varepsilon_x = d\varepsilon_x^e + d\varepsilon_x^p , \cdots\cdots$$

式中加上标"e"与"p"各表示弹性部分与塑性部分。

（2）体积按弹性规律变化，写成微分形式

$$d\theta = d\theta^e = \frac{1}{K} d\sigma_m \tag{3-15}$$

因为 $d\theta = d\theta^e + d\theta^p$，故

$$d\theta^p = d\varepsilon_x^p + d\varepsilon_y^p + d\varepsilon_z^p = 0$$

（3）塑性流动法则

$$d\varepsilon_{ij}^p = d\lambda \frac{\partial g}{\partial \sigma_{ij}} \tag{3-16}$$

式中 $d\lambda$ 是非负的比例因子。设想在应力空间存在塑性势函数 g，对各向同性体，势函数 g 是应力的对称函数，当 g 等于某一常数时，在应力空间形成一曲面，称为等势面，由(3-16)式可见，塑性应变增量即沿着等势面的梯度方向。

若材料的屈服函数 $f = g$，则有

$$d\varepsilon_{ij}^p = d\lambda \frac{\partial f}{\partial \sigma_{ij}} \tag{3-16a}$$

称为与加载条件相关联的流动法则，$d\varepsilon_{ij}^p$ 将沿着屈服面的外法线方向流动。

对 Mises 型材料，若屈服条件写成

$$f(\sigma_{ij}) = \frac{1}{6}\big[(\sigma_x - \sigma_y)^2 + (\sigma_y - \sigma_z)^2 + (\sigma_z - \sigma_x)^2 +$$

$$6(\tau_{xy}^2 + \tau_{yz}^2 + \tau_z^2)\big] = \frac{1}{3}\sigma_s^2$$

则 $\dfrac{\partial f}{\partial \sigma_x} = \dfrac{1}{3}(\sigma_x - \sigma_y) - \dfrac{1}{3}(\sigma_z - \sigma_x) = S_x$

......

由（3-16a）式得到 $\mathrm{d}\varepsilon_{ij}^{\mathrm{p}} = \mathrm{d}\lambda S_{ij}$

利用 $\overline{\sigma}$ 及 $\mathrm{d}\,\overline{\varepsilon}^{\mathrm{p}}$ 的表达式，由上式可得

$$\mathrm{d}\lambda = \frac{3\mathrm{d}\,\overline{\varepsilon}^{\mathrm{p}}}{2\overline{\sigma}} \qquad (3-17)$$

于是

$$\mathrm{d}\varepsilon_{ij}^{\mathrm{p}} = \frac{3\mathrm{d}\,\overline{\varepsilon}^{\mathrm{p}}}{2\overline{\sigma}} S_{ij} \qquad (3-18)$$

这就是熟知的 Prandtl-Reuss 理论表达式，其标量形式的本构关系为

$$\left.\begin{array}{l}
\mathrm{d}e_x = \mathrm{d}e_x^{\mathrm{e}} + \mathrm{d}e_x^{\mathrm{p}} = \dfrac{1}{2G}\mathrm{d}S_x + \mathrm{d}\lambda S_x \\[2mm]
\cdots \quad \cdots \\[2mm]
\mathrm{d}\gamma_{xy} = \mathrm{d}\gamma_{xy}^{e} + \mathrm{d}\gamma_{xy}^{\mathrm{p}} = \dfrac{1}{G}\mathrm{d}\tau_{xy} + 2\mathrm{d}\lambda\tau_{xy} \\[2mm]
\cdots \quad \cdots
\end{array}\right\} \mathrm{d}\lambda = \dfrac{3\mathrm{d}\,\overline{\varepsilon}^{\mathrm{p}}}{2\overline{\sigma}}$$

$$\mathrm{d}\varepsilon_x + \mathrm{d}\varepsilon_y + \mathrm{d}\varepsilon_z = \frac{1}{3K}(\mathrm{d}\sigma_x + \mathrm{d}\sigma_y + \mathrm{d}\sigma_z) \qquad (3-19)$$

上式可写成率的形式，即

$$\left.\begin{array}{l}
\dot{e}_x = \dfrac{1}{2G}\,S_x + \dfrac{3\,\dot{\overline{\varepsilon}}^{\mathrm{p}}}{2\overline{\sigma}} S_x \\[2mm]
\cdots \cdots \\[2mm]
\dot{\gamma}_{xy} = \dfrac{1}{G}\dot{\tau}_{xy} + \dfrac{3\,\dot{\overline{\varepsilon}}^{\mathrm{p}}}{\overline{\sigma}}\tau_{xy} \\[2mm]
\cdots \cdots \\[2mm]
\dot{\varepsilon}_x + \dot{\varepsilon}_y + \dot{\varepsilon}_z = \dfrac{1}{K}\dot{\sigma}_{\mathrm{m}}
\end{array}\right\} \qquad (3-20)$$

若材料是理想塑性的，$\bar{\sigma}=\sigma_s$。

对于硬化材料，则本构关系与强化模型有关，若考虑各向同性强化模型，加载条件表达如式(3-8)，则

$$\mathrm{d}\lambda = \frac{3\mathrm{d}\bar{\sigma}}{2H'\bar{\sigma}}$$

其中

$$H' = \frac{\mathrm{d}\bar{\sigma}}{\mathrm{d}\bar{\varepsilon}^p} \qquad\qquad (3-21)$$

由单向拉伸曲线求得 $\bar{\sigma}-\bar{\varepsilon}^p$ 图来确定。

若在(3-19)式中略去弹性应变部分，即得(St.Venant-Levy-Mises)理论公式。对于前述满足 Mises 屈服条件的增量本构理论也称 Mises 型(或 J_2 型)增量理论。对于 Tresca 型材料，也可从(3-16)式进行类似地推导，建立其本构关系，这里不再讨论，可详见参考文献[22]。

§3.3　多维应力蠕变本构理论

关于多维应力蠕变理论，早在 20 世纪 30 年代就有 Bailey，Odqvist[23,24,25]等许多学者进行了研究，由于蠕变属于不可逆变形，通常遵循塑性理论的发展，从形式上把塑性理论推广到蠕变情况，然后验证理论的可靠性。

§3.3.1　基本假设与处理原则

(一)基本假设

(1)材料是各向同性的，考虑拉伸与压缩的蠕变性质相同(这是带有假设性的，因为实际上压缩蠕变研究得很少，没有充分的资料来证明这一点)，并考虑材料是均质的。

(2)在蠕变过程中体积仍按弹性规律变化，即

$$\varepsilon_x + \varepsilon_y + \varepsilon_z = \frac{1}{3K}(\sigma_x + \sigma_y + \sigma_z) = \theta^e$$

即蠕变不引起体积变化，$\varepsilon_x^c + \varepsilon_y^c + \varepsilon_z^c = 0$，或

$$\dot{\varepsilon}_x^c + \dot{\varepsilon}_y^c + \dot{\varepsilon}_z^c = 0 \qquad (3-22)$$

（3）附加的静水压力不影响蠕变变形。

（二）处理原则

（1）虽然蠕变的物理过程与塑性流动有所不同，但根据上述基本假设，塑性应力应变理论可以类似地推广应用到蠕变情况。

（2）$\bar{\sigma}$、$\bar{\varepsilon}_c$（或 $\dot{\bar{\varepsilon}}_c$）之间存在"等效关系"。

由塑性理论分析可知，为了确定比例因子 G' 或 $d\lambda$ 需要引入一个补充条件（即硬化条件）。而以单向蠕变理论为基础来分析复杂应力下的蠕变变形时，则可以设想，多维应力蠕变中的等效应力 $\bar{\sigma}$、等效蠕变应变 $\bar{\varepsilon}_c$ 及等效蠕变率 $\dot{\bar{\varepsilon}}_c$ 之间关系与单向蠕变中的应力 σ_0、蠕变 ε_0^c 及蠕变率 $\dot{\varepsilon}_0^c$ 之间关系相同，即存在与单向蠕变规律相当的等效关系，以此作为补充条件。这一关系是由单向蠕变理论确定的，因此一般情况下蠕变的应力应变关系与单向应力所采用的蠕变理论密切相关。现以恒温情况分别联系全量及增量类型蠕变理论简述如下：

§3.3.2　全量型蠕变理论

若按陈化理论，蠕变规律为 $\varepsilon_c = f(\sigma, t)$，或

$$\varepsilon = \varphi(\sigma, t)$$

推广到空间应力为 $\bar{\varepsilon} = \varphi(\bar{\sigma}, t)$

联系全量理论得到应力应变关系为

$$e_{ij} = \frac{3\bar{\varepsilon}}{2\bar{\sigma}} S_{ij} = \frac{3\varphi(\bar{\sigma}, t)}{2\bar{\sigma}} S_{ij} \qquad (3-23)$$

上式包括 6 个标量方程，但仅有 5 个独立，必须与(3-14)式一起才能求解 6 个未知量。

　　另外，Работнов 提出这样的方法：将一组恒温下的蠕变曲线(σ，ε，t 关系曲线)如图 3-1，看作一组相当于空间应力的蠕变曲线($\bar{\sigma}$，$\bar{\varepsilon}$，t 关系曲线)，并作出它们的等时线如图 3-2。将某一瞬时 t_1 的 $\bar{\sigma}$-$\bar{\varepsilon}$ 曲线看作该瞬时的单一曲线。因此要确定 t_1 时刻的蠕变应力、应变场，完全可按通常的塑性理论求解。

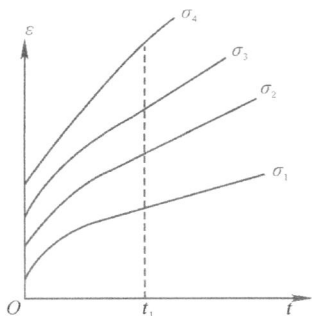

图 3-1　σ、ε、t 关系　　图 3-2　相当于空间应力的等时线

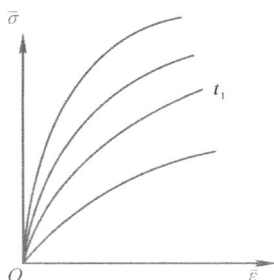

§3.3.3　Mises 型增量蠕变理论

联系率形式的蠕变规律，例如 Norton 材料

$$\dot{\varepsilon}^c = B\sigma^n = f(\sigma)$$

可得等效关系

$$\bar{\dot{\varepsilon}}^c = f(\bar{\sigma}) = B\,\bar{\sigma}^n \qquad (3-24)$$

建立 Mises 型蠕变增量本构关系

$$\dot{\varepsilon}^c_{ij} = \frac{3\bar{\dot{\varepsilon}}^c}{2\bar{\sigma}}S_{ij} = \frac{3f(\bar{\sigma})}{2\bar{\sigma}}S_{ij} \qquad (3-25)$$

或
$$S_{ij} = \frac{2\overline{\sigma}}{3\overline{\dot{\varepsilon}}^c}\dot{\varepsilon}^c_{ij} = \frac{2}{3}\left[\frac{f^{-1}(\overline{\dot{\varepsilon}}^c)}{\overline{\dot{\varepsilon}}^c}\right]\dot{\varepsilon}^c_{ij} \qquad (3-26)$$

由
$$\dot{\varepsilon}_{ij} = \dot{\varepsilon}^e_{ij} + \dot{\varepsilon}^c_{ij}$$

对于其它率形式的蠕变规律，皆可如上所示建立 Mises 型增量蠕变本构关系，其共同之处均是由单向蠕变规律，根据等效关系，建立函数 f。

§3.3.4 蠕变势理论

假设蠕变过程在应力空间存在流动势函数 F，其流动规律为

$$\dot{\varepsilon}^c_{ij} = \frac{\partial F}{\partial \sigma_{ij}} \qquad (3-27)$$

而势函数 F 与应力、蠕变率、温度有关。在蠕变体为等向强化的前提下，认为 F 是等效应力 $\overline{\sigma}$ 与蠕变变形所积累的等效蠕变率总量 Γ 的函数，有

$$\Gamma = \int_0^t \left[\frac{2}{3}\dot{\varepsilon}^c_{ij}\dot{\varepsilon}^c_{ij}\right]^{\frac{1}{2}} \mathrm{d}t$$

$$= \int_0^t \frac{\sqrt{2}}{3}\left\{(\dot{\varepsilon}^c_x - \dot{\varepsilon}^c_y)^2 + (\dot{\varepsilon}^c_y - \dot{\varepsilon}^c_x)^2 + (\dot{\varepsilon}^c_z - \dot{\varepsilon}^c_x)^2 + \right.$$

$$\left. \frac{3}{2}\left[(\dot{\gamma}^c_{xy})^2 + (\dot{\gamma}^c_{yz})^2 + (\dot{\gamma}^c_{zx})^2\right]\right\}^{\frac{1}{2}} \mathrm{d}t$$

$$(3-28)$$

则
$$F = F(\overline{\sigma}, \Gamma) \qquad (3-29)$$

当 F 等于某一定值时，在应力空间所形成的曲面称为流动面，此流动面是外凸的，它随蠕变变形程度的增加而扩大，这里蠕变应变增量（或蠕变率）沿着流动面的外法线方向，而函数 F 的选择势必要求符合单向蠕变规律。以应变硬

化理论为例，单向蠕变规律为

$$\dot{\varepsilon}_c (\varepsilon_c)^d = a \exp \frac{\sigma}{b}$$

即 $\qquad \dot{\varepsilon}_c = a (\varepsilon_c)^{-d} \exp \frac{\sigma}{b} \qquad\qquad$ （g）

由（3-27）式 $\quad \dot{\varepsilon}_{ij}^c = \dfrac{\partial F}{\partial \sigma_{ij}} = \dfrac{\partial F}{\partial \bar{\sigma}} \dfrac{\partial \bar{\sigma}}{\partial \sigma_{ij}} = \dfrac{\partial F}{\partial \bar{\sigma}} \dfrac{3 S_{ij}}{2 \bar{\sigma}}$

由单向应力状态，对比（g）式得

$$\dot{\varepsilon}_c = \frac{\partial F}{\partial \sigma} = a (\varepsilon_c)^{-d} \exp \frac{\sigma}{b}$$

推广到空间应力

$$\frac{\partial F}{\partial \bar{\sigma}} = a \Gamma^{-d} \exp \frac{\bar{\sigma}}{b} \qquad\qquad （h）$$

得到

$$\dot{\varepsilon}_{ij}^c = \frac{3}{2 \bar{\sigma}} a \Gamma^{-d} \exp \left(\frac{\bar{\sigma}}{b} \right) S_{ij} \qquad\qquad （i）$$

这里势函数由（h）式可得 $F = \int a \Gamma^{-d} \exp \left(\dfrac{\bar{\sigma}}{b} \right) \mathrm{d} \bar{\sigma}$，积分中初值为零，表示仅当有了蠕变量时才有蠕变势。

若对 Norton 材料，用蠕变势理论同样得到应力应变关系式（3-25），这时势函数为 $F = \dfrac{B}{n+1} \bar{\sigma}^{n+1}$，读者可自行推证。

*§3.4　一般情况下的蠕变本构关系

上节讨论的是在恒温条件下初始状态为弹性时所建立的本构关系，可称为弹性-蠕变问题，而实际上机器零件往往在变温环境下工作，由于应力峰值而使局部区域到达了塑性，因此下面作进一步讨论。

§3.4.1　具有瞬时塑性变形情况

若蠕变瞬态已到达了塑性，这种情况简称为弹塑性-蠕变问题，这时要分别对弹性区与塑性区建立应力应变关系。

弹性区：$\dot{\varepsilon}_{ij} = \dot{\varepsilon}_{ij}^e + \dot{\varepsilon}_{ij}^c$

塑性区：$\dot{\varepsilon}_{ij} = \dot{\varepsilon}_{ij}^e + \dot{\varepsilon}_{ij}^p + \dot{\varepsilon}_{ij}^c$ 　　　　　　　　　（3 – 30）

式中 $\dot{\varepsilon}_{ij}^p$ 及 $\dot{\varepsilon}_{ij}^c$ 可分别按前两节所述分式计算。

上面的(3 – 30)式为加载过程的表达式，当卸载时应按弹性规律计算。另外，若单向规律采用陈化理论 $\varepsilon = f(\sigma, t)$，按 Работнов 所指出的方法计算时，因所建立的等时线基于蠕变曲线，而蠕变曲线的瞬时变形 ε_0 中又包括了瞬时的弹性变形与塑性变形，因此在计算中不需要另外再考虑 ε_{ij}^p 项。只要已知某时刻的等时线 $\sigma = \sigma(\varepsilon)$，即可应用塑性理论的解，得到该时刻的蠕变解。

值得指出的是应变硬化理论中未考虑瞬态塑性变形。在应用中，如以解决松弛问题为例，其进行步骤如下：先根据某一塑性理论找到蠕变开始的瞬态应力、应变分布；然后把算得的应力作为蠕变的初始应力，而蠕变变形的起始值则按零计算。

§3.4.2　不均匀加热情况

对于瞬态温度场的加载问题，要建立考虑温度、弹塑性、蠕变等诸因素综合影响的本构关系。在升温过程中由于温度的变化，材料常数如弹性模量 E、屈服极限 σ_s、线膨胀系数 α 等都随温度而改变，是温度的函数（即材质与温度有

关的情况）。这时总应变增量中还应包括温度应变，故

$$d\varepsilon_{ij} = d\varepsilon_{ij}^e + d\varepsilon_{ij}^p + d\varepsilon_{ij}^c + d\varepsilon_{ij}^T \qquad (3-31)$$

弹性应变按胡克定律 $\varepsilon_{ij}^e = C_{ijk}\sigma_{kl}$，

其增量形式

$$d\varepsilon_{ij}^e = \frac{dC_{ijkl}}{dT}dT\sigma_{kl} + C_{ijkl}d\sigma_{kl} = d\widetilde{\varepsilon_{ij}^e} + C_{ijkl}d\sigma_{kl} \quad (3-32)$$

式中 C_{ijkl} 是弹性柔度张量，其表达式为

$$C_{ijkl} = \frac{1+\nu}{2E}(\delta_{ik}\delta_{il} - \delta_{il}\delta_{ik}) - \frac{\nu}{E}\delta_{ij}\delta_{kl} \qquad (3-33)$$

对温度应变 $\varepsilon_{ij}^T = \alpha(T-T_0)\delta_{ij}$

故　　　$d\varepsilon_{ij}^T = [\alpha dT + (T-T_0)d\alpha]\delta_{ij} = \alpha dT\delta_{ij} + d\widetilde{\varepsilon_{ij}^T} \quad (3-34)$

式中 T_0 及 T 各表示初始温度及瞬时温度。带～的分量表示因材质变化所引起。式(3-31)中的塑性应变增量为

$$d\varepsilon_{ij}^p = d\lambda\frac{\partial f}{\partial\sigma_{ij}} \qquad (3-35)$$

加载条件　　　$f(\overline{\sigma}, \int\overline{d\varepsilon^p}, T) = 0 \qquad (3-36)$

蠕变　　　$d\varepsilon_{ij}^c = \frac{3\varphi}{2\overline{\sigma}}S_{ij}dt \qquad (3-37)$

及　　　$d\overline{\varepsilon}_c = \varphi(\overline{\sigma}, \overline{\varepsilon}_c, T, t)dt \qquad (3-38)$

特别值得指出：若考虑材质与温度有关，在升温或非均匀温度场情况，材料的屈服极限随温度而变，这时后继屈服面不但与塑性变形程度有关还与温度场有关，故加载条件为(3-36)式。由于温度对蠕变曲线影响剧烈，因此变温过程在(3-38)式中包含温度变量 T。

这样综合(3-31)—(3-38)式可以求解。

若升温过程不计材质随温度的变化，则 $\dfrac{dC_{ijkl}}{dt}=0$，即 $d\alpha=0$，可使问题得到简化(在基础的弹性理论中均未计入材质随温度的变化)。若零件长期在定常温度场工作，经过长时间蠕变，应力有所调整而升温影响逐渐减小，因此，在这种情况下可以略去初始升温引起的热应力。

§3.5　实验验证

§3.5.1　全量型理论的验证

曾有许多学者采用各种加载方案进行薄管试验，像多林、Беляев、Кач 等进行的试验，证明了根据微小弹塑性理论所得的理论数据与实验结果接近，下面介绍两组试验。

(1)R.W·Bailey[26]于 1935 年曾作了一系列拉伸与扭转联合的薄壁管试验，观察用小弹塑性理论分析蠕变问题的适用情况(为简单起见，只考核其蠕变变形部分①)。

设薄壁管的平均直径 D、厚度 δ、长度 l。承受常载荷轴向力 N_z 及扭矩 M_k。因已知力边界确定应力状态是一静定问题，完全可由静力平衡方程确定。取图 3-3 所示

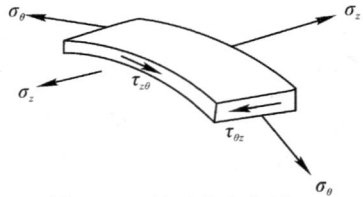

图 3-3　单元应力分量

---

①　据文献[27]，$\bar{\varepsilon}$ 可近似地表达为线性关系，$\bar{\varepsilon}=0.622\gamma_{max}=0.622(\varepsilon_1-\varepsilon_2)$，故可假设，$\bar{\varepsilon}=\bar{\varepsilon}^e+\bar{\varepsilon}^c$，于是由(3-23)式可得 $\varepsilon_{ij}^c=\dfrac{2\bar{\varepsilon}^c}{3\bar{\sigma}}S_{ij}$

单元，可得应力分量

$$\sigma_\theta = 0, \quad \sigma_z = \frac{N_z}{\pi D \delta}, \quad \tau_{z\theta} = \frac{2M_k}{\pi D^2 \delta}$$

$$\overline{\sigma} = (\sigma_\theta^2 - \sigma_\theta \sigma_z + \sigma_z^2 + 3\tau_{z\theta}^2)^{\frac{1}{2}}$$

按陈化理论则 $\overline{\varepsilon}_c = \overline{\sigma}^n \Omega$，得到蠕变分量

$$\left.\begin{array}{l}
\varepsilon_\theta^c = \dfrac{1}{2}(\sigma_\theta^2 - \sigma_\theta \sigma_z + \sigma_z^2 + 3\tau_{z\theta}^2)^{\frac{n-1}{2}}(2\sigma_\theta - \sigma_z)\Omega \\[3mm]
\varepsilon_z^c = \dfrac{1}{2}(\sigma_\theta^2 - \sigma_\theta \sigma_z + \sigma_z^2 + 3\tau_{z\theta}^2)^{\frac{n-1}{2}}(2\sigma_z - \sigma_\theta)\Omega \\[3mm]
\gamma_{z\theta}^c = 3(\sigma_\theta^2 - \sigma_\theta \sigma_z + \sigma_z^2 + 3\tau_{z\theta}^2)^{\frac{n-1}{2}}\tau_{z\theta}\Omega
\end{array}\right\}$$

则
$$\frac{(\dot{\gamma}_{z\theta}^c)_{\min}}{(\dot{\varepsilon}_z^c)_{\min}} = \frac{\dot{\gamma}_{z\theta}^c}{\dot{\varepsilon}_z^c} = \frac{\gamma_{z\theta}^c}{\varepsilon_z^c} = 3\frac{\tau_{z\theta}}{\sigma_z} \qquad (3-39)$$

试件外径 $D_{H=} = 13.6$ mm，厚度 $\delta = 0.508$ mm，计算长度 $l = 203$ mm。采用两种材料在不同温度条件下进行试验：一种材料是含碳 0.115% 的软钢，试验温度 457℃（曾加热到 650℃，1 小时后逐渐降下）；另一种材料是合金钢，温度 480℃，作拉伸与扭转联合试验，按 (3-39) 式计算理论值，并与实验值比较。两种材料的比较结果分别如表 3-1、表 3-2 所示，说明理论与实验结果基本相符，而合金钢的结果更好些。

（2）1957 年 В.С.Наместников[28] 采取了奥氏体钢 ЭИ-257 试件受拉伸与扭转及两者联合作用的方案，企图验证：①全量理论的应力偏量与应变偏量相似关系在蠕变情况下是否与实验相符。②蠕变情况下"等效关系"是否存在。③等向强化假设在蠕变情况下是否成立。所进行的第一组试验温度是 500℃、600℃，时间是 50 小时到 100 小时（一般还处于蠕变曲线的第一个阶段）。

表 3 - 1　软钢

No. 序号	σ_z 10^{-1}MPa	$\tau_{z\theta}$ 10^{-1}MPa	$\dfrac{\tau_{z\theta}}{\sigma_z}$	$\dot{\varepsilon}^c_{z\,min}$ $\dfrac{1}{小时}10^6$	$\dot{\gamma}^c_{z\theta\,min}$ $\dfrac{1}{小时}10^6$	$\dfrac{\dot{\gamma}^c_{z\theta\,min}}{\dot{\varepsilon}^c_{z\,min}}$ (实验)	$\dfrac{\dot{\gamma}^c_{z\theta\,min}}{\dot{\varepsilon}^c_{z\,min}}$ (理论)
1	81.7	482	5.90	2.00	38.7	19.40	17.70
2	388	443	1.14	13.60	41.3	3.04	3.42
3	543	400	0.737	24.70	44.4	1.80	2.21
4	899	170	0.198	69.70	32.3	0.46	0.594
5	967	0	0.000	86.50	0.0	0.00	0.00

表 3－2　合金钢

No. 序号	σ_z 10^{-1} MPa	$\tau_{z\theta}$ 10^{-1} MPa	$\dfrac{\tau_{z\theta}}{\sigma_z}$	$\dot{\varepsilon}^c_{z\,\min}$ $\dfrac{1}{\text{小时}}10^6$	$\dot{\gamma}^c_{z\theta\,\min}$ $\dfrac{1}{\text{小时}}10^6$	$\dfrac{\dot{\gamma}^c_{z\theta\,\min}}{\dot{\varepsilon}^c_{z\,\min}}$ （实验）	$\dfrac{\dot{\gamma}^c_{z\theta\,\min}}{\dot{\varepsilon}^c_{z\,\min}}$ （理论）
1	0	620	∞	0	28.0	∞	∞
2	363	594	1.64	6.36	28.8	4.53	4.92
3	800	474	0.592	17.1	27.0	1.58	1.78
4	1020	355	0.349	38.1	40.2	1.06	1.05
5	1130	283	0.251	42.0	31.9	0.760	0.753
6	1240	0	0.000	47.0	0.0	0.000	0.000

对第①点采用拉和扭的比例加载过程，令 $\dfrac{\tau}{\sigma}$＝常数＝λ 得到 [1] $S_{ij}/e_{ij}^c=2\sigma/3\varepsilon_c=h(t)$，$2\tau/\gamma_c=g(t)$。如果两个偏量相似，则 $2\sigma/3\varepsilon_c=2\tau/\gamma_c$，于是 $h(t)-t$ 曲线与 $g(t)-t$ 曲线重合。而试验结果如图 3-4 所示，两条曲线非常接近，说明比

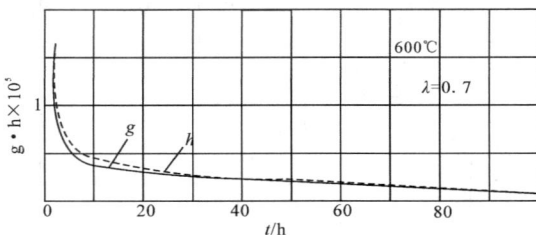

图 3-4 $h(t)-t$ 曲线与 $g(t)-t$ 曲线

例加载情况下 e_{ij} 与 S_{ij} 相似关系与实验相符。另外，在等效应力 $\bar{\sigma}$ 不变时，改变正应力与剪应力的比值 λ，作出一组 $\bar{\varepsilon}_c-t$ 曲线，看是否与单向应力蠕变曲线重合，实验结果如图 3-5 所示，

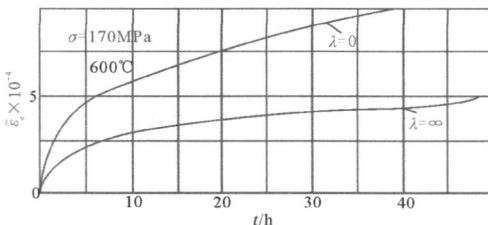

图 3-5 $\bar{\sigma}$ 不变时，不同应力状态的 $\bar{\varepsilon}_c-t$ 曲线

说明曲线相似而不完全重合，在纯扭情况下符合最差，其它

---

[1] $e_{ij}^c=\varepsilon_{ij}^c=\dfrac{3}{2}\dfrac{\bar{\varepsilon}}{\bar{\sigma}}S_{ij}-\dfrac{1}{2G}S_{ij}=\left(\dfrac{3}{2}\dfrac{\bar{\varepsilon}}{\bar{\sigma}}-\dfrac{1}{2G}\right)S_{ij}=\Psi S_{ij}$

情况以不同程度接近单向应力蠕变曲线。因此有学者提出修正方案，但皆出于经验。

下面介绍验证第③点所作的另一组试验工作。仍用 ЭИ-257 材料，进行先拉伸后扭转，或先扭转后拉伸的试验，采取的试验方案是前 50 小时保持 λ 值不变进行蠕变，然后改变 λ 值，在等效应力值保持不变的情况下继续蠕变。从各向同性强化的观点来看应该是先前的扭转（或拉伸）蠕变同样对后续的拉伸（或扭转）蠕变起强化作用，即后续蠕变曲线应比未受预扭的蠕变曲线低，但实际上先扭后拉的试验结果（如图 3-6 所示）并非如此，而

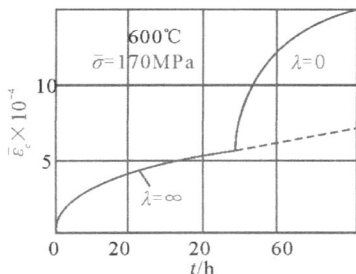

图 3-6　先扭后拉试验结果

是后续段如同纯拉的原始情况，这说明前面的扭转蠕变对后续拉伸蠕变不起强化作用。对于先拉后扭的情况亦是如此。对此结果可作如下解释：应力状态由扭转到的拉伸使主轴方向发生很大变化，产生蠕变变形的晶粒方向改变了，产生剪切的滑移面也不同了，而以前强化了的滑移系统就不再对后续蠕变起作用。通常某些零件在蠕变过程中，应力主轴方向不变，只是主应力数值有所变动，故各向同性假设能给出较好的结果。

§3.5.2　增量型理论的验证

Norton[29] 等早在 1942 年采用外径为 4in，壁厚为 $\frac{1}{8}$in 及 $\frac{3}{8}$in 的空心圆筒，进行承受内压作用的蠕变试验，材料是

钼，试验温度为 900℉ 及 1050℉，试验时间长达 16000 小时，设内压为 p，平均直径及厚度分别为 D、δ，这时按薄壁筒考虑，由平衡条件可求得应力分量为 $\sigma_z = \dfrac{pD}{4\delta} = \dfrac{\sigma_\theta}{3}$，

用 Norton 蠕变规律及 Mises 型理论计算蠕变率分量，

$$\dot{\varepsilon}_{ij}^c = \frac{3}{2} B \, \bar{\sigma}^{n-1} S_{ij}$$

以周向蠕变率的计算值与实验值比较如表 3－3，说明经过长时间的蠕变后，理论值与实验值相当一致。

至今已有不少学者对多维蠕变理论进行了研究，平修二[30]曾收集了大量内压筒的理论与实验研究的资料，列表进行系统总结。实验值多数支持 Mises 型增量蠕变理论，但也有实验[31]支持 Tresca 型增量理论，这说明理论与实验符合情况与材料有关。

有关蠕变本构理论的研究至今仍是一重要课题。例如把 ε_c 与 ε_p 作为统一变量来研究的本构方程，又如研究各向异性蠕变的影响、静水压力的影响、加载历史的影响等，这些问题还需要进一步探讨，以建立更符合一般情况的蠕变本构关系。对于变温场的循环加载蠕变问题，以及卸载后的蠕变恢复问题，作者曾进行了本构关系的某些探索，可详见文献[32][4]。

习　题

1.试归纳蠕变势理论的要点，并与塑性势理论比较。

2.试证对应变硬化理论(2－12)式，采用 Mises 型增量理论同样可以导出应力应变关系式(i)。

3.试证 Norton 材料的蠕变势函数为 $F = \dfrac{B}{n+1} \bar{\sigma}^{n+1}$。

表 3-3　理论值与实际值比较

温度 (℉)	试验压力 (lb/in²)	平均直径的公称应力 (lb/in²)	管壁厚度		$\dot{\varepsilon}_\theta^c$ 的理论值和实验值比较（10^{-5}%/小时）					
			公称值 (in)	测定值 (in)	1000~2000 小时			2000~3000 小时		
					沿外径测定值	沿平均直径修正值	理论值	沿外径测定值	沿平均直径修正值	理论值
900	968	13000	1/8	0.124	0.2~0.4	0.2~0.4	0.27	0.2~0.4	0.2~0.4	0.27
	3110	13000	2/8	0.373	0.2~0.4	0.2~0.5	0.26	0.2~0.4	0.2~0.4	0.26
	1490	20000	1/8	0.122	1.2~1.8	1.3~1.9	1.57	0.9~1.1	1.0~1.2	1.08
	4770	20000	2/8	0.373	1.0~1.5	1.2~1.8	1.38	0.7~1.2	0.9~1.5	0.95
1050	370	5000	1/8	0.124	1.0~2.0	1.8~2.1	2.1	1.3~1.8	1.4~1.9	1.43
	596	5000	1/8	0.122	9.3	9.9	9.1	9.3	9.9	9.1
	1911	8000	3/8	0.373	7.0	8.5	7.8	6.5	7.9	7.8

（附：表中单位与国际单位换算关系为：1in＝2.54 cm，1lb/in²＝0.00703 MPa）

第四章　稳态蠕变分析

§4.1　基本概念

由例2-1可见，对于超静定结构，即使载荷不变，随着蠕变的增长，应力亦会发生重新分配，且随时间而变化，最后逐渐逼近于极限值。但对于例2-2的分析还可以发现更有趣的结果，该例在计算中略去了弹性变形，而所得蠕变应力解与时间无关，并且是上例的极限值。这说明在初始阶段，弹性应变部分起主导作用，蠕变变形在初始阶段变化迅速而使应力剧烈变化；当体内各点的蠕变率逐渐过渡到稳定阶段，应力变化也逐渐缓慢下来，直到蠕变起控制作用时，应力趋于和时间无关的稳定值。也就是说应力由非稳态逐渐过渡到稳态。在工程上为了便于应用，对蠕变结构进行强度计算时，分别把变形过程中零件的应力，不随时间改变的解称为"稳态蠕变解"（或"定常蠕变解"），而把随时间改变的解称为"瞬态蠕变解"（或"非定常蠕变解"）。瞬态蠕变解随着时间的增长趋近于稳态蠕变解。而趋近稳态解所需的时间长短则视材料的蠕变特性、应力水平、结构形状而异，可以短到数小时，也可能长到几千小时。

长期在蠕变条件下工作的零件，其变形主要处于蠕变的第二阶段，或弹性变形与蠕变变形相比可以忽略者，对于上述情况可以按"稳态蠕变"理论求解。但须指出其先决条件为载荷不变，且边界上位移不加限制。假如在前述条件下蠕变曲线又可以足够好地用时间的幂函数来近似，并且在蠕变过程中变形状态不变，这时采用各种蠕变理论均可以得到应力与时间无关的稳态蠕变解。下面以蠕变本构方程的特征来分析。

例如全量类型的应力应变关系为

$$\varepsilon_{ij} = \frac{3\overline{\varepsilon}}{2\overline{\sigma}} S_{ij} \qquad (4-1)$$

对于陈化理论，其蠕变规律一般表达式为

$$\varepsilon_c = \Phi(\sigma) T(t)$$

略去弹性变形，对三维应力有

$$\overline{\varepsilon} = \Phi(\overline{\sigma}) T(t) \qquad (4-2)$$

代入应力应变关系式(4-1)，得到

$$\varepsilon_{ij} = \frac{3\Phi(\overline{\sigma})}{2\overline{\sigma}} S_{ij} T(t)$$

若零件变形状态不变，令 $\varepsilon_{ij} = \varepsilon_{ij}^0 T(t)$，式中 ε_{ij}^0 为某一应变状态，$T(t)$ 为单调增的参数，于是上面方程中的时间因子可以消去，则

$$\varepsilon_{ij}^0 = \frac{3\Phi(\overline{\sigma})}{2\overline{\sigma}} S_{ij}$$

因为协调方程是线性的，ε_{ij}^0 与 ε_{ij} 所满足的方程相同，应力边界又不包含时间因素，因此应力解与时间无关，求应力解就成为通常的塑性力学问题。

又如增量类型的应力应变关系为

$$\dot{\varepsilon}_{ij} = \frac{3\dot{\overline{\varepsilon}}}{2\overline{\sigma}} S_{ij} \qquad (4-3)$$

对于应变硬化理论公式略去弹性应变

$$\dot{\varepsilon}\varepsilon^\alpha = f(\sigma) \tag{4-4}$$

对三维应力状态有

$$\overline{\dot{\varepsilon}}\overline{\varepsilon}^\alpha = f(\sigma) \tag{4-5}$$

则

$$\dot{\varepsilon}_{ij} = \frac{3\overline{\varepsilon}^{-\alpha}f(\overline{\sigma})}{2\overline{\sigma}}S_{ij}$$

若蠕变曲线的时间函数 $T(t) = t^m$

则

$$\varepsilon_{ij} = \varepsilon_{ij}^0 t^m, \quad \overline{\varepsilon} = \overline{\varepsilon}_0 t^m$$

$$\dot{\varepsilon}_{ij} = \dot{\varepsilon}_{ij}^0 m t^{m-1}$$

代入式(4-3)有

$$\dot{\varepsilon}_{ij}^0 m t^{m-1} = \frac{3\overline{\varepsilon}_0^{-\alpha} t^{-m\alpha} f(\overline{\sigma})}{2\overline{\sigma}}S_{ij}$$

积分式(4-4)可得蠕变方程

$$\varepsilon = [(1+\alpha)f(\sigma)]^{-\frac{1}{1+\alpha}}t^{\frac{1}{1+\alpha}}$$

因此

$$m = \frac{1}{1+\alpha}, \quad \text{即} \quad m-1 = -m\alpha$$

这样，应力应变关系式两边的时间因子可以消去。对于时间硬化理论作类似推导也可得到同样的结论。

由上述讨论可见，在一定条件下各种理论都能得到与时间无关的解，而其中最关键的条件是忽略瞬时弹性变形。但稳态蠕变解只能粗略地估算变形值，或者说主要反映了蠕变量，因此按稳态理论计算变形量时，总应变为所得稳态蠕变解与初始弹性解之和，这样得到的结果更接近真实解。稳态蠕变理论能正确地给出应力分布的极限值，但要研究应力随时间重新分配的规律，如松弛问题，则必须进行非稳态蠕变计算。

需要指出的是，稳态蠕变计算的本构方程中一般不考虑温度应力，因为升温产生的温度应力在蠕变过程中随时间增长而不断衰减，经过长时间蠕变到达稳定阶段时，温度应力已近于零，对稳态蠕变应力解影响不大。

稳态蠕变分析所运用的方程，除前述本构方程外，弹性力学中的平衡方程、协调方程、边界方程等在蠕变计算中仍然适用，它们也是蠕变分析的基本方程。

本章将分别以几种常用的蠕变理论求解简单初始弹性平衡问题的稳态蠕变解，由于求解非线性问题的复杂性，往往得不到解析解，因此本章还将介绍工程上较实用的逐次逼近法、参考应力法等近似解法。

§4.2　直梁纯弯曲

考虑一承受弯曲力矩 M_x 的直梁，其横载面有两个对称轴，所取坐标系如图 4－1 所示。在计算中认为梁的平截面假设在蠕变过程中仍成立。

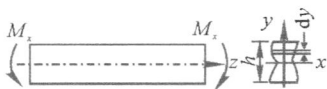

图 4－1　直梁纯弯曲

由材料力学分析可知在梁的截面上仅有应力 σ_z。现以时间硬化理论分析蠕变应力。

等效应力 $\qquad\qquad \bar{\sigma} = |\sigma_z|$

等效应变 $\qquad\qquad \bar{\varepsilon} = |\varepsilon_z|$

总应变 $\varepsilon_z = \varepsilon_z^e + \varepsilon_z^c$

按稳态蠕变计算，略去弹性变形部分，$\varepsilon_z = \varepsilon_z^c$，时间硬化理论公式(2-7)可写成

$$\dot{\varepsilon}_z = \text{sign}\sigma_z |\sigma_z|^n B(t) \qquad (4-6)$$

此处"sign"表示变量 σ_z 的正负号，用以描述 $\dot{\varepsilon}_z$ 的正负。

令：κ 为蠕变所引起梁轴的曲率；y 为梁截面上某一点到 x 轴的距离。

基于平截面假设有 $\varepsilon_z = y|\kappa|$

则 $\dot{\varepsilon}_z = y|\dot{\kappa}|$

或 $$\varepsilon_z = \text{sign}y \, |y| \, |\dot{\kappa}| \qquad (4-7)$$

故 $$\sigma_z = \text{sign}y \left[\frac{|y| \, |\dot{\kappa}|}{B(t)} \right]^{\frac{1}{n}} \qquad (4-8)$$

由平衡条件可得

$$M_x = \int_F \sigma_z y \mathrm{d}F = \left[\frac{|\dot{\kappa}|}{B(t)} \right]^{\frac{1}{n}} \int_F |y|^{\frac{n+1}{n}} \mathrm{d}F \qquad (4-9)$$

式中 F 为梁的截面面积，令

$$J_{nx} = \int_F |y|^{\frac{n+1}{n}} \mathrm{d}F \qquad (4-10)$$

由(4-8)、(4-9)、(4-10)式可得

$$\sigma_z = \text{sign}y \, \frac{M_x |y|^{\frac{1}{n}}}{J_{nx}} \qquad (4-11)$$

(4-11)式与材料力学中 $\sigma = \dfrac{M_x y}{J}$ 形式相当。其中 J_{nx} 与材料力学中的 J 所不同的是，它不仅与截面的几何尺寸有关且与蠕变常数有关，故称为"广义二次矩"，J_{nx} 的计算举例如下：

例 4 - 1 求宽度为 b、高度为 h 的矩形截面 J_{nx}。

解：由(4 - 10)式可得

$$J_{nx} = 2b \int_0^{\frac{h}{2}} y^{\frac{n+1}{n}} \mathrm{d}y = \alpha_1 b h^{\frac{2n+1}{n}}$$

其中

$$\alpha_1 = \frac{n}{2n+1} 2^{-\frac{n+1}{n}}$$

例 4 - 2 求内外直径各为 d、D 的环形截面的 J_{nx}。

解： $J_{nx} = 4 \int_0^{\frac{D}{2}} y^{\frac{n+1}{n}} \sqrt{\left(\frac{D}{2}\right)^2 - y^2}\, \mathrm{d}y -$

$$4 \int_0^{\frac{d}{2}} y^{\frac{n+1}{n}} \sqrt{\left(\frac{d}{2}\right)^2 - y^2}\, \mathrm{d}y$$

$$= \alpha_2 (D^{\frac{3n+1}{n}} - d^{\frac{3n+1}{n}})$$

$$\alpha_2 = \frac{n}{2(3n+1)} \frac{\left[\Gamma\left(\frac{2n+1}{2n}\right)\right]^2}{\Gamma\left(\frac{2n+1}{n}\right)}$$

其中 $\Gamma\left(\frac{2n+1}{n}\right)$ 及 $\Gamma\left(\frac{2n+1}{2n}\right)$ 为伽马函数。

例 4 - 3 求直径为 D 的实心圆截面的 J_{nx}。

解： $\qquad\qquad J_{nx} = \alpha_2 D^{\frac{3n+1}{n}}$

例 4 - 4 求平均直径为 D、厚度为 δ 的薄壁圆环形截面的 J_{nx}。

解：

$$J_{nx} = \alpha_3 D^{\frac{2n+1}{n}} \delta$$

$$\alpha_3 = \frac{\left[\Gamma\left(\frac{2n+1}{2n}\right)\right]^2}{\Gamma\left(\frac{2n+1}{n}\right)}$$

显然所得应力解与时间无关，由 (4-11) 式可知 $(\sigma_z)_{\max}$ 发生在 $y_{\max}$。令 $W_{nx} = \dfrac{J_{nx}}{y_{\max}^{\frac{1}{n}}}$，则 $(\sigma_z)_{\max} = \dfrac{M_x}{W_{nx}}$，此式与材料力学中 $\sigma = \dfrac{M}{W}$ 式相当，故 W_{nx} 称为"广义抗弯截面模量"。今分别列出不同截面形式的 W_{nx} 值如表 4-1 所示。

表 4-1

形状	矩形	实心圆	空心圆	薄圆环
W_{nx}	$\dfrac{n}{2(2n+1)}bh^2$	$2^{\frac{1}{n}}\alpha_2 D^3$	$2^{\frac{1}{n}}\alpha_2 D^3\left[1-\left(\dfrac{d}{D}\right)^{\frac{3n+1}{n}}\right]$	$2^{\frac{1}{n}}\alpha_3 D^2\delta$

下面用图表来描述稳态蠕变情况下正应力与幂数 n 之间的变化关系，现以矩形截面为例，令：$P = \sigma_z / \dfrac{M_x}{W_{nx}}$，

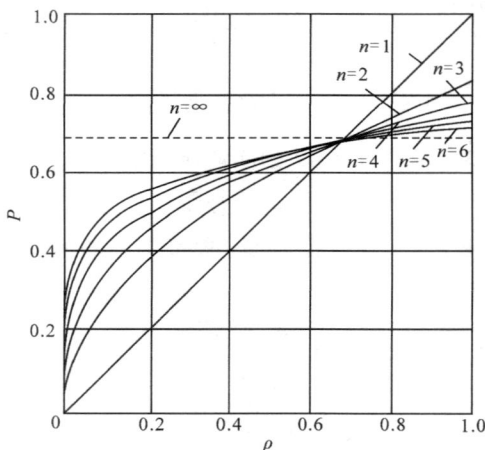

图 4-2　σ_n 分布与 n 的关系

$\rho = y / \dfrac{h}{2}$。根据式(4-11)画出 $P-\rho$ 曲线,以无量纲形式描述不同幂数 n 时,梁截面正应力的分布情况如图 4-2 所示。当 $n=1$ 时与材料力学的解相同;当 $n>1$ 时,$\sigma_z / \dfrac{M_x}{W_{nx}} < 1$,这说明 σ_z 随着 n 值的提高而减少,且 n 值越大,应力越趋平稳;当 $n=\infty$ 时应力分布类似理想塑性的情况。

§4.3 柱体扭转

(一)圆轴扭转

已知圆轴上承受扭转 M_K,截面的内外直径分别为 d 及 D,采取圆柱坐标如图 4-3 所示。以应变硬化理论分析蠕变应力。

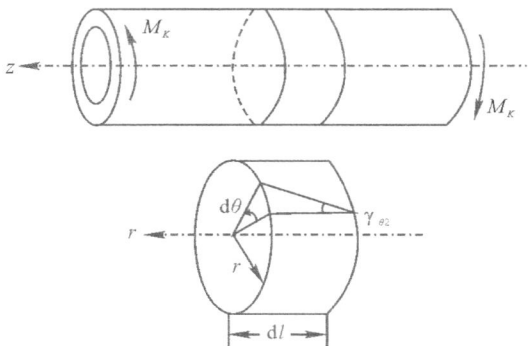

图 4-3 柱体扭转几何关系

假设轴的截面受扭后仍保持平面而不发生翘曲,半径仍

为直线。如以 θ 表示材料蠕变后产生的单位长度相对扭角，则在横截面上离圆心为 r 的点，其角变形为

$$\gamma_{z\theta} = r\theta \qquad (4-12)$$

在纯扭情况下，应力分量只有 $\tau_{z\theta}$，应变分量只有 $\gamma_{z\theta}$，其它分量皆为零，因此等效应力及等效应变分别为

$$\bar{\sigma} = \sqrt{3}\,\tau_{z\theta} \qquad (4-13)$$

$$\bar{\varepsilon} = \frac{1}{\sqrt{3}}\gamma_{z\theta} \qquad (4-14)$$

且

$$\dot{\bar{\varepsilon}} = \frac{1}{\sqrt{3}}\dot{\gamma}_{z\theta} \qquad (4-15)$$

若公式(4-4)中 $f(\sigma)$ 采取形式 $f(\sigma) = \sigma^m$，略去弹性应变则有

$$\dot{\bar{\varepsilon}}\,\bar{\varepsilon}^{\alpha} = \sigma^m \qquad (4-16)$$

将关系式(4-12)至(4-15)代入(4-16)，并利用(4-12)式整理可得

$$\tau_{z\theta} = \left[\frac{1}{3^{\frac{1+\alpha+m}{2}}}r^{1+\alpha}\dot{\theta}\theta^{\alpha}\right]^{\frac{1}{m}} \qquad (4-17)$$

由平衡关系可得扭矩 M_K 的关系式

$$M_K = 2\pi\int_{\frac{d}{2}}^{\frac{D}{2}}\tau_{z\theta}r^2\,\mathrm{d}r = \frac{(\dot{\theta}\theta^{\alpha})^{\frac{1}{m}}}{2^{\frac{1+\alpha+m}{2m}}}J_n \qquad (4-18)$$

$$J_n = 2\pi\int_{\frac{d}{2}}^{\frac{D}{2}}r^{\frac{1+\alpha+2m}{m}}\,\mathrm{d}r$$

$$= \frac{2\pi m}{1+\alpha+3m}\left(\frac{D}{2}\right)^{\frac{1+\alpha+3m}{m}}\left[1-\left(\frac{d}{D}\right)^{\frac{1+\alpha+3m}{m}}\right] \qquad (4-19)$$

将式(4-18)、(4-19)代入式(4-17)可得

$$\tau_{z\theta} = \frac{M_K}{J_n} r^{\frac{1+\alpha}{m}}$$

$$= \frac{(1+\alpha+3m)M_K}{2\pi m} \left[1 - \left(\frac{d}{D}\right)^{\frac{1+\alpha+3m}{m}}\right]^{-1} \left(\frac{2r}{D}\right)^{\frac{1+\alpha}{m}} \left(\frac{D}{2}\right)^{-3}$$

$$(4-20)$$

在 $r = \frac{D}{2}$ 处剪应力最大

$$(\tau_{z\theta})_{\max} = \frac{M_K}{W_n}$$

$$W_n = \frac{J_n}{\left(\frac{D}{2}\right)^{\frac{1+\alpha}{m}}} = \frac{\pi}{4} \frac{m}{1+\alpha+3m} D^3 \left[1 - \left(\frac{d}{D}\right)^{\frac{1+\alpha+3m}{m}}\right]$$

$$(4-21)$$

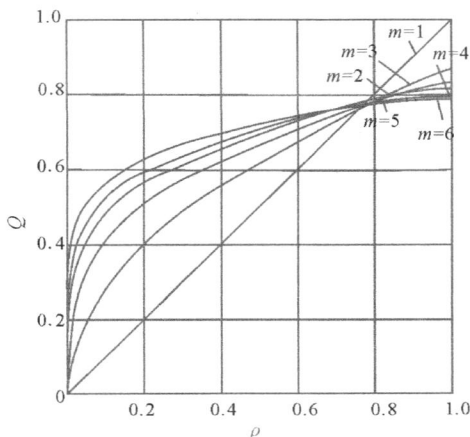

图 4-4　$\tau_{z\theta}$ 分布与幂数 m 关系

这里 J_n 称为"广义极惯矩", W_n 称为"广义抗扭截面模量"。

对于实心圆截面，只要令(4-21)式中 $d=0$ 可得

$$W_n = \frac{\pi}{4} \frac{m}{1+\alpha+3m} D^3$$

令 $Q = \tau_{z\theta} / \dfrac{M_K}{W_n}$, $\rho = r / \dfrac{D}{2}$, 则以 Q 为纵坐标, ρ 为横坐标, 可画出圆轴横截面上剪应力分布规律如图4-4。应力分布曲线随幂数 m 值的变化类似于梁的纯弯曲情况, 随 m 值增大而趋向于平稳。

读者试以时间硬化理论公式 $\dot{\varepsilon}_c = A\sigma^n t^m$ 进行分析, 证明对实心圆轴的剪应力及抗扭截面模量分别为

$$\tau_{z\theta} = \frac{(3n+1)M_K}{2\pi n \left(\dfrac{D}{2}\right)^3} \left(\frac{2r}{D}\right)^{\frac{1}{n}}$$

$$W_n = \frac{2\pi n}{3n+1} \left(\frac{D}{2}\right)^3$$

(二)非圆截面扭转

非圆截面柱体在扭转时截面将发生翘曲, 圆轴的平截面假设已不再适用。因此采用圣文南变形假设, 认为柱体扭转变形由下列两部分组成: 一部分是截面在自身平面内的转动; 另一部分是截面的轴向翘曲, 且所有截面具有同样的翘曲。选取直角坐标 x、y、z 来分析, 于是截面上的变形分量和应力分量分别为

$\varepsilon_x = \varepsilon_y = \varepsilon_z = \gamma_{xy} = 0$ 仅有 γ_{xz}, γ_{yz}

$\sigma_x = \sigma_y = \sigma_z = \tau_{xy} = 0$ 仅有 τ_{xz}, τ_{yz}

设柱体截面上任一点位移沿坐标的分量为 u、v、w。

根据假设

$$w = w(x, y)$$
$$u = -\theta yz$$
$$v = \theta xz$$

应变分量为

$$\left.\begin{array}{l} \gamma_{yz} = \dfrac{\partial v}{\partial z} + \dfrac{\partial w}{\partial y} = \theta x + \dfrac{\partial w}{\partial y} \\[3mm] \gamma_{zx} = \dfrac{\partial u}{\partial z} + \dfrac{\partial w}{\partial x} = -\theta y + \dfrac{\partial w}{\partial x} \end{array}\right\} \tag{a}$$

将式(a)的第一式对 x 偏导与第二式对 y 偏导相减得协调方程

$$\frac{\partial \gamma_{zy}}{\partial x} - \frac{\partial \gamma_{zx}}{\partial y} - 2\theta = 0 \tag{4-22}$$

若采用陈化理论(2-4)式 $\varepsilon = A\sigma^n t^m$ 进行分析,可写出本构关系

$$\left.\begin{array}{l} \gamma_{zy} = \dfrac{3\overline{\varepsilon}}{\overline{\sigma}}\tau_{zy} = 3A\,\overline{\sigma}^{n-1}t^m\tau_{zy} \\[3mm] \gamma_{zx} = \dfrac{3\overline{\varepsilon}}{\overline{\sigma}}\tau_{zx} = 3A\,\overline{\sigma}^{n-1}t^m\tau_{zx} \end{array}\right\} \tag{b}$$

这里
$$\overline{\sigma} = \sqrt{3(\tau_{zy}^2 + \tau_{zx}^2)} \tag{c}$$

将式(b)、(c)代入式(4-22)可得到分析蠕变扭转时用应力表示的协调方程

$$\frac{\partial}{\partial x}\left[(\tau_{zy}^2 + \tau_{zx}^2)^{\frac{n-1}{2}}\tau_{zy}\right] - \frac{\partial}{\partial y}\left[(\tau_{zy}^2 + \tau_{zx}^2)^{\frac{n-1}{2}}\tau_{zx}\right] - \frac{2}{3^{\frac{n+1}{2}}At^m}\theta = 0$$

$$\tag{4-23}$$

引入应力函数 $\varphi(x, y)$,这时满足平衡方程

$$\frac{\partial \tau_{zy}}{\partial y} + \frac{\partial \tau_{zx}}{\partial x} = 0$$

的应力分量为

$$\tau_{zy} = -\frac{\partial \varphi}{\partial x}, \ \tau_{zx} = \frac{\partial \varphi}{\partial y} \qquad (4-24)$$

代入(4-23)式可得

$$\frac{\partial}{\partial x}\left\{\left[\left(\frac{\partial \varphi}{\partial x}\right)^2 + \left(\frac{\partial \varphi}{\partial y}\right)^2\right]^{\frac{n-1}{2}}\frac{\partial \varphi}{\partial x}\right\} + \frac{\partial}{\partial y}\left\{\left[\left(\frac{\partial \varphi}{\partial x}\right)^2 + \right.\right.$$

$$\left.\left.\left(\frac{\partial \varphi}{\partial y}\right)^2\right]^{\frac{n-1}{2}}\frac{\partial \varphi}{\partial y}\right\} + \frac{2\theta}{3^{\frac{n+1}{2}}At^m} = 0 \qquad (4-25)$$

利用边界条件

$$\tau_{zx}\cos(n, x) + \tau_{yz}\cos(n, y) = 0$$

可以证明应力函数 φ 在边界上的值为常量，对单连通截面可采用这一条件，即

$$\varphi_{\dot{\rm u}} = 0 \qquad (4-26)$$

柱体上作用的扭矩可由平衡关系得到

$$M_k = \iint_F (\tau_{yz}x - \tau_{zx}y)\mathrm{d}x\,\mathrm{d}y$$

$$= \iint_F \left[\left(-\frac{\partial \varphi}{\partial x}\right)x - \left(\frac{\partial \varphi}{\partial y}\right)y\right]\mathrm{d}x\,\mathrm{d}y \qquad (4-27)$$

利用(4-26)式可推得

$$M_k = 2\iint_F \varphi\,\mathrm{d}x\,\mathrm{d}y \qquad (4-28)$$

有了条件(4-26)、(4-27)，解微分方程(4-25)，求出应力函数 φ 即得应力解。但方程(4-25)在数学上求解困难，通常采用弹性力学中的伽辽金方法求近似解。

令 $\varphi = \varphi_1(c_1 + c_2x + c_3y + c_4xy + c_5x^2 + c_6y^2 + \cdots)$

式中 c_1、c_2、$\cdots$ 为待定系数，若只取第一项，则

$$\varphi = c_1\varphi_1 \qquad (4-29)$$

式中 c_1 为常数，φ_1 为满足边界上 φ 值为零的某个函数，且是 x、y 的函数。

把(4-29)式代入(4-25)式，乘以 φ_1 并对柱体截面面积进行积分。即

$$\iint \left\{ c_1^n \frac{\partial}{\partial x} \left\{ \left[\left(\frac{\partial \varphi_1}{\partial x} \right)^2 + \left(\frac{\partial \varphi_1}{\partial y} \right)^2 \right]^{\frac{n-1}{2}} \frac{\partial \varphi_1}{\partial x} \right\} + \right.$$

$$c_1^n \frac{\partial}{\partial y} \left\{ \left[\left(\frac{\partial \varphi_1}{\partial x} \right)^2 + \left(\frac{\partial \varphi_1}{\partial x} \right)^2 \right]^{\frac{n-1}{2}} \frac{\partial \varphi_1}{\partial y} \right\} +$$

$$\left. \frac{2\theta}{3^{\frac{n+1}{2}} A t^m} \right\} \varphi_1 \,\mathrm{d}x \,\mathrm{d}y = 0$$

可解得常数 c_1

$$c_1 = \left[\frac{2}{3^{\frac{n+1}{2}}} \cdot \frac{\theta}{A t^m} \cdot \frac{J_1}{J_2} \right]^{\frac{1}{n}} \tag{d}$$

其中
$$J_1 = \iint \varphi_1 \,\mathrm{d}x \,\mathrm{d}y \tag{e}$$

$$J_2 = -\iint \left\{ \frac{\partial}{\partial x} \left\{ \left[\left(\frac{\partial \varphi_1}{\partial x} \right)^2 + \left(\frac{\partial \varphi_1}{\partial y} \right)^2 \right]^{\frac{n-1}{2}} \frac{\partial \varphi_1}{\partial x} \right\} + \right.$$

$$\left. \frac{\partial}{\partial y} \left\{ \left[\left(\frac{\partial \varphi_1}{\partial x} \right)^2 + \left(\frac{\partial \varphi_1}{\partial y} \right)^2 \right]^{\frac{n-1}{2}} \frac{\partial \varphi_1}{\partial y} \right\} \right\} \varphi_1 \,\mathrm{d}x \,\mathrm{d}y$$

对上式进行分部部分，并代入边界上 φ_1 等于零的条件即得

$$J_2 = \iint \left[\left(\frac{\partial \varphi_1}{\partial x} \right)^2 + \left(\frac{\partial \varphi_1}{\partial y} \right)^2 \right]^{\frac{n+1}{2}} \,\mathrm{d}x \,\mathrm{d}y \tag{f}$$

由(4-28)式

$$M_k = 2c \iint \varphi_1 \,\mathrm{d}x \,\mathrm{d}y = \left[\left(\frac{\theta}{A t^m} \right) \frac{2^{n+1}}{3^{\frac{n+1}{2}}} \frac{J_1^{n+1}}{J_2} \right]^{\frac{1}{n}}$$

亦可写成
$$\theta = \left(\frac{M_k}{J_n}\right)^n A t^m \qquad \text{(g)}$$

这里
$$J_n = \frac{2^{\frac{n+1}{n}}}{3^{\frac{n+1}{2n}}} \frac{J_1^{\frac{n+1}{n}}}{J_2^{\frac{1}{n}}} \qquad \text{(h)}$$

将(d)—(h)式代入(4-24)式得到

$$\left.\begin{array}{l}
\tau_{zy} = -\left[\frac{2}{3^{\frac{n+1}{2}}}\frac{J_1}{J_2}\right]^{\frac{1}{n}}\frac{M_k}{J_n}\frac{\partial \varphi_1}{\partial x} \\[3mm]
\tau_{zx} = \left[\frac{2}{3^{\frac{n+1}{2}}}\frac{J_1}{J_2}\right]^{\frac{1}{n}}\frac{M_k}{J_n}\frac{\partial \varphi_1}{\partial y}
\end{array}\right\} \qquad (4-30)$$

下面讨论具体算例：

例 4-5 已知矩形截面宽 $2b$，高 $2h$，且 $h \geqslant b$，求应力解。

解：按照伽辽金方法求解首先要选取满足边界上 φ_1 值为零的应力函数，满足(4-26)式条件的应力函数可选取

$$\varphi_1 = (x^2 - b^2)(y^2 - h^2)$$

由(d)式可求

$$J_1 = \iint (x^2 - b^2)(y^2 - h^2)\mathrm{d}x\,\mathrm{d}y = \beta_1 (2b)^6$$

其中
$$\beta_1 = \frac{1}{36}\left(\frac{h}{b}\right)^8$$

又
$$\frac{\partial \varphi_1}{\partial x} = 2x(y^2 - h^2)$$

$$\frac{\partial \varphi_1}{\partial y} = 2y(x^2 - b^2)$$

由(f)式可求 J_2

$$J_2 = 4^{(\frac{n+1}{2}+1)} \int_0^h \int_0^b \left[x^2 (y^2 - h^2)^2 + y^2 (x^2 - b^2)^2 \right]^{\frac{n+1}{2}} \mathrm{d}x\,\mathrm{d}y$$

令 $l = \dfrac{n+1}{2}$，则上式括号内的项可按牛顿二项式展开

$$\left[x^2 (y^2 - h^2)^2 + y^2 (x^2 - b^2)^2 \right]^l$$

$$= \sum_{i=0}^l C_i^l x^{2(l-i)} (x^2 - b^2)^{2i} y^{2i} (y^2 - h^2)^{2(l-i)}$$

其中
$$C_i^l = \frac{l!}{i!\,(l-i)!}$$

于是
$$J_2 = 4^{l+1} \sum_{i=0}^l C_i^l g_i j_i$$

其中
$$g_i = \int_0^b x^{2(l-i)} (x^2 - b^2)^{2i} \mathrm{d}x$$

$$j_i = \int_0^h y^{2i} (y^2 - h^2)^{2(l-i)} \mathrm{d}y$$

或
$$J_2 = \beta_2 (2b)^{2(3l+1)}$$

其中

$$\beta_2 = \frac{4^{l+1}}{(2b)^{2(3l+1)}} \sum_{i=0}^l C_i^l g_i j_i$$

由 (h) 式可求

$$J_n = \beta (2b)^{\frac{3n+1}{n}} \tag{4-31}$$

其中
$$\beta = \frac{2^{\frac{n+1}{n}} \beta_1^{\frac{n+1}{n}}}{3^{\frac{n+1}{2n}} \beta_2^{\frac{1}{n}}}$$

求得 J_1、J_2、J_n 代入 $(4-30)$ 即得应力解。

　　现在来考察其误差情况。式中关键项是 β，当 $n=1$ 时，上述公式反映初始弹性状态，将 $\bar{\varepsilon} = \bar{\sigma}^n A t^m$ 与线弹性关系对比可知

$$At^m = \frac{1}{E} \qquad (\mathrm{i})$$

由弹性解 $\theta = \dfrac{M_k}{EJ_n}$，对不可压缩材料 $E=3G$，以 (4-31) 和 (i) 代入 (g) 式可得 θ 的表达式为

$$\theta = \frac{M_k}{G\beta_0(2b)^4}$$

而

$$\beta_0 = 3\beta$$

作 $\beta - \dfrac{h}{b}$ 与不同幂数 n 的关系曲线如图 4-5 所示，并列表 4-2，表示 β_0 在不同的 $\dfrac{h}{b}$ 情况下，精确的弹性解与伽辽金方法求得的近似解（$n=1$ 情况）相比较。由表中可见，比值 $\dfrac{h}{b}$ 愈大，则误差愈大；当 $\dfrac{h}{b} \leqslant 2.5$ 时，误差 $\leqslant 4\%$，说明这方法在比值 $\dfrac{h}{b}$ 的一定范围内可以达到适用的精度。

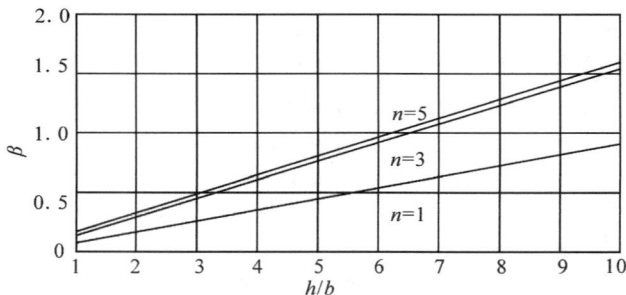

图 4-5 不同 n 值下 $\beta - \dfrac{h}{b}$ 曲线

表 4-2

$\dfrac{h}{b}$	1.00	1.50	1.75	2.00	2.50	3.00	4.00	5.00	6.00	8.00	10.00
β_0 精确解	0.140	0.294	0.375	0.457	0.623	0.790	1.12	1.46	1.79	2.46	3.12
β_0 近似解	0.139	0.288	0.307	0.444	0.598	0.750	1.05	1.33	1.62	2.19	2.75
近似解误差的百分数/%	0.7	2.0	2.1	2.8	4.0	5.1	6.9	8.3	9.4	11	12

例 4-6 已知狭长截面柱体的 y 向尺寸 $x \ll h$ 向尺寸 b，如图 4-6 所示，试求扭转时的应力解。

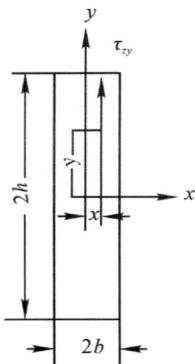

图 4-6 狭长截面柱体扭转

解： 在这种情况下可近似认为 $\tau_{zx} = 0$，于是 $\dfrac{\partial \varphi}{\partial y} = 0$，使 (4-25) 式得到简化，变成

$$\frac{\partial \varphi}{\partial x} \left\{ \frac{\partial}{\partial x} \left[\left(\frac{\partial \varphi}{\partial x} \right)^2 \right]^{\frac{n-1}{2}} \right\} = -\frac{2\theta}{3^{\frac{n+1}{2}} A t^m}$$

利用边界条件：$x = 0$ 时 $\tau_{zy} = 0$，及 $x = \pm b$ 时 $\varphi = 0$，可解得

$$\frac{\partial \varphi}{\partial x} = -\operatorname{sign} x \left(\frac{2\theta}{3^{\frac{n+1}{2}} A t^m} \right)^{\frac{1}{n}} |x|^{\frac{1}{n}}$$

及

$$\varphi = \frac{n}{n+1} \left(\frac{2\theta}{3^{\frac{n+1}{2}} A t^m} \right)^{\frac{1}{n}} \left[b^{\frac{n+1}{n}} - |x|^{\frac{n+1}{n}} \right]$$

由 (4-24) 式和 (g) 式可得到应力解

$$\tau_{zy} = \operatorname{sign} x \, \frac{2^{\frac{1}{n}}}{3^{\frac{n+1}{2n}}} \frac{M_k |x|^{\frac{1}{n}}}{J_n}$$

其中

$$J_n = \frac{n}{2n+1} \frac{1}{3^{\frac{n+1}{2n}}} 2h (2b)^{\frac{2n+1}{n}}$$

§4.4 厚壁筒

考虑两端封闭的厚壁筒，其内半径和外半径各为 r_1 与 r_2，承受内压 p_1 及外压 p_2 作用，采取圆柱坐标，其 z 轴沿

筒体的中心轴选取。

Balley 最早进行过薄壁及厚壁筒的蠕变分析与研究,他采用 Norton 蠕变公式 $\dot{\varepsilon}_c = B\sigma^n$ 计算稳态蠕变。不计弹性应变,对于三维应力蠕变公式为

$$\overline{\dot{\varepsilon}} = B\,\overline{\sigma}^n = f(\overline{\sigma}) \qquad (4-32)$$

按平面应变问题处理,设轴向应变

$$\varepsilon_z = 0 \qquad (4-33)$$

这时筒体的应力分量为 σ_r、σ_θ、σ_z,应变分量为 ε_r、ε_θ。

如以 r 表示截面上任一点到中心轴的距离,u 表示径向位移,则

$$\varepsilon_\theta = \frac{u}{r}, \ \varepsilon_r = \frac{\partial u}{\partial r}$$

或

$$\dot{\varepsilon}_\theta = \frac{\dot{u}}{r}, \ \dot{\varepsilon}_r = \frac{\partial \dot{u}}{\partial r} \qquad (4-34)$$

考虑蠕变时体积不可压缩,即 $\varepsilon_r + \varepsilon_\theta + \varepsilon_z = 0$,

或

$$\dot{\varepsilon}_r + \dot{\varepsilon}_\theta + \dot{\varepsilon}_z = 0 \qquad (4-35)$$

因 $\dot{\varepsilon}_z = 0$,所以 $\dot{\varepsilon}_r = -\dot{\varepsilon}_\theta$,即

$$\frac{\partial \dot{u}}{\partial r} = -\frac{\dot{u}}{r} \qquad (j)$$

积分(j)式可得

$$\dot{u} = \frac{c}{r} \qquad (4-36)$$

代入(4-34)式

$$\dot{\varepsilon}_\theta = \frac{c}{r^2}, \ \dot{\varepsilon}_r = -\frac{c}{r^2} \qquad (4-37)$$

$$\bar{\dot{\varepsilon}} = \frac{2}{3}\sqrt{(\dot{\varepsilon}_\theta)^2 - \dot{\varepsilon}_\theta \dot{\varepsilon}_r + (\dot{\varepsilon}_r)^2} = \frac{2}{\sqrt{3}}\frac{|c|}{r^2} \qquad (4-38)$$

平衡方程 $\qquad \dfrac{\partial \sigma_r}{\partial r} + \dfrac{\sigma_r - \sigma_\theta}{r} = 0 \qquad (4-39)$

应力应变关系采用 Mises 型增量理论，因不计弹性应变 $\varepsilon_{ij}^e = 0$，故 $e_{ij} = \varepsilon_{ij}$，令 σ_m 表示平均应力，则可写成

$$\left.\begin{array}{l} \sigma_\theta - \sigma_m = \dfrac{2\bar{\sigma}}{3\bar{\dot{\varepsilon}}}\dot{\varepsilon}_\theta \\[3mm] \sigma_r - \sigma_m = \dfrac{2\bar{\sigma}}{3\bar{\dot{\varepsilon}}}\dot{\varepsilon}_r \\[3mm] \sigma_z - \sigma_m = \dfrac{2\bar{\sigma}}{3\bar{\dot{\varepsilon}}}\dot{\varepsilon}_z \end{array}\right\} \qquad (4-40)$$

或 $\qquad \left.\begin{array}{l} \dot{\varepsilon}_\theta = \dfrac{3f(\bar{\sigma})}{2\bar{\sigma}}S_\theta \\[3mm] \dot{\varepsilon}_r = \dfrac{3f(\bar{\sigma})}{2\bar{\sigma}}S_r \\[3mm] \dot{\varepsilon}_z = \dfrac{3f(\bar{\sigma})}{2\bar{\sigma}}S_z \end{array}\right\}$

(4-40)式两两相减，并考虑(4-33)式条件，可得

$$\left.\begin{array}{l} \sigma_\theta - \sigma_r = \dfrac{2\bar{\sigma}}{3\bar{\dot{\varepsilon}}}(\dot{\varepsilon}_\theta - \dot{\varepsilon}_r) \\[3mm] \sigma_z - \sigma_r = \dfrac{2\bar{\sigma}}{3\bar{\dot{\varepsilon}}}(-\dot{\varepsilon}_r) \end{array}\right\} \qquad (4-41)$$

式(4-41)中第一式及 $\bar{\dot{\varepsilon}} = B\bar{\sigma}^n$ 代入平衡方程(4-39)式，进行积分得到

$$\sigma_r = C_1 - \left(\frac{2}{\sqrt{3}}\right)^{\frac{n+1}{n}}\frac{n}{2}\frac{C^{\frac{1}{n}}}{B^{\frac{1}{n}}r^{\frac{2}{n}}}$$

式中 C_1、C 为积分常数，可由边界条件确定：

当
$$r = r_1 \quad \sigma_r = -p_1$$
$$r = r_2 \quad \sigma_r = -p_2$$

得
$$\sigma_r = -p_1 + \frac{n}{2}\left(\frac{2}{\sqrt{3}}\right)^{\frac{n+1}{n}} \frac{C^{\frac{1}{n}}}{B^{\frac{1}{n}}}\left(\frac{1}{r_1^{\frac{2}{n}}} - \frac{1}{r^{\frac{2}{n}}}\right) \qquad (4-42)$$

$$p_1 - p_2 = \frac{n}{2}\left(\frac{2}{\sqrt{3}}\right)^{\frac{n+1}{n}} \frac{C^{\frac{1}{n}}}{B^{\frac{1}{n}}} \frac{r_2^{\frac{2}{n}} - r_1^{\frac{2}{n}}}{r_1^{\frac{2}{n}} r_2^{\frac{2}{n}}} \qquad (4-43)$$

由 $(4-43)$ 式可确定 C

$$C = \frac{3^{\frac{n+1}{2}}}{2n^n}(p_1 - p_2)^n \frac{r_1^2 r_2^2}{(r_2^{\frac{2}{n}} - r_1^{\frac{2}{n}})^n} B$$

将 C 代入 $(4-42)$ 式求得 σ_r，并由 $(4-41)$ 式可得应力解，令

$\dfrac{2}{n} = m$，应力解表达式为

$$\left. \begin{aligned}
\sigma_r &= \frac{p_1 r_1^m - p_2 r_2^m}{r_2^m - r_1^m} - \frac{(p_1 - p_2) r_1^m r_2^m}{(r_2^m - r_1^m) r^m} \\
\sigma_\theta &= \frac{p_1 r_1^m - p_2 r_2^m}{r_2^m - r_1^m} + \frac{2-n}{n} \frac{(p_1 - p_2) r_1^m r_2^m}{(r_2^m - r_1^m) r^m} \\
\sigma_z &= \frac{p_1 r_1^m - p_2 r_2^m}{r_2^m - r_1^m} - \frac{n-1}{n} \frac{(p_1 - p_2) r_1^m r_2^m}{(r_2^m - r_1^m) r^m}
\end{aligned} \right\} \qquad (4-44)$$

将 C 值代入 $(4-36)$ 式即得位移率

$$\dot{u} = \frac{3^{\frac{1+n}{2}}}{2n^n}(p_1 - p_2)^n \frac{r_1^2 r_2^2}{(r_2^m - r_1^m)^n r} B$$

总位移 $= u(0) + \dot{u}t$

若厚壁筒仅承受内压，即 $p_1 = p$，$p_2 = 0$，则

$$\sigma_r = -p \frac{(r_2/r)^{\frac{2}{n}} - 1}{(r_2/r_1)^{\frac{2}{n}} - 1}$$

$$\sigma_\theta = p \frac{[(2-n)/n](r_2/r)^{\frac{2}{n}} + 1}{(r_2/r_1)^{\frac{2}{n}} - 1}$$

$$\sigma_z = p \frac{[(1-n)/n](r_2/r)^{\frac{2}{n}} + 1}{(r_2/r_1)^{\frac{2}{n}} - 1} \qquad\qquad (4-45)$$

$$\bar{\sigma} = \frac{\sqrt{3}}{2} p \frac{\left(\dfrac{2}{n}\right)(r_2/r)^{\frac{2}{n}}}{(r_2/r_1)^{\frac{2}{n}} - 1}$$

$$\dot{\bar{\varepsilon}}_\theta = \left(\frac{3}{4}\right)^{\frac{1+n}{2}} B \left[\frac{p}{(r_2/r_1)^{\frac{2}{n}} - 1} \frac{2}{n}\right]^n \left(\frac{r_2}{r}\right)^2$$

(4-45)式结果最早由 Balley 得到,称为 Balley 解。对于 $r_1/r_2 = 0.5$,$n = 3$ 仅承受内压的情况,应力解如图 4-7 所示,将稳态解与弹性解作比较,σ_r 比较相近,σ_z 有差别,而 σ_θ 则有巨大差别。

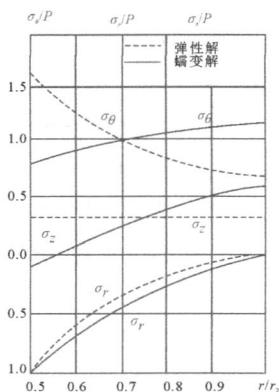

图 4-7 厚壁筒的解

下面验证原假设 $\varepsilon_z = 0$ 是否正确。因筒底上压力所产生的轴向力为

$$N_z = \pi(p_1 r_1^2 - p_2 r_2^2) \tag{4-46}$$

由平衡关系亦可得到

$$N_z = 2\pi \int_{r_1}^{r_2} \sigma_z r \, \mathrm{d}r$$

如把(4-44)式的 σ_z 值代入上式,结果与(4-46)式相符,这说明应用假设 $\varepsilon_z = 0$ 所得到的应力解是正确的,由此也证实了假设的正确性。

§4.5　均匀拉伸的带孔薄平板

上节讨论了平面应变问题,本节将研究平面应力问题,根据塑性力学知识可知,一般平面应力问题求解更为复杂,很难得到解析解,这里介绍一个能得到解析解的特例。

有一中心带有圆孔的无限平板(孔半径为 a),平板承受均匀拉伸为 q 如图 4-8 所示。为便于分析,采用柱坐标系统

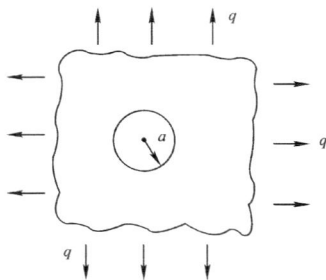

图 4-8　带孔无限大平板

$(r$、θ、$z)$，按轴对称平面应力问题处理。这时应力分量 σ_r，σ_θ 为 r 的函数，而 $\sigma_z=0$；应变分量为 ε_r，ε_θ，ε_z，其径向应变 ε_r 及周向应变 ε_θ 符合(4-34)式，可建立协调关系

$$\frac{\mathrm{d}\dot{\varepsilon}_\theta}{\mathrm{d}r}=\frac{1}{r}(\dot{\varepsilon}_r-\dot{\varepsilon}_\theta) \tag{k}$$

平衡方程(4-39)

$$\frac{\mathrm{d}\sigma_r}{\mathrm{d}r}=\frac{1}{r}(\sigma_\theta-\sigma_r)$$

边界条件为：$r=a$，$\sigma_r=0$

$$r=\infty，\sigma_r=\sigma_\theta=q$$

应力应变关系按 Mises 型增量理论，采用 Norton 材料，略去弹性应变，蠕变规律为 $\bar{\dot{\varepsilon}}=f(\bar{\sigma})$，所建立的蠕变本构方程为

$$\left.\begin{aligned}
\dot{\varepsilon}_r&=\frac{3f(\bar{\sigma})}{2\bar{\sigma}}(\sigma_r-\sigma_m)=\frac{f(\bar{\sigma})}{\bar{\sigma}}\left(\sigma_r-\frac{1}{2}\sigma_\theta\right)\\
\dot{\varepsilon}_\theta&=\frac{3f(\bar{\sigma})}{2\bar{\sigma}}(\sigma_\theta-\sigma_m)=\frac{f(\bar{\sigma})}{\bar{\sigma}}\left(\sigma_\theta-\frac{1}{2}\sigma_r\right)\\
\dot{\varepsilon}_z&=\frac{3f(\bar{\sigma})}{2\bar{\sigma}}(\sigma_z-\sigma_m)=-\frac{1}{2}\frac{f(\bar{\sigma})}{\bar{\sigma}}(\sigma_r+\sigma_\theta)
\end{aligned}\right\} \tag{l}$$

而

$$\bar{\sigma}=\sqrt{\sigma_r^2-\sigma_r\sigma_\theta+\sigma_\theta^2}$$

(l)式表示随 $\bar{\sigma}$ 值而异的椭圆方程，引入参数 φ，应力分量 σ_r，σ_θ 表示为

$$\left.\begin{aligned}
\sigma_r&=\frac{2}{\sqrt{3}}\bar{\sigma}\sin\left(\varphi-\frac{\pi}{6}\right)\\
\sigma_\theta&=\frac{2}{\sqrt{3}}\bar{\sigma}\sin\left(\varphi+\frac{\pi}{6}\right)
\end{aligned}\right\} \tag{4-47}$$

引用上式，本构关系(l)可写成

$$\left.\begin{aligned}\dot{\varepsilon}_r &= -f(\bar{\sigma})\cos\left(\varphi+\frac{\pi}{6}\right) \\ \dot{\varepsilon}_\theta &= f(\bar{\sigma})\cos\left(\varphi-\frac{\pi}{6}\right)\end{aligned}\right\} \qquad (4-48)$$

将(4-47)式代入平衡方程，整理可得

$$r\frac{\partial\varphi}{\partial r}\cos\left(\varphi-\frac{\pi}{6}\right)+\frac{r}{\bar{\sigma}}\frac{\partial\bar{\sigma}}{\partial r}\sin\left(\varphi-\frac{\pi}{6}\right)-\cos\varphi=0$$

$$(4-49)$$

将(4-48)式代入协调方程，整理可得

$$r\frac{\partial\varphi}{\partial r}\sin\left(\varphi-\frac{\pi}{6}\right)-\frac{r}{f(\bar{\sigma})}\frac{\partial f(\bar{\sigma})}{\partial r}\cos\left(\varphi-\frac{\pi}{6}\right)-\sqrt{3}\cos\varphi=0$$

$$(4-50)$$

若蠕变规律为 $\dot{\varepsilon}=B\sigma^n$，令：

$$\left.\begin{aligned}R &= \ln(r/a), \qquad S = \ln(\bar{\sigma}/\sigma_0) \\ E &= \ln(f(\bar{\sigma})/\dot{\varepsilon}_0)\end{aligned}\right\} \qquad (4-51)$$

则 $dR = \dfrac{dr}{r}$，$dS = \dfrac{d\bar{\sigma}}{\bar{\sigma}}$，

$$dE = n\frac{d\bar{\sigma}}{\bar{\sigma}}$$

由(4-51)式中的第二、三式可得

$$dE/dS = n \qquad\qquad （m）$$

式中 $\dot{\varepsilon}_0$ 及 σ_0 为某一任意的规定值，要满足前述蠕变规律则有 $\dot{\varepsilon}_0 = B\sigma_0^n$，这说明 $\dot{\varepsilon}_0$ 与 σ_0 之间要满足一定的关系。通过这样的变换是为了便于求解。

利用关系式(4-51)，由式(4-49)、(4-50)可以建立

$$\left.\begin{array}{l}\dfrac{\mathrm{d}\varphi}{\mathrm{d}R}\cos\left(\varphi-\dfrac{\pi}{6}\right)+\dfrac{\mathrm{d}S}{\mathrm{d}R}\sin\left(\varphi-\dfrac{\pi}{6}\right)-\cos\varphi=0\\[3mm]\dfrac{\mathrm{d}\varphi}{\mathrm{d}R}\sin\left(\varphi-\dfrac{\pi}{6}\right)-\dfrac{\mathrm{d}E}{\mathrm{d}R}\cos\left(\varphi-\dfrac{\pi}{6}\right)-\sqrt{3}\cos\varphi=0\end{array}\right\}$$

$$(4-52)$$

将方程组(4-52)中的第一式乘以 $\sqrt{3}$ 与第二式相减消去 $\sqrt{3}\cos\varphi$ 项可得

$$\dfrac{\mathrm{d}\varphi}{\mathrm{d}R}\sqrt{3}\cos\left(\varphi-\dfrac{\pi}{6}\right)+\dfrac{\mathrm{d}S}{\mathrm{d}R}\sqrt{3}\sin\left(\varphi-\dfrac{\pi}{6}\right)$$

$$=\dfrac{\mathrm{d}\varphi}{\mathrm{d}R}\sin\left(\varphi-\dfrac{\pi}{6}\right)-\dfrac{\mathrm{d}E}{\mathrm{d}R}\cos\left(\varphi-\dfrac{\pi}{6}\right)$$

消去 $\mathrm{d}R$，除以 $\mathrm{d}S$ 可得简化后的方程

$$2\dfrac{\mathrm{d}\varphi}{\mathrm{d}S}\cos\varphi+\sqrt{3}\sin\left(\varphi-\dfrac{\pi}{6}\right)+\cos\left(\varphi-\dfrac{\pi}{6}\right)\dfrac{\mathrm{d}E}{\mathrm{d}S}=0$$

利用式(m)可得

$$2\dfrac{\mathrm{d}\varphi}{\mathrm{d}S}\cos\varphi+\sqrt{3}\sin\left(\varphi-\dfrac{\pi}{6}\right)+n\cos\left(\varphi-\dfrac{\pi}{6}\right)=0$$

$$(4-53)$$

对(4-53)式积分可解得 S，积分常数由边界条件确定。

分析边界条件：当 $r=a$，$\sigma_r=0$，由(4-47)的第一式求得 $\varphi=\dfrac{\pi}{6}$，对应的 S 值由(4-51)式得到，为 $S_a=\ln(\sigma_\theta/\sigma_0)$ 若选择 $\sigma_0=q$，则孔边的 S_a 值为 $S_a=\ln(\sigma_\theta/q)$；当 $r=\infty$，$\sigma_r=\sigma_\theta=\bar\sigma=q$，仍由(4-47)式得 $\varphi=\dfrac{\pi}{2}$，其对应的 S 值为 $S_\infty=\ln(q/q)=0$。

于是利用外边界 $S_{\infty}=0$ 的条件可建立

$$S=-\int_{\varphi}^{\frac{\pi}{2}} \frac{2\cos\varphi\,\mathrm{d}\varphi}{\sqrt{3}\sin\left(\varphi-\dfrac{\pi}{6}\right)+n\cos\left(\varphi-\dfrac{\pi}{6}\right)}$$

利用内边界可建立

$$S_a=-\int_{\frac{\pi}{6}}^{\frac{\pi}{2}} \frac{2\cos\varphi\,\mathrm{d}\varphi}{\sqrt{3}\sin\left(\varphi-\dfrac{\pi}{6}\right)+n\cos\left(\varphi-\dfrac{\pi}{6}\right)}$$

进行变换，令：$\varphi=\Psi+\dfrac{\pi}{6}-\beta$，这里 β 是已知的常量，设为

$$\frac{\sqrt{3}}{\sqrt{3+n^2}}=\cos\beta,\quad \frac{n}{\sqrt{3+n^2}}=\sin\beta$$

则

$$S_a=-\frac{2}{\sqrt{3+n^2}}\int_{\beta+\frac{\pi}{8}}^{\beta} \frac{\cos\left(\Psi+\dfrac{\pi}{6}-\beta\right)}{\sin\Psi}\mathrm{d}\Psi$$

或

$$S_a=\frac{2}{\sqrt{3+n^2}}\left[\cos\left(\frac{\pi}{6}-\beta\right)\ln\frac{\sin\left(\dfrac{\pi}{3}+\beta\right)}{\sin\beta}-\frac{\pi}{3}\sin\left(\frac{\pi}{6}-\beta\right)\right]$$

$$(4-54)$$

这样由式(4-54)可求得孔边应力 σ_θ。应力集中系数可确定如下：

$$K=\frac{\sigma_\theta(a)}{q}=\exp S_a$$

由(4-54)式可得

$$K = \left(\frac{n+3}{2n}\right)^{\frac{n+3}{n^2+3}} \exp\left[\frac{\pi}{\sqrt{3}} \frac{n-1}{n^2+3}\right]$$

§4.6 轴对称加载的圆板弯曲

本节所研究的载荷情况是垂直于圆板中面并且与极轴对称分布的压力，或为沿板的外缘(或内缘)作用的径向分布力矩。

(一)基本假设

(1)当薄板挠度 w 与厚度 h 相比小得多时 $\left(\frac{w}{h} \leqslant \frac{1}{5}\right)$，中面上各点的拉伸或压缩变形可以忽略。

(2)在变形过程中垂直于中面的直法线保持不变。

(3)平行于中面的各个面上正应力 σ_z 与其它应力分量相比可以忽略。

假设(1)、(2)给出了变形的几何假设，由此可以确定板上任一点的变形。采取圆柱坐标 r，θ，z 进行分析。

在板上任取一平行于中面、径向为 dr 的微元，变形前后各表示为 LK 及 $L'K'$ 如图 4-9 所示，则距中面为 z 的微元 LK 由于径向伸长而引起的径向应变为

$$\varepsilon_r = \frac{K'L' - KL}{KL} = \frac{z(\varphi + d\varphi) - z\varphi}{dr} = z\frac{d\varphi}{dr}$$

微元 LK 由于中面法线转动一 φ 角引起圆周增长所产生的切向应变为

$$\varepsilon_\theta = \frac{2\pi(r + z\varphi) - 2\pi r}{2\pi r} = \frac{z}{r}\varphi$$

另外考虑到假设（3）及轴对称情况有 $\sigma_z = \tau_{r\theta} = \tau_{\theta z} = 0$，不为零的应力分量为 σ_r，σ_θ，τ_{rz}。

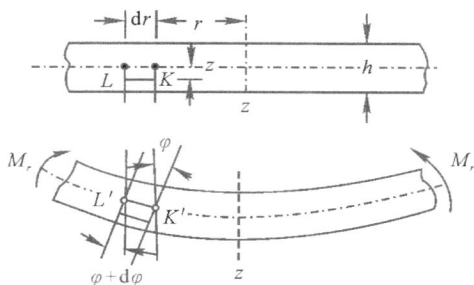

图 4-9　平板变形前后几何关系

(二)基本方程

薄板的内力因素：

$$
\left.
\begin{aligned}
Q &= \int_{-\frac{h}{2}}^{\frac{h}{2}} \tau_{rz}\, \mathrm{d}z \\
M_\theta &= \int_{-\frac{h}{2}}^{\frac{h}{2}} \sigma_\theta z\, \mathrm{d}z \\
M_r &= \int_{-\frac{h}{2}}^{\frac{h}{2}} \sigma_r z\, \mathrm{d}z
\end{aligned}
\right\}
\qquad (n)
$$

式中：Q——单位长度剪力；M_θ、M_r——单位长度的切向力矩、径向力矩。

平衡条件：由圆板取出单元体如图 4-10(a)所示，内力与作用的外力保持平衡。由 $\Sigma_z = 0$ 得

$$
Qr\mathrm{d}\theta - [Qr\mathrm{d}\theta + \mathrm{d}(Qr\mathrm{d}\theta)] + pr\mathrm{d}\theta\mathrm{d}r = 0
$$

因 $\mathrm{d}\theta$ 是扇形单元的夹角，沿径向为常数，上式可简化为

$$\frac{\mathrm{d}(Qr)}{\mathrm{d}r} = pr$$

(a)

(b)

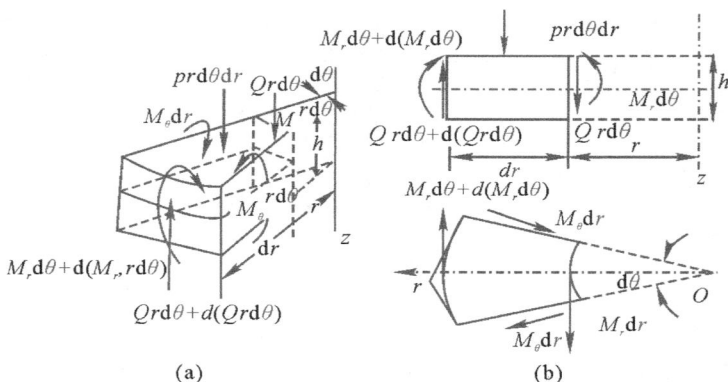

图 4-10　单元体受力示图

对 θ 轴的力矩平衡 $\sum M_\theta = 0$，可以用矢量表示如图 4-10(b)，则

$$M_r r\mathrm{d}\theta - [M_r r\mathrm{d}\theta + \mathrm{d}(M_r r\mathrm{d}\theta)] + pr\mathrm{d}\theta\mathrm{d}r\,\frac{\mathrm{d}r}{2} +$$

$$2M_\theta \mathrm{d}r\sin\frac{\mathrm{d}\theta}{2} - [Qr\mathrm{d}\theta + \mathrm{d}(Qr\mathrm{d}\theta)]\mathrm{d}r = 0$$

略去高阶微量　$pr\mathrm{d}\theta\mathrm{d}r\,\dfrac{\mathrm{d}r}{2}$ 和 $\mathrm{d}(Qr\mathrm{d}\theta)\mathrm{d}r$，则

$$M_\theta - \frac{\mathrm{d}(M_r r)}{\mathrm{d}r} = Qr$$

令板的内外半径为 r_1 及 r_2，引入无量纳量 $\dfrac{r}{r_2} = \rho$，$\dfrac{r_1}{r_2} = \alpha$，

平衡方程可改写为

$$\left.\begin{aligned}
\frac{\mathrm{d}}{\mathrm{d}\rho}(Q\rho) &= pr_2\rho \\
M_\theta - \frac{\mathrm{d}}{\mathrm{d}\rho}(M_r\rho) &= Qr_2\rho
\end{aligned}\right\} \tag{4-55}$$

几何关系：对 ε_r、ε_θ 的表达式引入无量纲量 ρ，可化成

$$\left.\begin{aligned}
\varepsilon_\theta &= \frac{z\varphi}{r_2\rho} \\
\varepsilon_r &= \frac{z}{r_2}\frac{\partial\varphi}{\partial\rho}
\end{aligned}\right\} \tag{4-56}$$

考虑体积不可压缩，则 $\varepsilon_z = -(\varepsilon_r + \varepsilon_\theta)$。

本构关系：采用陈化理论公式 $\bar{\varepsilon} = \bar{\sigma}^n\Omega(t)$，按全量形式应力应变关系为

$$\left.\begin{aligned}
\varepsilon_r &= \frac{3\bar{\varepsilon}}{2\bar{\sigma}}(\sigma_r - \sigma_m) = \frac{3\bar{\varepsilon}}{2\bar{\sigma}}\left(\frac{2}{3}\sigma_r - \frac{1}{3}\sigma_\theta\right) \\
\varepsilon_\theta &= \frac{3\bar{\varepsilon}}{2\bar{\sigma}}(\sigma_\theta - \sigma_m) = \frac{3\bar{\varepsilon}}{2\bar{\sigma}}\left(\frac{2}{3}\sigma_\theta - \frac{1}{3}\sigma_r\right) \\
\varepsilon_z &= \frac{3\bar{\varepsilon}}{2\bar{\sigma}}(\sigma_z - \sigma_m) = \frac{3\bar{\varepsilon}}{2\bar{\sigma}}\left[-\frac{1}{3}(\sigma_r + \sigma_\theta)\right]
\end{aligned}\right\} \tag{4-57}$$

而

$$\bar{\sigma} = (\sigma_\theta^2 - \sigma_\theta\sigma_r + \sigma_r^2)^{1/2}$$

$$\bar{\varepsilon} = \frac{2}{\sqrt{3}}(\varepsilon_\theta^2 + \varepsilon_\theta\varepsilon_r + \varepsilon_r^2)^{\frac{1}{2}}$$

(三)应力及变形解

将方程组(4-57)的第一式与第三式相减，第二式与第三式相减可得

$$\sigma_r = \frac{4\bar{\sigma}}{3\bar{\varepsilon}}\left(\varepsilon_r + \frac{1}{2}\varepsilon_\theta\right) \left.\vphantom{\frac{4\bar{\sigma}}{3\bar{\varepsilon}}}\right\}$$

$$\sigma_\theta = \frac{4\bar{\sigma}}{3\bar{\varepsilon}}\left(\varepsilon_\theta + \frac{1}{2}\varepsilon_r\right)$$

利用(4-56)式可得

$$\sigma_\theta = \mathrm{sign}z\, \frac{2^{m+1}}{3^{\frac{m+1}{2}}}\, \frac{X^{m-1}}{\Omega^m(t)}\, \frac{|z|^m}{r_2^m}\left(\frac{\varphi}{\rho} + \frac{1}{2}\, \frac{\partial\varphi}{\partial\rho}\right)$$

$$\sigma_r = \mathrm{sign}z\, \frac{2^{m+1}}{3^{\frac{m+1}{2}}}\, \frac{X^{m-1}}{\Omega^m(t)}\, \frac{|z|^m}{r_2^m}\left(\frac{\partial\varphi}{\partial\rho} + \frac{1}{2}\, \frac{\varphi}{\rho}\right) \quad (4-58)$$

$$X = \sqrt{\left(\frac{\varphi}{\rho}\right)^2 + \frac{\varphi}{\rho}\, \frac{\partial\varphi}{\partial\rho} + \left(\frac{\partial\varphi}{\partial\rho}\right)^2}$$

此处 $m = \dfrac{1}{n}$。

将(4-58)式代入式(n)，即得单位力矩表达式

$$M_\theta = DX^{m-1}\left(\frac{\varphi}{\rho} + \frac{1}{2}\, \frac{\partial\varphi}{\partial\rho}\right) \left.\vphantom{\frac{1}{2}}\right\}$$

$$M_r = DX^{m-1}\left(\frac{\partial\varphi}{\partial\rho} + \frac{1}{2}\, \frac{\varphi}{\rho}\right) \quad (4-59)$$

$$D = \frac{h^{m+2}}{3^{\frac{m+1}{2}}(m+2)\Omega^m r_2^m}$$

将(4-59)式代入(4-58)式可得

$$\sigma_\theta = \mathrm{sign}z\, 2^{m+1}(m+2)\frac{M_\theta|z|^m}{h^{m+2}} \left.\vphantom{\frac{M_\theta|z|^m}{h^{m+2}}}\right\}$$

$$\sigma_r = \mathrm{sign}z\, 2^{m+1}(m+2)\frac{M_r|z|^m}{h^{m+2}} \quad (4-60)$$

当 $z = \dfrac{h}{2}$ 时，可得应力最大值

$$\left.\begin{array}{l}(\sigma_\theta)_{\max} = 2(m+2)\dfrac{M_\theta}{h^2} \\[3mm] (\sigma_r)_{\max} = 2(m+2)\dfrac{M_r}{h^2}\end{array}\right\}$$

如果求得 φ，即可分别由 $(4-59)$、$(4-60)$、$(4-56)$ 式求得应力解与应变解。问题在于如何求得变形规律 φ，下面将进行研究。

如把 $(4-59)$ 式代入平衡方程 $(4-55)$ 的第二式，即得以变形 φ 为变量的平衡微分方程

$$X^{m-1}\left(\frac{\varphi}{\rho} + \frac{1}{2}\frac{\partial\varphi}{\partial\rho}\right) - \frac{\partial}{\partial\rho}\left[X^{m-1}\left(\rho\frac{\partial\varphi}{\partial\rho} + \frac{1}{2}\varphi\right)\right] - \frac{Qr_2}{D}\rho = 0$$

$$(4-61)$$

此式在数学上求解很困难，可以采用伽辽金近似解法求解。若选取 $\qquad\qquad \varphi = c\varphi_1$

c——时间函数，函数值必须为正。

φ_1——适合于边界条件的已知函数 $\varphi_1(\rho)$，一般可参考弹性板弯曲的解来选取。

边界条件：在 $\rho = 1$ 及 $\rho = \alpha$ 处，边界为固支时转角为零，即 $\varphi = 0$，而边界为简支时径向力矩为零，即 $\dfrac{\partial\varphi}{\partial\rho} + \dfrac{1}{2}\dfrac{\varphi}{\rho} = 0$。这两种形式的边界条件又可写成

$$\varphi_1 = 0 \qquad\qquad (4-62)$$

或 $\qquad\qquad \dfrac{\partial\varphi_1}{\partial\rho} + \dfrac{1}{2}\dfrac{\varphi_1}{\rho} = 0 \qquad\qquad (4-63)$

按伽辽金法将 $(4-61)$ 式乘以 φ_1 对 ρ 积分，经整理可得

$$c^m \int_a^1 \varphi_1 \left\{ X_1^{m-1} \left(\frac{\varphi_1}{\rho} + \frac{1}{2} \frac{d\varphi_1}{d\rho} \right) - \frac{d}{d\rho} \left[X_1^{m-1} \left(\rho \frac{d\varphi_1}{d\rho} + \right.\right.\right.$$

$$\left.\left.\left. \frac{\varphi_1}{2} \right) \right] \right\} d\rho = \frac{r_2}{D} \int_a^1 Q \varphi_1 \rho \, d\rho \qquad (4-64)$$

其中
$$X = c X_1$$

$$X_1 = \left[\left(\frac{\varphi_1}{\rho} \right)^2 + \frac{\varphi_1}{\rho} \frac{d\varphi_1}{d\rho} + \left(\frac{d\varphi_1}{d\rho} \right)^2 \right]^{\frac{1}{2}} \qquad (4-65)$$

令(4-64)式左端项积分式为

$$J_1 = \int_a^1 \left\{ \left[X_1^{m-1} \left(\frac{\varphi_1}{\rho} + \frac{1}{2} \frac{d\varphi_1}{d\rho} \right) \right] - \frac{d}{d\rho} \left[X_1^{m-1} \left(\rho \frac{d\varphi_1}{d\rho} + \right.\right.\right.$$

$$\left.\left.\left. \frac{\varphi_1}{2} \right) \right] \right\} \varphi_1 d\rho = \int_a^1 X_1^{m-1} \left(\frac{\varphi_1}{\rho} + \frac{1}{2} \frac{d\varphi_1}{d\rho} \right) \varphi_1 d\rho +$$

$$\int_a^1 X_1^{m-1} \rho \left(\frac{d\varphi_1}{d\rho} + \frac{1}{2} \frac{\varphi_1}{\rho} \right) \frac{d\varphi_1}{d\rho} d\rho -$$

$$\left[X_1^{m-1} \rho \left(\frac{d\varphi_1}{d\rho} + \frac{1}{2} \frac{\varphi_1}{\rho} \right) \varphi_1 \right]_a^1$$

对于边界条件，无论是(4-62)还是(4-63)，上式的最后一项皆为零，故

$$J_1 = \int_a^1 X_1^{m-1} \rho \left[\frac{\varphi_1^2}{\rho^2} + \frac{1}{2} \frac{\varphi_1}{\rho} \frac{d\varphi_1}{d\rho} + \left(\frac{d\varphi_1}{d\rho} \right)^2 + \right.$$

$$\left. \frac{1}{2} \frac{\varphi_1}{\rho} \frac{d\varphi_1}{d\rho} \right] d\rho = \int_a^1 X_1^{m+1} \rho \, d\rho \qquad (4-66)$$

令

$$J_2 = \int_a^1 Q \varphi_1 \rho \, d\rho \qquad (4-67)$$

注意到 $m = \frac{1}{n}$，则由(4-64)式可得

$$c = \left(\frac{r_2}{D} \frac{J_2}{J_1} \right)^{\frac{1}{m}} = \frac{3^{\frac{n+1}{2}}(2n+1)^n r_2^{n+1}}{n^n h^{2n+1}} \left(\frac{J_2}{J_1} \right)^n \Omega \quad (4-68)$$

选定 φ_1 后，即可由(4-65)—(4-68)式求得平板中面法线的转角 φ，按公式(4-59)、(4-60)求得应力解，并可由下面关系求中面挠度

$$\frac{\mathrm{d}w}{\mathrm{d}r} = -\varphi$$

$$w = c_1 - cr_2 \int \varphi_1 \mathrm{d}\rho$$

式中，c_1——时间函数，由边界条件确定；w——中面挠度。

因此求解的关键是如何选取 φ_1，今以下面算例说明。

(四)算例

试分析下列几种不同支承与载荷情况下的挠度并求应力解。

例 4-7 四周简支圆板承受均布载荷 p 如图 4-11(a)所示，试求其挠度与应力解。

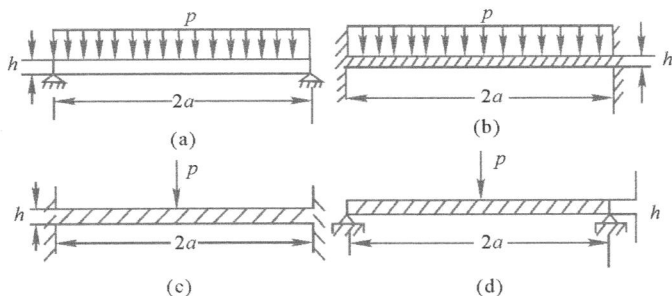

图 4-11 不同载荷与支承的圆板弯曲

解：转角方程按弹性薄板理论解$\left(\text{取 } \nu = \frac{1}{2}\right)$为

$$\varphi_e = \frac{pa^3}{48D_0}(7\rho - 3\rho^3)$$

式中 D_0 为弹性薄板弯曲刚度，故 φ_1 的形式参考弹性解可选取

$$\varphi_1 = 7\rho - 3\rho^3$$

由(4−65)—(4−68)式可得

$$X_1 = \sqrt{147 - 252\rho^2 + 117\rho^4}$$

$$J_1 = \int_0^1 (147 - 252\rho^2 + 117\rho^4)^{\frac{m+1}{2}} \rho \, d\rho$$

$$J_2 = \int_0^1 \frac{pr}{2} \varphi_1 \rho \, d\rho = \frac{5}{8} pa$$

$$\varphi = c(7\rho - 3\rho^3) = \frac{3^{\frac{n+1}{2}}(2n+1)^n a^{n+1}}{n^n h^{2n+1}} (7\rho - 3\rho^3)\left(\frac{J_2}{J_1}\right)^n \Omega$$

由圆板简支端挠度为零或中心处转角为零的条件，可确定挠度

$$w = \frac{ca}{4}(11 - 14\rho^2 + 3\rho^4)$$

在圆板中心挠度最大，即

$$w_{\max} = \frac{11}{4} ca = \frac{11 \times 3^{\frac{n+1}{2}}(2n+1)^n a^{2(n+1)}}{4n^n h^{2n+1}}\left(\frac{5}{8}\frac{p}{J_1}\right)^n \Omega$$

由(4−59)、(4−60)式可得其周向应力和径向应力为

$$\sigma_\theta = \text{sign}z \, \frac{2^{\frac{1+n}{n}}(1+2n)a\,|z|^{\frac{1}{n}}}{nh^{\frac{2n+1}{n}}}\left(\frac{5pa}{8J_1}\right)X_1^{\frac{1-n}{n}} \cdot$$

$$\frac{1}{2}(21 - 15\rho^2)$$

$$\sigma_r = \text{sign}z \, \frac{2^{\frac{1+n}{n}}(1+2n)a\,|z|^{\frac{1}{n}}}{nh^{\frac{2n+1}{n}}} \cdot$$

$$\left(\frac{5pa}{8J_1}\right)X_1^{\frac{1-n}{n}}\frac{21}{2}(1-\rho^2)$$

在圆板中心 $\rho=0$、$z=\frac{h}{2}$ 处应力最大

$$(\sigma_\theta)_{max}=(\sigma_r)_{max}=\mathrm{sign}z\ \frac{21(1+2n)}{n}147^{\frac{1-n}{2n}}\frac{a^2}{h^2}\left(\frac{5p}{8J_1}\right)$$

例 4-8 外圆固支的圆板，承受集中载荷 P，如图 4-11(c)所示，试求其挠度和应力解。

解： 弹性板的挠度方程为

$$w_e=\frac{P}{16\pi D_0}(1-\rho^2+2\rho^2\ln\rho)$$

$$-\varphi_e=\frac{\partial w}{\partial\rho}=\frac{P}{4\pi D_0}\rho\ln\rho$$

取

$$\varphi_1=-\rho\ln\rho$$

则

$$X_1=1+3\ln\rho+3(\ln\rho)^2$$

$$J_1=\int_0^1[1+3\ln\rho+3(\ln\rho)^2]^{\frac{m+1}{2}}\rho\,\mathrm{d}\rho$$

$$J_2=\int_0^1\frac{P}{2\pi r}(-\rho\ln\rho)\rho\,\mathrm{d}\rho=\frac{P}{8\pi a}$$

$$w=c_1-ca\int(-\rho\ln\rho)\,\mathrm{d}\rho$$

由边界条件 $\rho=1$ 时 $w=0$ 可确定 c_1，则

$$w=\frac{ca}{4}(1-\rho^2+2\rho^2\ln\rho)$$

$\rho=0$ 时 w 达到最大值

$$w_{max}=\frac{ca}{4}=\frac{3^{\frac{n+1}{2}}(2n+1)^n a^2}{4n^n h^{2n+1}}\left(\frac{P}{8\pi J_1}\right)^n\Omega$$

应力：

$$\sigma_\theta = \text{sign}(-z)\frac{2^{\frac{1+n}{2}}(1+2n)a|z|^{\frac{1}{n}}}{nh^{\frac{2n+1}{n}}}\left(\frac{P}{8\pi aJ_1}\right) \cdot X_1^{\frac{1-n}{n}}\frac{1}{2}(1+3\ln\rho)$$

$$\sigma_r = \text{sign}(-z)\frac{2^{\frac{1+n}{2}}(1+2n)a|z|^{\frac{1}{n}}}{nh^{\frac{2n+1}{n}}}\left(\frac{P}{8\pi aJ_1}\right) \cdot X_1^{\frac{1-n}{n}}(1+\frac{3}{2}\ln\rho)$$

这时周边上弯矩最大，故在 $\rho=1$，$z=\pm\frac{h}{2}$ 处应力值最大

$$(\sigma_\theta)_{\max} = \text{sign}(-z)\frac{1+2n}{nh^2}\left(\frac{P}{8\pi J_1}\right)$$

$$(\sigma_r)_{\max} = \text{sign}(-z)\frac{2(1+2n)}{nh^2}\left(\frac{P}{8\pi J_1}\right)$$

为便于应用，按不同的加载情况与边界情况将 J_1 值随 n 的变化列表如表 4-3 所示。

表 4-3

m	n	J_1			
		周边简支均布载荷	周边固支均布载荷	周边固支集中载荷	周边简支集中载荷
0.1	10.00	4.50	0.543	0.428	0.675
0.2	5.00	5.51	0.552	0.429	0.707
0.3	3.33	6.75	0.563	0.430	0.740
0.4	2.50	8.36	0.574	0.432	0.782
0.5	2.00	10.20	0.587	0.436	0.825
0.6	1.67	12.80	0.600	0.442	0.877
0.7	1.43	15.80	0.613	0.449	0.932

m	n	J_1			
		周边简支 均布载荷	周边固支 均布载荷	周边固支 集中载荷	周边简支 集中载荷
0.8	1.25	19.50	0.631	0.459	0.997
0.9	1.11	24.00	0.648	0.476	1.073
1.0	1.00	30.00	0.667	0.500	1.170

§4.7 叶片的蠕变量

在高温环境下工作的汽轮机叶片,除了校核应力之外,还需计算叶片的蠕变量,这里计算的是叶片因离心力而引起的应力与蠕变量

（一)叶片因离心力引起的应力

汽轮机的叶片分等截面与变截面两种,对于等截面叶片,其离心力为

$$p_1 = \frac{\rho}{g} \omega^2 F l r$$

式中 ρ、ω、r、F、l 各为叶片的材料密度、转动角速度、平均半径、截面积及型线部分长度。

因叶片的离心力引起的根部应力为

$$\sigma = \frac{p_1}{F} = \frac{\rho}{g} \omega^2 l r$$

离叶片根部截面 z 处的应力为

$$\sigma = \frac{\rho}{g} \omega^2 (l - z) \left[R_0 + \frac{1}{2}(z + l) \right]$$

$$= \frac{\rho}{g} \omega^2 \left[\frac{1}{2}(l^2 - z^2) + R_0(l - z) \right] \tag{o}$$

R_0 为叶片根部半径。

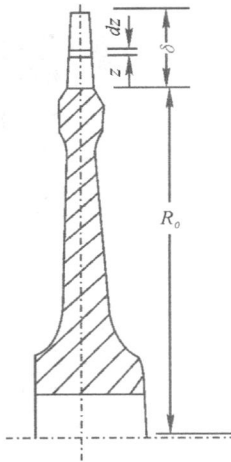

变截面叶片如图 4-12 所示，与根部截面相距 z 的无限小微段 $\mathrm{d}z$ 上的离心力由下式确定：

$$\mathrm{d}P = \frac{\rho}{g}\omega^2 F(z)(R_0 + z)\mathrm{d}z$$

$F(z)$ 为与根部相距 z 处的截面积，在 z 处截面的离心力为

$$P(z) = \frac{\rho}{g}\omega^2 \int_z^l F(\zeta)(R_0 + \zeta)\mathrm{d}\zeta$$

在 z 截面处引起的应力为

$$\sigma(z) = \frac{1}{F(z)}\left[\frac{\rho}{g}\omega^2 \int_z^l F(\zeta) \cdot (R_0 + \zeta)\mathrm{d}\zeta\right] \qquad (\mathrm{p})$$

图 4-12　变截面叶片示图

若考虑到带连接件（有拉金和围带）的叶片，需附加连接件的离心力 P_2 所引起的应力，则算式（o）、（p）可相应写成：

$$\sigma(z) = \frac{\rho}{g}\omega^2\left[\frac{1}{2}(l^2 - z^2) + R_0(l - z)\right] + \frac{P_2}{F}$$

$$\sigma(z) = \frac{1}{F(z)}\left[\frac{\rho}{g}\omega^2 \int^l F(\zeta)(R_0 + \zeta)\mathrm{d}\zeta + P_2\right]$$

（二）蠕变量计算

时效假设 $\qquad\qquad \varepsilon_c = \sigma^n \Omega(t),$

式中 $\qquad\qquad \Omega(t) = \int B(t)\mathrm{d}t$

当蠕变时间比较长，可以忽略蠕变第一阶段时则有

$$\Omega_1(t) = B_1 t$$

Ω_1 为某一时间 $\Omega(t)$ 的函数值，B_1 是函数 $B(t)$ 的极限值。

长度为 $\mathrm{d}z$ 的叶片微段，其绝对伸长量为

$$\mathrm{d}(\Delta l_c) = \varepsilon_c \mathrm{d}z$$

故

$$\Delta l_c = \Omega(t) \int_0^l \sigma^n \mathrm{d}z$$

因此等截面叶片端部径向位移为

$$\Delta l_c = \Omega_1(t) \int_0^l \left\{ \frac{\rho}{g} \omega^2 \left[R_0(l-z) + \frac{1}{2}(l^2 - z^2) \right] + \frac{P_2}{F} \right\}^n \mathrm{d}z$$

$$(4-69)$$

对于变截面叶片端部径向位移为

$$\Delta l_c = \Omega_1(t) \int_0^l \left\{ \frac{1}{F(z)} \left[\frac{\rho}{g} \omega^2 \int_z^l F(\zeta)(R_0 + \zeta) \mathrm{d}\zeta + P_2 \right]^n \right\} \mathrm{d}z$$

$$(4-70)$$

（三）算例

例 4-9 已知不带连接件的叶片长 $l = 15$ cm，根部截面半径 $R_0 = 45$ cm，汽轮机转子角速度 $\omega = 314$ s^{-1}，材料为 1×12 BHMΦ 钢，$n = 2.6$，温度 $T = 550$℃ 及应力 $\sigma = 100$ MPa 条件下的蠕变曲线如图 4-13，所得 $\Omega(t) - t$ 曲线如

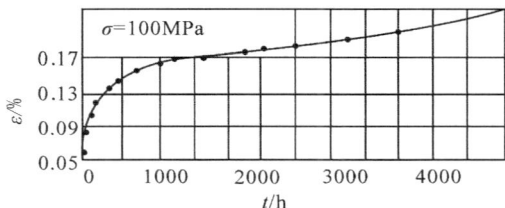

图 4-13 1×12 BHMΦ 钢蠕变曲线

图 4-14 $\left(\rho = 7.89 \dfrac{T}{m^3}\right)$。试计算恒温常载下工作 2000 小时和 100000 小时后等截面动叶片端部的径向位移。

解: 分析材料的蠕变特性,由图 4-14 可得 $\Omega_1(2000) = 1.88 \times 10^{-11}(10^{-1} \times MPa)^{-n}$,由(4-69)式可得

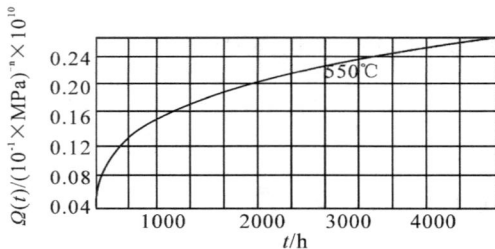

图 4-14　1×12 BHMΦ 钢 $\Omega(t)$ 函数曲线

$(\Delta l_c)_{2000} = 1.435 \times 10^{-3} cm = 0.014 \ mm$

当 $t = 100000$ 小时,已进入第二阶段,Ω 处于直线段,可作简化推算,$\Omega_1(t) = B_1 \times t_1 = 1.9 \times 10^{-15} \times 10^5 (10^{-10} \times MPa)^{-n}$

由(4-69)式可得　　$(\Delta l_c)_{100000} = 0.145 \ mm$。

例 4-10　已知变截面叶片的截面变化如图 4-15 所示,

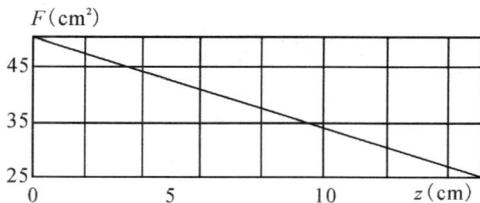

图 4-15　叶片截面坐标与其面积的关系

围带的离心力为 $P_2 = 3$ kN，其它数据同上例，求 2000 小时及 100000 小时的端部位移。

解：由公式(4－70)可算得：

$$(\Delta l_c)_{2000} = 0.015 \text{ mm},$$

$$(\Delta l_c)_{100000} = 0.15 \text{ mm}。$$

§4.8　叶轮的蠕变应力分析

现介绍马里宁提出的简单方法，该方法有较好的收敛性。设应力不沿盘的厚度变化，按平面应力处理。若转盘的厚度 h 随半径 r 而变，则微元体的平衡方程为

$$\frac{\mathrm{d}}{\mathrm{d}r}(\sigma_r hr) - \sigma_\theta h + \frac{\rho}{g}\omega^2 hr^2 = 0 \qquad (\text{q})$$

对式(q)积分，并利用内边界条件：$r = r_1$，$\sigma_r = -p_1$ 可得

$$\sigma_r rh + p_1 r_1 h_1 - \int_{r_1}^r \sigma_\theta h \,\mathrm{d}\zeta + \Phi_1 = 0 \qquad (4-71)$$

式中

$$\Phi_1 = \frac{\rho}{g}\omega^2 \int_{r_1}^r h\zeta^2 \,\mathrm{d}\zeta$$

令

$$\int_{r_1}^r h\zeta^2 \,\mathrm{d}\zeta = \Psi_1$$

则

$$\Phi_1 = \frac{\rho}{g}\omega^2 \Psi_1$$

由外边界条件：$r = r_2$，$\sigma_r = p_2$，得到

$$p_2 r_2 h_2 + p_1 r_1 h_1 - \int_{r_1}^{r_2} \sigma_\theta h \,\mathrm{d}\zeta + \Phi_2 = 0 \qquad (4-72)$$

而

$$\Phi_2 = \frac{\rho}{g}\omega^2 \int_{r_1}^{r_2} h\zeta^2 \,\mathrm{d}\zeta = \frac{\rho}{g}\omega^2 \Psi_2$$

由(4-71)式有

$$\sigma_r = \frac{1}{rh}\left(-p_1 r_1 h_1 + \int_{r_1}^{r} \sigma_\theta h \, \mathrm{d}\zeta - \Phi_1\right)$$

$$\sigma_2 = 0$$

在蠕变情况下，应变与位移的关系为

$$\varepsilon_\theta = \frac{u}{r}, \quad \varepsilon_r = \frac{\partial u}{\partial r}$$

消去 u，得到变形协调方程

$$r = \frac{\partial \varepsilon_\theta}{\partial r} + \varepsilon_\theta - \varepsilon_r = 0 \tag{4-73}$$

在平面应力情况下应力应变关系为

$$\left.\begin{aligned} \varepsilon_\theta &= \frac{\bar{\varepsilon}}{2\bar{\sigma}}(2\sigma_\theta - \sigma_r) \\ \varepsilon_r &= \frac{\bar{\varepsilon}}{2\bar{\sigma}}(2\sigma_r - \sigma_\theta) \end{aligned}\right\} \tag{4-74}$$

$$\bar{\sigma} = (\sigma_\theta^2 - \sigma_\theta \sigma_r + \sigma_r^2)^{1/2}$$

$$\bar{\varepsilon} = \frac{2}{\sqrt{3}}(\varepsilon_\theta^2 + \varepsilon_r \varepsilon_\theta + \varepsilon_r^2)^{1/2}$$

蠕变规律按时效假设，略去弹性变形，则有

$$\bar{\varepsilon} = \bar{\sigma}^n \Omega$$

则

$$X = \frac{\bar{\varepsilon}}{\bar{\sigma}} = \bar{\sigma}^{n-1}\Omega = (\sigma_\theta^2 - \sigma_\theta \sigma_r + \sigma_r^2)^{\frac{n-1}{2}}\Omega \tag{4-75}$$

将(4-74)式代入(4-73)式得到

$$r\frac{\partial}{\partial r}[X(2\sigma_\theta - \sigma_r)] + 3X(\sigma_\theta - \sigma_r) = 0$$

令 $\beta = \dfrac{\sigma_r}{\sigma_\theta}$，将上式除以 $X(2\sigma_\theta - \sigma_r)$ 有

$$\frac{\dfrac{\partial}{\partial r}\big[X(2\sigma_\theta-\sigma_r)\big]}{X(2\sigma_\theta-\sigma_r)}=-\frac{3}{r}\frac{1-\beta}{2-\beta}$$

上式沿径向积分可得

$$\ln\big[X(2\sigma_\theta-\sigma_r)\big]-\ln C=-3\int_{r_1}^{r}\frac{1-\beta}{2-\beta}\frac{\mathrm{d}\zeta}{\zeta}$$

C 为时间的函数，上式还可写成

$$X(2\sigma_\theta-\sigma_r)=Ce^{\varphi}$$

式中
$$\varphi=-3\int_{r_1}^{r}\frac{1-\beta}{2-\beta}\frac{\mathrm{d}\zeta}{\zeta}$$

将(4-75)式的 X 值代入上式得

$$\sigma_\theta^n(1-\beta+\beta^2)^{\frac{n-1}{2}}(2-\beta)\Omega=Ce^{\varphi}$$

从而可得：

$$\sigma_\theta=\left(\frac{C}{\Omega}\right)^{\frac{1}{n}}\eta \qquad\qquad (4-76)$$

式中
$$\eta=\left[\frac{e^{\varphi}}{(1-\beta+\beta^2)^{\frac{n-1}{2}}(2-\beta)}\right]^{\frac{1}{n}}$$

$C^{1/n}$ 的确定，可由(4-76)式代入(4-72)式得到

$$C^{\frac{1}{n}}=\frac{p_2r_2h_2+p_1r_1h_1+\Phi_2}{\displaystyle\int_{r_1}^{r_2}h\eta\Omega^{-\frac{1}{n}}\mathrm{d}\zeta}$$

将 $C^{1/n}$ 代回(4-76)式有

$$\sigma_\theta=\frac{p_2r_2h_2+p_1r_1h_1+\Phi_2}{\displaystyle\int_{r_1}^{r_2}h\eta\Omega^{-\frac{1}{n}}\mathrm{d}\zeta}\frac{\eta}{\Omega^{1/n}}$$

Ω 可近似地表示成温度函数 T 与函数 $\Omega_1(t)$ 的乘积，如下式所示：

$$\sigma_\theta = \frac{p_2 r_2 h_2 + p_1 r_1 h_1 + \Phi_2}{\int_{r_1}^{r_2} h \eta T^{-1}(\zeta) \, d\zeta} \frac{\eta}{T(r)}$$

在均匀受热情况下，T 与 r 无关，则

$$\sigma_\theta = \frac{p_2 r_2 h_2 + p_1 r_1 h_1 + \Phi_2}{\int_{r_1}^{r_2} h \eta \, d\zeta} \eta \qquad (4-77)$$

代入(4-71)式得

$$\sigma_r = \frac{1}{rh}\left[-p_1 r_1 h_1 + \frac{(p_2 h_2 r_2 + p_1 h_1 r_1 + \Phi_2)\int_{r_1}^{r} h \eta \, d\zeta - \Phi_1}{\int_{r_1}^{r_2} h \eta \, d\zeta}\right]$$

$$(4-78)$$

由(4-74)式可得 ε_θ，则

$$u = \frac{1}{2}(\sigma_\theta^2 - \sigma_\theta \sigma_r + \sigma_r^2)^{\frac{n-1}{2}}(2\sigma_\theta - \sigma_r)\Omega r \qquad (4-79)$$

$$总位移 = u(0) + u$$

(4-77)、(4-78)两式即为应力解的基本方程，可用逐次逼近法求解，第一次取弹性解为零阶近似，零阶不考虑温度应力，只考虑 E 与 ν 随温度变化的影响，由零阶应力求得 β，再求 η，利用(4-77)、(4-78)式可得一阶近似的应力 σ_θ，σ_r。第二次再利用一阶近似的应力作为初始解，重复上述步骤，直到相邻两次近似值之差足够小为止，这种方法收敛较快，通常二阶近似解已足够精确。

图 4-16 所示叶轮[33]，初始数据为：$n = 3000$ rpm，$\rho = 7.85$ t/m^3，叶轮内径处接触压力为 $p_1 = 0$，外径处载荷 $p_2 = 53$ MPa，叶轮温度 $T = 531℃$，$n = 3.4$，计算所得弹性应力解

与蠕变条件下应力分布比较如图 4-17 所示。

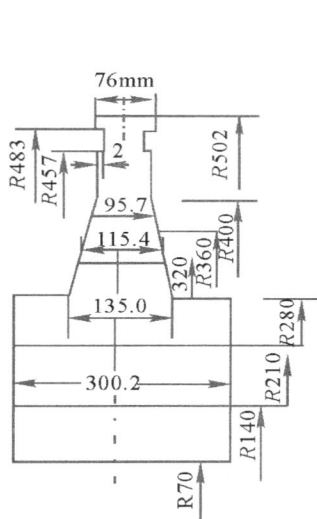

图 4-16　叶轮计算示意图

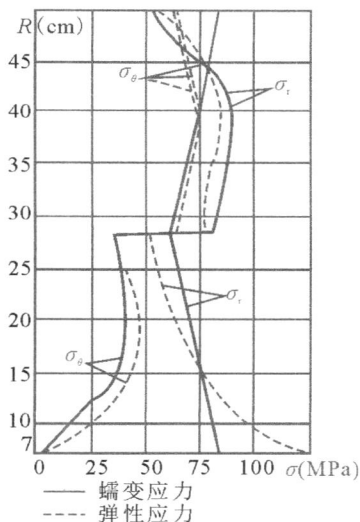

图 4-17　叶轮应力分布

§4.9　用"参考应力法"求近似解

在超静定结构的蠕变分析中，所用蠕变公式需要根据不同应力水平的单向蠕变试验确定蠕变常数。由前几节应力分析可知，对应力解起决定作用的是幂数 n，但往往很难得到精确的值。这里提出的参考应力法恰恰可以避免结构计算中的纯蠕变参数分析，而只要找到适当的参考应力就可以直接求得结构上所需点的蠕变变形。

（一）参考应力法的概念

参考应力法[34]最早由 Schulte 提出，后来 Anderson 又以 Norton 材料模型用于梁结构。该方法的特点是用一等价的简单蠕变试验（称为参考试验）求得结构的蠕变变形。如图 4-18(a)表示零件蠕变时的某点位移。以图 4-18(b)表示参考试验的蠕变应变，而在任意时刻 t_0 计算的位移为 Δ_c。

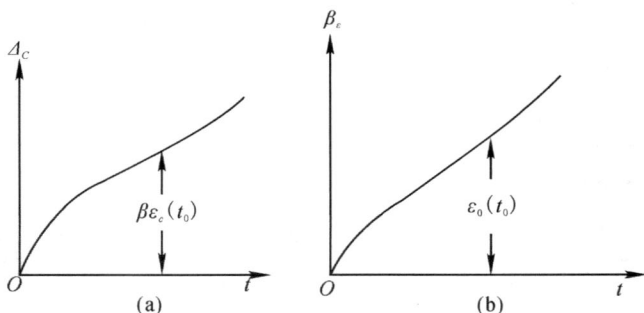

图 4-18　参考应力构思简图

则
$$\Delta_C(t_0) = \beta \varepsilon_c(t_0) \qquad (4-80a)$$

β 为一因子，更一般的表达式为

$$\dot{\varepsilon} = \delta(\sigma_R, n)\dot{\varepsilon}_R \qquad (4-80b)$$

式中，σ_R，$\dot{\varepsilon}_R$ 分别表示参考应力及按应力水平 σ_R 所作单轴蠕变试验的蠕变率记录值，$\dot{\varepsilon}$ 为所求结构的应变率，而比例因子 $\delta(\sigma_R, n)$ 定义为

$$\delta(\sigma_R, n) \simeq \lim_{n \to \infty} \delta(\sigma_R, n) \to \delta(\sigma_R, \infty)$$

可见式中 δ 与 n 无关（或接近于无关）。

（二）参考应力及其确定

以图 4-19 所示矩形截面梁的弯曲为例，在 $t = 0$ 时，初

始应力分布按弹性规律

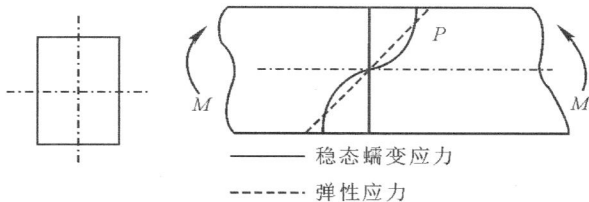

图 4－19　矩形截面梁的应力分布

$$\sigma(z, 0) = 12\left(\frac{M}{bh^3}\right)z$$

若采用 Hooke-Norton 材料，即 $\dot{\varepsilon} = \frac{\sigma}{E} + B\sigma^n$，应力随着蠕变发展，当到达极限时，其分布可由（4－11）式和例 4－1 得到，即

$$\sigma(z, \infty) = \frac{2n+1}{n}2^{\frac{n+1}{n}}\left(\frac{M}{bh^{\frac{2n+1}{n}}}\right)z^{\frac{1}{n}} \tag{r}$$

对上述两种应力分布如图 4－19 所示，如果精确算出所有时间过程的 $\sigma(z, t)$ 曲线，可以发现这组曲线通过或者接近于曲线 $\sigma(z, 0)$ 与 $\sigma(z, \infty)$ 之间的交点 P。把应力不变的 P 点称为"节点"，"节点" P 的应力即是所要找的参考应力。于是由条件

$$\sigma_R = \sigma(z_P, 0) = \sigma(z_P, \infty)$$

可以找到

$$z_P = h\left(2^{\frac{1}{n}}\frac{2n+1}{6n}\right)^{\frac{n}{n-1}}$$

或表示为

$$z_P = \beta(n)h$$

其中
$$\beta(n)=\left(2^{\frac{1}{n}}\frac{2n+1}{6n}\right)^{\frac{n}{n-1}} \qquad (4-81)$$

故有
$$\sigma_R=\sigma(z_P,t)=\sigma(z_P,0)=\beta(n)\left(\frac{12M}{bh^2}\right)$$

梁中心线的曲率 κ 按平截面假设[①] $\kappa z=\varepsilon$、或
$$\dot{\kappa}z_P=\dot{\varepsilon}(z_P,t)=B\sigma^n(z_P,t)=B\sigma_R^n \qquad (4-82)$$

整理可得
$$\dot{\kappa}=\gamma(n)\frac{B}{h}\left(\frac{4M}{bh^2}\right)^n$$

其中
$$\gamma(n)=2\left(1+\frac{1}{2n}\right)^n \qquad (4-83)$$

由(4-81)、(4-83)式可得 $n>2$ 到 $n=\infty$ 的 $\beta(n)$ 及 $\gamma(n)$ 值，如表4-4所示。

表 4-4

n	2	3	4	5	7	∞
$\beta(n)$	0.348	0.343	0.342	0.34	0.338	0.333
$\gamma(n)$	3.12	3.18	3.20	3.22	3.25	3.30

观察上表可知 $\beta(n)$ 与 n 及 $\gamma(n)$ 与 n 的关系都比较弱，如取 $z_P=0.34h$，对 $n>2$ 的任意值 z_P（以 $0.34h$ 为准）误差小于2%，如取 $\gamma=3.21$，使 $\dot{\kappa}$ 引起的误差小于3%，即取

$$\dot{\kappa}=3.21\frac{B}{h}\left(\frac{4M}{bh^2}\right)^n$$

---

① 这里, κ 表示曲率的绝对值

式中 B、n 为蠕变参数，对于曲率 κ 的估计，利用（4-82）式可得

$$\dot{\kappa} = \dot{\varepsilon}(z_P, t)/0.34h = \dot{\varepsilon}_R \delta$$

所得参考应力为

$$\sigma_R = \sigma(z_P, 0) = 12\left(\frac{M}{bh^3}\right)z_P = 4.08\left(\frac{M}{bh^2}\right)$$

（三）求解步骤

（1）假设蠕变规律，分析结构应力（蠕变常数为未知量）。

（2）分析确定参考应力 σ_R。

（3）按应力水平 σ_R 作单轴蠕变试验，记录 $\varepsilon_R(t)$ 及 $\dot{\varepsilon}_R(t)$。

（4）计算所求点的蠕变变形历史，如上例，所求点为 z_1，则据根（4-82）式得[1]

$$\dot{\varepsilon}_1(t) = \dot{\kappa}z_1 = \frac{\dot{\varepsilon}_R(t)}{0.34h}z_1 \tag{s}$$

或

$$\Delta_1(t) = \varepsilon_1(t) = \kappa z_1 = \frac{\varepsilon_R(t)}{0.34h}z_1 \tag{t}$$

这样只要在所需的温度下，用该材料作一根试件，进行蠕变参考试验就可确定所需要的量，从而减少大量的蠕变试验及数据处理工作。

（四）讨论

归纳上述计算方法，必要条件为：①结构内存在应力不变的"节点"。②$\beta(n)$ 及 $\gamma(n)$ 当 $n \to \infty$ 时存在极限值，这时才有可能把 $\beta(n)$ 及 $\gamma(n)$ 看作与 n 无关的 δ，当蠕变规律为幂函数形式时往往存在这种可能，但对第一点就不一定能

---

① 显然式（t）、（s）与式（4-80b）在形式上一致。

满足。

　　Anderson、Johnson 等曾提出确定参考应力的其它方法，但总的思想是选择参考应力 σ_R 要有这样的特征，能使结构中某点的位移率或应变率与蠕变幂数 n 仅有微弱关系，从而可作为与 n 无关来处理。他们曾经研究受内压的厚壁筒，其内外半径各为 a 与 b，且两端封闭。采用 Norton 蠕变规律，并写成如下形式

$$\dot{\varepsilon} = \dot{\varepsilon}_0 \left(\frac{\sigma}{\sigma_0} \right)^n \quad 即 \quad B = \frac{\dot{\varepsilon}_0}{\sigma_0^n} \qquad (4-84)$$

表示两个参数 $\dot{\varepsilon}_0$ 与 σ_0 之一是要很好选择的。一般是采用 σ_0 为参考应力来选择与 n 有微弱关系的位移或应变。

　　对此厚壁筒，稳态蠕变解内壁位移率的表达式，见(4-44)式，可写成

$$\frac{\dot{u}}{a\dot{\varepsilon}_0} = \left(\frac{\sqrt{3}}{2\sigma} \right)^{n+1} \left[\frac{2p}{n(1-a^{\frac{2}{n}})} \right]^n \sigma_0 \qquad (4-85)$$

其中 p 表示内壁压力。$\alpha = \dfrac{b}{a}$。

　　由于刚塑性厚壁筒的极限载荷为 $p_p = \dfrac{2}{\sqrt{3}} \sigma_\varepsilon \ln\alpha$，仿此形式取 $p_f = \dfrac{2}{\sqrt{3}} \sigma_0 \ln\alpha$，则加载率

$$q = \frac{p}{p_f} = \frac{\sqrt{3}}{2} \frac{p}{\sigma_0 \ln\alpha}$$

从而

$$\sigma_0 = \frac{\sqrt{3}}{2} \frac{p}{q \ln\alpha} \qquad (4-86)$$

将(4-86)式代入(4-85)式可得

$$\frac{\dot{u}}{a\dot{\varepsilon}_0} = q^n f(n) \qquad (4-87)$$

这里
$$f(n) = \frac{\sqrt{3}}{2}\left[\frac{2\ln\alpha}{n(1-\alpha^{\frac{2}{n}})}\right]^n$$

现根据 $\dfrac{\dot{u}(n)}{a\dot{\varepsilon}_0}$ 对 n 值微弱的敏感关系来规定参考应力 σ_R。将(4-87)写成对数形式，则当 n 比较大时可得如下结果：

$$\lg\left(\frac{\dot{u}}{a\dot{\varepsilon}_0}\right) = n\lg q + \lg f(n) \qquad (4-88)$$

Anderson 选 $q=1$，并将 σ_0 选作参考应力，则 $\lg\left(\dfrac{\dot{u}}{a\dot{\varepsilon}_0}\right)$ 与 n 有微弱关系渐近于一直线如图 4-20 所示。表达式为

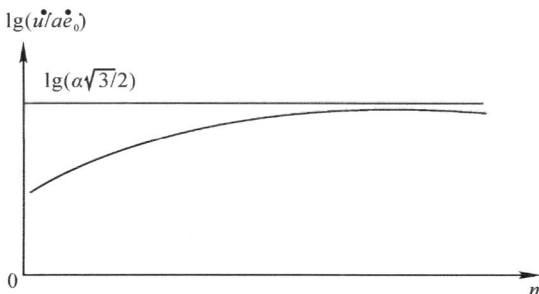

图 4-20 $\lg\dot{u}/a\dot{\varepsilon}_0$ 与 n 的关系

$$\lg\left(\frac{\dot{u}}{a\dot{\varepsilon}_0}\right) = \lg\left(\frac{\sqrt{3}\,\alpha}{2}\right)$$

即
$$\sigma_R = \sigma_0 = \frac{\sqrt{3}}{2}\,\frac{p}{\ln\alpha}$$

相应的 $\dot{\varepsilon}_0$ 即是 $\dot{\varepsilon}_R$，于是将 $\dfrac{\dot{u}}{a\,\dot{\varepsilon}_0}=\dfrac{\sqrt{3}}{2}\alpha$ 写成一般形式为

$$\dot{u}=\frac{\sqrt{3}}{2}a\alpha\,\dot{\varepsilon}_0=\delta(\sigma_R,\ \infty)\dot{\varepsilon}_R$$

而
$$\delta=\frac{\sqrt{3}}{2}a\alpha=\frac{\sqrt{3}}{2}b$$

自然，还可以根据其它的方法来确定不同的参考应力，这里不再赘述，可详见文献[35]、[36]。参考应力法虽是近似解法，但由于此法可以免去纯蠕变参数的分析，节约昂贵的试验费用，因此在初步设计中仍有广范的应用。

习　　题

1.试证对矩形截面纯弯曲梁采用 Hooke – Norton 材料同样可以推得稳态弯曲应力表达式(4-11)。

2.若梁的曲率 $\kappa=\dfrac{\partial^2 w}{\partial z^2}$，试按题 1 的条件求梁的最大挠度值。

3.已知一传动轴半径为 a，承受扭转力矩 M_k，试按应变硬化假设(2-11)式求其应力解。

4.设厚壁筒的内外半径各为 a 及 b，承受内压 p，试用 Norton 材料分析稳态蠕变的位移解，并与(4-85)式作比较。

5.试求图 4-11 中(c)、(d)两种情况下圆板的应力解与最大挠度值。

第五章　非稳态蠕变分析

前一章介绍了稳态蠕变的计算方法，可供长期在恒定负荷状况下的零部件设计使用。但要考虑应力变化过程或精确进行蠕变分析，还必须按非稳态蠕变（或瞬态蠕变）进行分析。

对瞬态蠕变分析，在数学上的难度更大，即使是常载荷情况也只有少量问题能够得到解析解。因此本章只是以薄管弯曲问题为例介绍常载荷下的蠕变解，同时以矩形截面梁及空心球体为例介绍松弛应力解。对更一般情况，引出分析瞬态蠕变应力重新分配的一般方程，把蠕变问题作为弹性初值问题与残余弹性问题来解，并以厚壁筒为例以示求解方法。此外，还讨论了数值解法与近似解法。

数值解法大致可归纳为：数值微分或积分法、有限差分法、有限单元法及边界元法等。本章将以转盘为例用有限差分法求解。随着计算机技术的发展，用有限元方法分析蠕变问题十分有效，已解决了许多工程实际问题，因此将在下一章专门进行讨论。应用边界元法对蠕变问题进行应力分析所见还少。读者可阅专著[37]，这里不再赘述。

本章着重分析弹性-蠕变问题，对弹塑性-蠕变问题只在差分法中提到，若考虑到塑性、温度变化等复杂问题，则采用有限元法更为有效。

为了说明理论分析的可靠性，本章末还列出某些实验验证情况。

§5.1 常载荷下的薄管弯曲

一圆截面等厚度长管承受弯曲力矩 M（常量）的作用，如

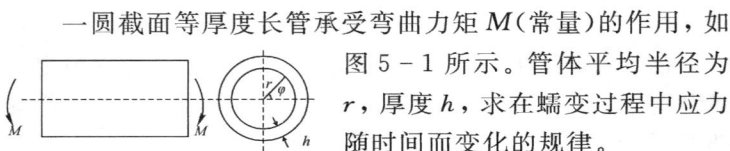

图 5-1 所示。管体平均半径为 r，厚度 h，求在蠕变过程中应力随时间而变化的规律。

图 5-1 薄管弯曲

假设：（1）$h \ll r$，因此径向应力分量可忽略不计，即 $\sigma_r = 0$，而轴向应力 $\sigma(\varphi, t)$ 沿壁厚不变，可把薄管弯曲看作一简单梁的纯弯曲问题。

（2）梁的平截面假设仍适用。

在蠕变过程中因弯曲力矩 M 为常量，求解的基本方程为平衡方程

$$M = hr^2 \int_0^{2\pi} \sigma \sin\varphi \, d\varphi \qquad (5-1)$$

协调关系 根据假设（2），轴向应变 ε 与梁的曲率 κ 之间存在如下关系

$$\varepsilon = \kappa r \sin\varphi \qquad (5-2)$$

或

$$\dot{\varepsilon} = \dot{\kappa} r \sin\varphi \qquad (5-3)$$

本构关系

$$\varepsilon = \varepsilon_e + \varepsilon_c \qquad (5-4)$$

而

$$\varepsilon_e = \frac{\sigma}{E}$$

采用蠕变规律

$$\dot{\varepsilon}_c = B(t)\sigma^n \qquad (5-5)$$

故

$$\dot{\varepsilon} = \frac{\dot{\sigma}}{E} + B(t)\sigma^n \qquad (5-6)$$

式(5-1)对时间 t 取导得

$$\int_0^{2\pi} \dot{\sigma}\sin\varphi\,\mathrm{d}\varphi = 0 \qquad (5-7)$$

将(5-3)、(5-6)式代入上式,可得

$$E\dot{\kappa}\,r\int_0^{2\pi}\sin^2\varphi\,\mathrm{d}\varphi - E\int_0^{2\pi}\dot{\varepsilon}_c\sin\varphi\,\mathrm{d}\varphi = 0 \qquad (a)$$

即

$$\dot{\kappa}\,r\pi - \int_0^{2\pi}\dot{\varepsilon}_c\sin\varphi\,\mathrm{d}\varphi = 0$$

将上式及(5-2)式代入(5-6)式,经整理可得

$$\dot{\sigma} = E\left(\frac{\sin\varphi}{\pi}\int_0^{2\pi}\dot{\varepsilon}_c\sin\varphi\,\mathrm{d}\varphi - \dot{\varepsilon}_c\right) \qquad (b)$$

将(5-5)式代入(b)式

$$\frac{\mathrm{d}\sigma}{\mathrm{d}t} = EB(t)\left(\frac{\sin\varphi}{\pi}\int_0^{2\pi}\sigma^n\sin\varphi\,\mathrm{d}\varphi - \sigma^n\right) \qquad (5-8)$$

其初始的弹性解可由方程(5-1)、(5-2)及(5-4)解得

$$\sigma(\varphi,\,0) = \frac{M}{hr^2}\,\frac{\sin\varphi}{\pi} \qquad (5-9)$$

这样(5-8)、(5-9)式构成一初值问题。

由于应力 σ 是时间 t 与 φ 的函数,(5-8)式很难得到分析解,只能求取数值解。采取的办法是把连续变化的应

力看作仅在有限点($\varphi_k, k=1, 2, \cdots, m$)满足方程(5-8)、(5-9)，于是可得有限的一阶微分方程组

$$\frac{\mathrm{d}\sigma_k}{\mathrm{d}t} = \left(\frac{\sin\varphi_k}{\pi} \sum_{j=1}^{m} a_j \sigma_j^n - \sigma_k^n\right) EB(t) \qquad (5-10)$$

$$\sigma_{k(\varphi_k, 0)} = \frac{M}{hr^2} \frac{\sin\varphi_k}{\pi} \quad k=1,2,\cdots,m \qquad (5-11)$$

在(5-10)式中，$\sigma_k = \sigma(\varphi_k, t)$，而右端的求和项来自(5-8)式是的积分项，设

$$\int_0^{2\pi} \sigma^n \sin\varphi \mathrm{d}\varphi = \int_0^{2\pi} y(\varphi) \mathrm{d}\varphi = I$$

将积分区间 2π 分成 $m-1$ 段，每段间隔 $\Delta\varphi$，则

$$\Delta\varphi = \frac{2\pi}{m-1} \quad \varphi_k = 2\pi \frac{k-1}{m-1} \qquad (c)$$

可用辛普生法则求出 I。

因 I 随 $\sigma(t)$ 而变，故为计算时刻 t 的函数，即 $I = I(t)$。对初始值，按弹性应力解 $\sigma(0)$ 计算，为 $I(0)$。

方程(5-10)写成

$$\frac{\mathrm{d}\sigma_k}{\Phi(\sigma)} = EB(t)\mathrm{d}t \qquad (5-12)$$

即

$$\Phi(\sigma) = \left[\frac{\sin\varphi_k}{\pi} \sum_{j=1}^{m} a_j \sigma_j^n - \sigma_k^n\right] = \left[\frac{\sin\varphi_k}{\pi} I - \sigma_k^n\right] \qquad (d)$$

初始值

$$\Phi(\sigma)|_{t=0} = \Phi[\sigma(0)] = \frac{\sin\varphi_k}{\pi} I(0) - \sigma_k^n(0) \qquad (e)$$

这样，即可由弹性解开始求初值问题的数值解，将所需计算时间分成若干时段，按时间增量步逐段求解。在运

算(5-12)式中的 $\Phi(\sigma)$ 时,按当前应力水平选取。对于第一个增量步,弹性解作为应力初值,$\Phi(\sigma)$ 按(e)式计算。在每一增量步内,逐点建立第 k 点的 $d\sigma_k$ 值,求得增量步末的应力,作为下一增量步的初值,重复进行直至所需计算时刻为止,改变 n 可得不同 n 值下 σ_k 随时间的变化规律。

式(5-12)若以无量纲形式表示更有其一般性。令 $\sigma_0 = \dfrac{M}{\pi h^2 r}$,以 $\dfrac{\sigma}{\sigma_0}$ 表示无量纲应力,(5-12)式化成无量纲形式为

$$d\left(\frac{\sigma_k}{\sigma_0}\right)\Big/\frac{\Phi(\sigma)}{\sigma_\theta^n} = \sigma_0^{n-1}EB(t)dt = dt^*$$

$$t^* = E\sigma_0^{n-1}\int B(t)dt$$

t^* 表示放大了的时间尺度,图5-2表示圆管上各点轴向应力 σ 重新分配的规律,图5-3表示不同时刻轴向应力的分布,图中的交点 P 即是 §4.9 中曾提到过的与时间无关的"节点"。

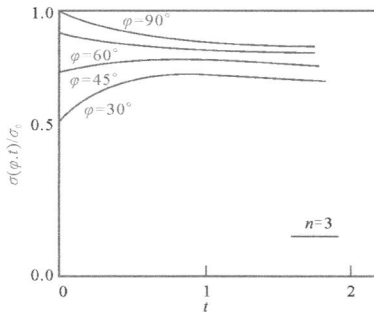

图5-2 各点 σ 重分配规律

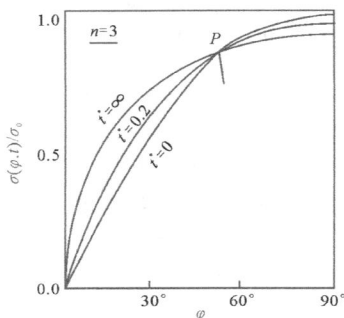

图 5-3　不同时刻 σ 分布

§5.2　常位移下的松弛问题

对于位移边界不变的松弛问题，瞬时应力亦随时间变化而不断重新分配，但对松弛问题得到的解不多。下面列举几个简例分析其精确解。

§5.2.1　纯弯曲梁

设材料符合 Norton 规律 $\dot{\varepsilon}_c = B\sigma^n$ 的矩形截面梁，截面尺寸为 b（宽）×h（高），承受弯曲力矩 M，已知初值为 $M(0)$。坐标选取如图 5-4 所示。假如梁的曲率（或总应变）在蠕变过程（由 $t=0$ 瞬时开始）保持不变，现分析梁的应力及弯矩随时间变化的规律。

因轴向总应变　$\varepsilon = \varepsilon_e + \varepsilon_c$ 为常数，故

$$\dot{\varepsilon} = \dot{\varepsilon}_e + \dot{\varepsilon}_c = 0$$

其本构方程可简写为

$$\frac{1}{E}\left[\frac{\mathrm{d}\sigma(y,t)}{\mathrm{d}t}\right] + B\sigma^n(y,t) = 0 \tag{5-13}$$

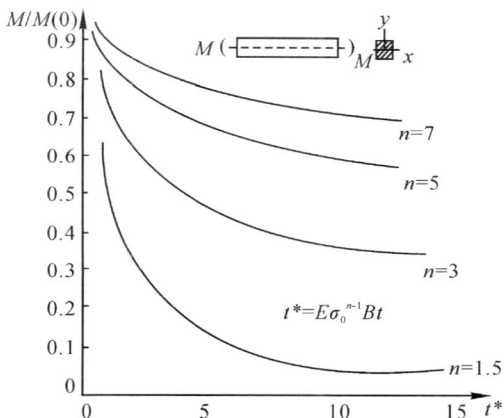

图 5-4 矩形梁松弛应力

初始值可由初始弹性解得到

$$\sigma(y,0)=\sigma_0(y)=\frac{12}{bh^3}M(0)y \qquad (5-14)$$

积分(5-13)式，解得松弛应力

$$\sigma(y,t)=\sigma_0(y)\left[1+(n-1)BE\sigma_0^{n-1}(y)t\right]^{-1/n-1}$$

$$(5-15)$$

由平衡条件，得

$$M(t)=2b\int_0^{h/2}\sigma(y,t)y\,\mathrm{d}y \qquad (f)$$

以(5-13)、(5-14)、(5-15)式代入(f)式可得

$$M(t)=2b\int_0^{h/2}\frac{12}{bh^3}M(0)y^2\left\{1+(n-1)BEt\right.$$

$$\left[\frac{12}{bh^3}M(0)y\right]^{n-1}\right\}^{-1/n-1}\mathrm{d}y$$

令 $\rho = \dfrac{2y}{h}$, $t^* = BE\hat{\sigma}_0^{n-1}t$,则

$$\frac{M(t)}{M(0)} = 3\int_0^1 \rho^2 [1 + (n-1)t^*\rho^{n-1}]^{-1/n-1}\,\mathrm{d}\rho$$

式中 $\hat{\sigma}_0$ 表示初始弹性应力的最大值,由上式根据不同时刻 t 的放大值 t^* 进行数值积分,得到不同 n 值时的 $\dfrac{M(t)}{M(0)} \sim t^*$ 曲线如图 5-4 所示。

§5.2.2 空心球壳

仍采用上例中的材料,讨论一承受内压的厚壁球壳,其内外半径为 a 及 b。在 $t=0$ 时作用内压 $p(0)$,以后保持径向位移不变。今分析松弛过程内压 p 的变化(或内缘 σ_r 的变化)。

对球壳宜采用球面坐标$(r、\theta、\varphi)$进行分析,因对称关系,对壳体上任一点有 $\sigma_\theta = \sigma_\varphi$,在半径为 r 处所取单元的应力状态如图 5-5 所示。若不计体力,平衡方程为

$$\frac{\mathrm{d}\sigma_r}{\mathrm{d}r} = \frac{2(\sigma_\theta - \sigma_r)}{r}$$

弹性应力应变关系(用率的形式表示)

$$\dot{\varepsilon}_r^e = \frac{1}{E}(\dot{\sigma}_r - 2\nu\dot{\sigma}_\theta)$$

$$\dot{\varepsilon}_\theta^e = \frac{1}{E}[\dot{\sigma}_\theta - \nu(\dot{\sigma}_r + \dot{\sigma}_\theta)] = \dot{\varepsilon}_\varphi^e \qquad (5-16)$$

且

$$\varepsilon_r^e = -\frac{\mathrm{d}u^e}{\mathrm{d}r} \quad \varepsilon_\theta^e = \frac{u^e}{r}$$

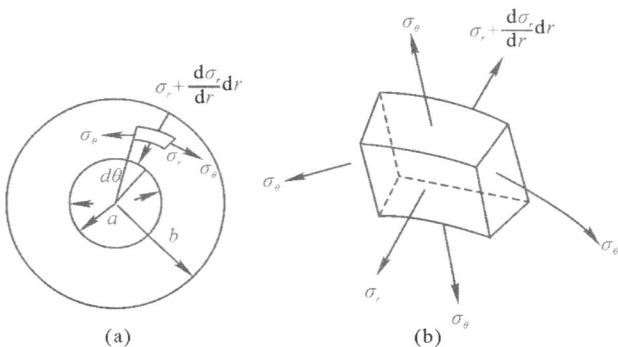

图 5-5 球壳单元应力

由上述基本方程及应力边界条件：$r=a$ 时 $\sigma_r=-p(0)$ 及 $r=b$ 时 $\sigma_r=0$，可得初始弹性应力解

$$\sigma_r=-\frac{p(0)a^3(b^3-r^3)}{r^3(b^3-a^3)}$$

$$\sigma_\theta=-\frac{p(0)a^3(2r^3+b^3)}{2r^3(b^3-a^3)} \qquad (5-17)$$

若材料不可压缩，即 $\nu=\dfrac{1}{2}$，根据已知条件，位移 u 保持不变，可利用(5-16)式得

$$\dot{\varepsilon}_r=\frac{1}{E}(\dot{\sigma}_r-\dot{\sigma}_\theta)+\dot{\varepsilon}_r^c=0 \qquad (5-18)$$

而

$$\bar{\sigma}=\frac{1}{\sqrt{2}}[(\sigma_r-\sigma_\theta)^2+(\sigma_\sigma-\sigma_\varphi)^2+(\sigma_\varphi-\sigma_r)^2]^{1/2}=\sigma_r-\sigma_\theta$$

$$(5-19)$$

故
$$\bar{\dot{\sigma}} = \dot{\sigma}_r - \dot{\sigma}_\theta$$

因蠕变变形体积不可压缩，即 $\varepsilon_r^c + 2\varepsilon_\theta^c = 0$，故

$$\bar{\varepsilon}_c = \frac{\sqrt{2}}{3} \left[(\varepsilon_r^c - \varepsilon_\theta^c)^2 + (\varepsilon_\theta^c - \varepsilon_\varphi^c)^2 + (\varepsilon_\varphi^c - \varepsilon_r^c)^2 \right]^{1/2} = \varepsilon_r^c$$

或
$$\bar{\dot{\varepsilon}}_c = \dot{\varepsilon}_r^c = \bar{\dot{\varepsilon}}_c$$

因此(5-18)式可写成

$$\frac{\bar{\dot{\sigma}}}{E} + \bar{\dot{\varepsilon}}_c = 0$$

代入蠕变规律 $\bar{\dot{\varepsilon}}_c = B\bar{\sigma}^n$，可得

$$\frac{\bar{\dot{\sigma}}}{E} + B\bar{\sigma}^n = 0 \tag{g}$$

积分(g)式，得解

$$\bar{\sigma}(r, t) = \bar{\sigma}_0 \left[1 + (n-1) BE \bar{\sigma}_0^{n-1}(r) t \right]^{-1/n-1}$$

式中 $\bar{\sigma}_0$ 由初始弹性解求解，为初始等效应力

$$\bar{\sigma}_0 = \frac{3a^3 b^3 p(0)}{2r^3 (b^3 - a^3)}$$

利用(5-19)式，平衡方程可写成

$$\frac{\mathrm{d}\sigma_r}{\mathrm{d}r} = \frac{2(\sigma_\theta - \sigma_r)}{r} = -\frac{2\bar{\sigma}}{r}$$

由边界条件，

$$r = a, \ \sigma_r = -p(t)$$

$$r = b, \ \sigma_r = 0$$

得 $p(t) = \displaystyle\int_a^b 2\bar{\sigma}_0 \left[1 + (n-1) BE \bar{\sigma}_0^{n-1}(r) t \right]^{-1/n-1} \frac{\mathrm{d}r}{r}$

$$= \frac{p(0) 3a^3 b^3}{(b^3 - a^3)} \int_a^b \frac{1}{r^4} \left[1 + (n-1) BE \bar{\sigma}_0^{n-1}(r) t \right]^{-1/n-1} \mathrm{d}r$$

令 $\bar{\sigma}_{oi}$ 表示内径等效应力，即 $\bar{\sigma}_{oi} = \dfrac{3b^3}{2(b^3-a^3)}p(0)$，$\rho = \dfrac{r}{a}$，$k = \dfrac{b}{a}$ 及 $t^* = BE\,\bar{\sigma}_{oi}^{n-1}t$，松弛压力 $p(t)$ 即可表达为

$$\frac{p(t)}{p(0)} = \frac{3k^3}{k^3-1}\int_1^k \rho^{-4}\left[1+(n-1)t^*\rho^{-3(n-1)}\right]^{-1/n-1}\mathrm{d}\rho$$

现画出 $k=1.1$ 时，不同 n 值的 $\dfrac{p(t)}{p(0)}\sim t^*$ 曲线表示松弛压力的变化，如图 5-6 所示。

若材料的蠕变规律为 $\dot{\varepsilon}_c = B(t)\sigma^n$，上述方法仍然适用，只需把时间尺度稍作变化，将 t^* 的表达式改写为

$$t^* = E\bar{\sigma}_{ci}^{n-1}\int B(t)\mathrm{d}t$$

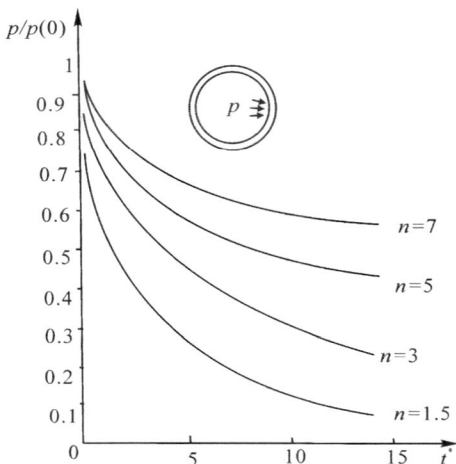

图 5-6 球壳松弛压力

§5.3 应力重新分布的一般方程

前面两节所讨论的是简单的常载荷、常位移问题，属于初始值及边界值问题。下面讨论更一般的情况下，因蠕变所引起结构应力重新分配的基本方程及其求解途径。

分析例 2-1 的应力解(p)式可知，当 $t=0$ 时，得初始弹性解，即结构因外载引起的应力，同时由于蠕变又使应力不断发生变化。显然在同一瞬时存在着上述两种效应，因此在进行一般分析时不妨设想瞬时应力分布和应变分布可由外载产生的应力场与应变场。及由蠕变(不协调变形)引起的应力场和应变场，两者叠加而得。为此先分别研究下列两个问题。

(一)等效弹性问题

对于承受载荷 f_i(体力)、T_i(边界 S_T 上面力)、u_i(边界 S_u 上位移)及 ε_{ij}^T(温度应变)的弹性体，其位移、应变和应力分布可由下述基本方程求解(解用带上标 0 的符号表示)。基本方程可用张量形式简洁表达如下：

平衡方程

$$\sigma_{ij,j}^0 + f_i = 0$$

协调关系

$$\varepsilon_{ij}^0 = \frac{1}{2}(u_{i,j}^0 + u_{j,i}^0)$$

边界条件

$$S_u \text{ 边界上} \quad u_i^0 = u_i$$
$$S_T \text{ 边界上} \quad T_i^0 = T_i$$

本构关系

$$\varepsilon_{ij}^0 = C_{ijkl}\sigma_{kl}^0 + \varepsilon_{ij}^T$$

满足上列方程所得弹性边值问题的解称为等效弹性问题解。对常载荷情况，即是初始弹性解。

(二)残余弹性问题

设在自然弹性体内施加一初应变 ε_{ij}^*（例如蠕变场 ε_{ij}^c），它不一定满足协调关系。由于 ε_{ij}^* 引起相应的应力场 σ_{ij}^R 及应变场 ε_{ij}^R，于是仅由初应变场引起的弹性应力解及应变解，可由下列方程组求得（解用带有上标 R 的符号表示）：

平衡方程

$$\sigma_{ij,j}^R = 0 \tag{h}$$

应变位移关系

$$\varepsilon_{ij}^R = \frac{1}{2}(u_{i,j}^R + u_{j,i}^R) \tag{i}$$

边界条件

$$S_u \ \text{上} \quad u_i^R = 0 \tag{j}$$

$$S_\Gamma \ \text{上} \quad T_i^R = 0 \tag{k}$$

本构关系

$$\varepsilon_{ij}^R = C_{ijkl}\sigma_{kl}^R + \varepsilon_{ij}^* \tag{l}$$

而

$$\sigma_{ij}^R = R_{ij}(\varepsilon_{ij}^*)$$

式中 C_{ijkl} 为弹性柔度张量。R_{ij} 表示与 ε_{kl}^* 相关的某一函数。由上列方程组所得的弹性解称为残余弹性解。

在一般情况下分析蠕变问题，可将上述两种解叠加，即

$$\sigma_{ij} = \sigma_{ij}^0 + \sigma_{ij}^R \tag{5-20}$$

$$\varepsilon_{ij} = \varepsilon_{ij}^0 + \varepsilon_{ij}^R \tag{5-21}$$

因此要求瞬态蠕变问题的解，必须先求出初始弹性解。但瞬态解的求得还往往借助于数值解法。

§5.4　用一般方程求厚壁筒的瞬态解

承受内压 p 作用的厚壁筒，筒体两端封闭，其内外半径各为 a 及 b，若内压值保持不变，按上节所述方法分析瞬态蠕变解。

设蠕变规律

$$\dot{\varepsilon}_c = B(t)\sigma^n$$

按 (3-25) 式蠕变本构关系为

$$
\begin{aligned}
\frac{\mathrm{d}\varepsilon_r^c}{\mathrm{d}t} &= B(t)\bar{\sigma}^{n-1}\left[\sigma_r - \frac{1}{2}(\sigma_\theta + \sigma_z)\right] \\
\frac{\mathrm{d}\varepsilon_\theta^c}{\mathrm{d}t} &= B(t)\bar{\sigma}^{n-1}\left[\sigma_\theta - \frac{1}{2}(\sigma_z + \sigma_r)\right]
\end{aligned}
\tag{5-22}
$$

其中

$$\bar{\sigma} = \frac{1}{\sqrt{2}}\left[(\sigma_r - \sigma_\theta)^2 + (\sigma_\theta - \sigma_z)^2 + (\sigma_z - \sigma_r)^2\right]^{1/2}$$

根据蠕变变形体积不可压缩，有

$$\dot{\varepsilon}_z^c = -\dot{\varepsilon}_r^c - \dot{\varepsilon}_\theta^c$$

按一般方程求解，把蠕变阶段的瞬态解看作等效弹性问题与残余弹性问题两种解的叠加。

$$
\left.
\begin{aligned}
\sigma_r &= \sigma_r^0 + \sigma_r^R = \sigma_r^0 + R_r(\varepsilon_r^c 、\varepsilon_\theta^c) \\
\sigma_\theta &= \sigma_\theta^0 + \sigma_\theta^R = \sigma_\theta^0 + R_\theta(\varepsilon_r^c 、\varepsilon_\theta^c) \\
\sigma_z &= \sigma_z^0 + \sigma_z^R = \sigma_z^0 + R_z(\varepsilon_r^c 、\varepsilon_\theta^c)
\end{aligned}
\right\}
\tag{5-23}
$$

对于等效弹性问题，两端封闭厚壁筒受内压的情况，可按平面应变问题处理。由边界条件

$$r = a \quad \sigma_r^0 = -p$$
$$r = b \quad \sigma_r^0 = 0$$

及基本方程可得初始弹性解为

$$\left. \begin{aligned} \sigma_r^0 &= \frac{pa^2}{b^2 - a^2}\left(1 - \frac{b^2}{r^2}\right) \\ \sigma_\theta^0 &= \frac{pa^2}{b^2 - a^2}\left(1 + \frac{b^2}{r^2}\right) \\ \sigma_z^0 &= 2\nu\,\frac{pa^2}{b^2 - a^2} \end{aligned} \right\} \tag{5-24}$$

式中 ν 为泊松比。

下面着重推导残余弹性解。

所要满足的基本方程按柱面坐标可表达如下

平衡方程

$$\frac{\mathrm{d}R_r}{\mathrm{d}r} + \frac{R_r - R_\theta}{r} = 0 \tag{5-25}$$

协调关系

$$\frac{\mathrm{d}\varepsilon_\theta^R}{\mathrm{d}r} = \frac{\varepsilon_r^R - \varepsilon_\theta^R}{r} \tag{5-26}$$

应力应变关系

$$\left. \begin{aligned} \varepsilon_r^R &= \frac{1}{E}\big[R_r - \nu(R_\theta + R_z)\big] + \varepsilon_r^c \\ \varepsilon_\theta^R &= \frac{1}{E}\big[R_\theta - \nu(R_r + R_z)\big] + \varepsilon_\theta^c \\ \varepsilon_z^R &= \frac{1}{E}\big[R_z - \nu(R_r + R_\theta)\big] + \varepsilon_z^c \end{aligned} \right\} \tag{5-27}$$

位移边界：设两端轴向位移为零，根据(j)式在 S_u 上 $u^R = 0$，故

$$\varepsilon_z^R = 0 \qquad\qquad (5-28)$$

力边界：

$$\left.\begin{array}{c} r=a，R_r=0 \\ r=b，R_r=0 \end{array}\right\} \qquad\qquad (5-29)$$

由(5-27)第三式及(5-28)式可得：

$$R_z = \nu(R_\theta + R_r) - E\varepsilon_z^c \qquad\qquad (m)$$

再由(5-25)式写出 R_θ 的表达式，并代入上式得：

$$R_z = \nu\left(r\,\frac{dR_r}{d}r + 2R_r\right) - E\varepsilon_z^c$$

将(5-25)、(5-27)代入(5-26)式

$$r\,\frac{d\varepsilon_\theta^R}{dr} = \frac{1}{E}\left[R_r - R_\theta + \nu(R_r - R_\theta)\right] + \varepsilon_r^c - \varepsilon_\theta^c$$

则

$$\frac{d\varepsilon_\theta^R}{dr} = -\frac{1+\nu}{E}\,\frac{dR_r}{dr} + \frac{\varepsilon_r^c - \varepsilon_\theta^c}{r} \qquad\qquad (5-30)$$

由(5-27)第二式、(m)式及(5-25)式可得

$$\varepsilon_\theta^R = \frac{1}{E}\left[(1-\nu^2)r\,\frac{dR_r}{dr} + (1-\nu-2\nu^2)R_r + E\nu\varepsilon_z^c\right] + \varepsilon_\theta^c$$

将上式代入(5-30)式，化简得

$$\frac{d}{dr}\left[(1-\nu^2)r\,\frac{dR_r}{dr} + 2(1-\nu^2)R_r + E\nu\varepsilon_z^c + E\varepsilon_\theta^c\right] = E\,\frac{\varepsilon_r^c - \varepsilon_\theta^c}{r}$$

积分得

$$r\,\frac{dR_r}{dr} + 2R_r = \frac{E}{1-\nu^2}\int_a^r \frac{\varepsilon_r^c - \varepsilon_\theta^c}{\eta}d\eta - \frac{E}{1-\nu^2}(\varepsilon_\theta^c + \nu\varepsilon_z^c) + 2A_1$$

$$(5-31)$$

上式再积分得

$$R_r = \frac{E}{2(1-\nu^2)}\left[\int_a^r \frac{\varepsilon_r^c - \varepsilon_\theta^c}{\eta}\mathrm{d}\eta - \frac{1}{r^2}\int_a^r \eta(\varepsilon_r^c - \varepsilon_\theta^c)\mathrm{d}\eta\right]$$

$$- \frac{E}{1-\nu^2}\frac{1}{r^2}\int_a^r \eta(\varepsilon_\theta^c - \nu\varepsilon_z^c)\mathrm{d}\eta + \frac{A_1 r^2 + A_2}{r^2}$$

式中 A_1 及 A_2 为积分常数，由(5-29)式确定，解得

$$R_r = \frac{E}{2(1-\nu^2)}\left(\int_a^r \frac{\varepsilon_r^c - \varepsilon_\theta^c}{\eta}\mathrm{d}\eta - \frac{r^2 - a^2}{b^2 - a^2}\frac{b^2}{r^2}\int_a^b \frac{\varepsilon_r^c - \varepsilon_\theta^c}{\eta}\mathrm{d}\eta\right)$$

$$+ \frac{E(1-2\nu)}{2(1-\nu^2)r^2}\left(\int_a^r \eta\varepsilon_z^c \mathrm{d}\eta - \frac{r^2 - a^2}{b^2 - a^2}\int_a^b \eta\varepsilon_z^c \mathrm{d}\eta\right)$$

利用(5-25)、(5-31)式

$$R_\theta = \frac{E}{1-\nu^2}\int_a^r \frac{\varepsilon_r^c - \varepsilon_\theta^c}{\eta}\mathrm{d}\eta - \frac{E}{1-\nu^2}(\varepsilon_\theta^c + \nu\varepsilon_z^c) + 2A_1 - R_r$$

$$= \frac{E}{2(1-\nu^2)}\left(\int_a^r \frac{\varepsilon_r^c - \varepsilon_\theta^c}{\eta}\mathrm{d}\eta - \frac{r^2 + a^2}{b^2 - a^2}\frac{b^2}{r^2}\int_a^b \frac{\varepsilon_r^c - \varepsilon_\theta^c}{\eta}\mathrm{d}\eta\right)$$

$$- \frac{E(1-2\nu)}{2(1-\nu^2)r^2}\left(\int_a^r \eta\varepsilon_z^c \mathrm{d}\eta + \frac{r^2 + a^2}{b^2 - a^2}\int_a^b \eta\varepsilon_z^c \mathrm{d}\eta\right)$$

$$- \frac{E}{1-\nu^2}(\varepsilon_\theta^c + \nu\varepsilon_z^c) \qquad (5-32)$$

$$R_z = \nu(R_r + R_\theta) - E\varepsilon_z^c$$

其中 R_r、R_θ 及 R_z 的初始值为零，即

$$R_r(0) = R_\theta(0) = R_z(0) = 0$$

为便于计算，式(5-22)可写成增量形式

$$\left.\begin{array}{l}
\Delta\varepsilon_r^c = B(t)\bar{\sigma}^{n-1}\left[\sigma_r - \dfrac{1}{2}(\sigma_\theta + \sigma_z)\right]\Delta t \\[3mm]
\Delta\varepsilon_\theta^c = B(t)\bar{\sigma}^{n-1}\left[\sigma_\theta - \dfrac{1}{2}(\sigma_z + \sigma_r)\right]\Delta t \\[3mm]
\Delta\varepsilon_z^c = -\Delta\varepsilon_r^c - \Delta\varepsilon_\theta^c
\end{array}\right\} \qquad (5-22)'$$

具体算法是把蠕变时间按适当步长分成 m 段，记录每段时刻 t_0，t_1，$\cdots$，t_m 在任一时段 Δt_k 内的蠕变增量$(\Delta \varepsilon_{ij}^c)_k$ 按 Δt_k 初始时的应力水平计算。而 t_k 时刻的蠕变量为 t_k 以前各时段蠕变增量的累积，即 $(\varepsilon_{ij}^c)_k = \sum\limits_{i=1}^{k} (\Delta \varepsilon_{ij}^c)_i$。这样，由第一时段开始，首先求得初始弹性解作为初值，由$(5-22)'$ 式求得 Δt_1 的蠕变增量，按$(5-32)$、$(5-23)$式可求得瞬时 t_1 的应力分布，并作为第二时段的初值，重复上述步骤，直至 t_m。

*§5.5 瞬态蠕变的近似解法

在工程上许多蠕变问题是复杂的，有时按照蠕变实验数据所选定的材料模型求精确解将无法进行。为了校核及应用之便，瞬态蠕变分析可采用某些简化模型，还可以采用某些近似解法，由已知的弹性解及稳态解逼近，以得出近似解，并对误差给出恰当的估计。这里针对幂函数形式的蠕变规律运用能量原理讨论近似解法，因此首先简单介绍能量原理，再分析讨论不同载荷情况下的结果及某些应用。

§5.5.1 能量原理

(一)外凸性条件

由第三章可知，在蠕变过程，可以设想在应力空间存在蠕变势函数 F，且 $F(\sigma_{ij}) > 0$，其流动规律如$(3-27)$式。若单向蠕变规律为幂函数形式，例如 $\dot{\varepsilon}_c = f(\sigma) = B\sigma^n$，这时 $F = \dfrac{B}{n+1}\bar{\sigma}^{n+1}$ 是 $\bar{\sigma}$ 的单调增函数，当 $F(\bar{\sigma}) = $ 常数时，在

应力空间组成等势面(即流动面),它是外凸的,可证明如下:

按流动规律 $\dot{\boldsymbol{\varepsilon}}_{ij}^c = \dfrac{\mathrm{d}F}{\mathrm{d}\boldsymbol{\sigma}_{ij}}$ 或简写成

$$\dot{\boldsymbol{\varepsilon}}_c = \frac{\mathrm{d}F}{\mathrm{d}\boldsymbol{\sigma}} = f(\boldsymbol{\sigma}) \tag{5-33}$$

于是

$$F = \int_0^{\sigma} \dot{\boldsymbol{\varepsilon}}_c \mathrm{d}\boldsymbol{\sigma} \tag{5-34}$$

或

$$\mathrm{d}F = \dot{\boldsymbol{\varepsilon}}_c \mathrm{d}\boldsymbol{\sigma}$$

F 称为蠕变耗散余能。设应力由 $\boldsymbol{\sigma}^A$ 变到 $\boldsymbol{\sigma}^B$,应变率由 $\dot{\boldsymbol{\varepsilon}}_c^A$ 变到 $\dot{\boldsymbol{\varepsilon}}_c^B$,由于 $f(\boldsymbol{\sigma})$ 是单调增函数,则必然存在不等式

$$(\dot{\boldsymbol{\varepsilon}}_c^B - \dot{\boldsymbol{\varepsilon}}_c^A) \cdot (\boldsymbol{\sigma}^B - \boldsymbol{\sigma}^A) \geqslant 0 \tag{5-35}$$

且仅当 $\boldsymbol{\sigma}^A = \boldsymbol{\sigma}^B$ 时上式为零。

假如由 A 点作微小变化到 B 点,即 $\boldsymbol{\sigma}^B = \boldsymbol{\sigma}^A + \mathrm{d}\boldsymbol{\sigma}$ 而 B 点表示任意点,即 $\boldsymbol{\varepsilon}_c^B = \boldsymbol{\varepsilon}_c$,则

$$(\dot{\boldsymbol{\varepsilon}}_c - \dot{\boldsymbol{\varepsilon}}_c^A)\mathrm{d}\boldsymbol{\sigma} \geqslant 0$$

积分之

$$\int_{\boldsymbol{\sigma}^A}^{\boldsymbol{\sigma}^B} (\dot{\boldsymbol{\varepsilon}}_c - \dot{\boldsymbol{\varepsilon}}_c^A)\mathrm{d}\boldsymbol{\sigma} \geqslant 0$$

或

$$\int_{\boldsymbol{\sigma}^A}^{\boldsymbol{\sigma}^B} \dot{\boldsymbol{\varepsilon}}_c \mathrm{d}\boldsymbol{\sigma} - \dot{\boldsymbol{\varepsilon}}_c^A(\boldsymbol{\sigma}^B - \boldsymbol{\sigma}^A) \geqslant 0$$

根据(5-33)、(5-34)式有,

$$F(\boldsymbol{\sigma}^B) - F(\boldsymbol{\sigma}^A) - \frac{\mathrm{d}F(\boldsymbol{\sigma}^A)}{\mathrm{d}\boldsymbol{\sigma}}(\boldsymbol{\sigma}^B - \boldsymbol{\sigma}^A) \geqslant 0 \tag{5-36}$$

上式为蠕变过程所必须满足的条件，称为外凸性条件。若流动面外凸如图 5-7(a)所示，则(5-36)式按图示可表达为

$$ac - ab \geqslant 0 \text{ 或 } ac \geqslant ab$$

若流动面内凹如图 5-7(b)所示，则有可能发生 $ac < ab$ 而与 (5-36)式不符。因此(5-36)式为流动面外凸性条件。

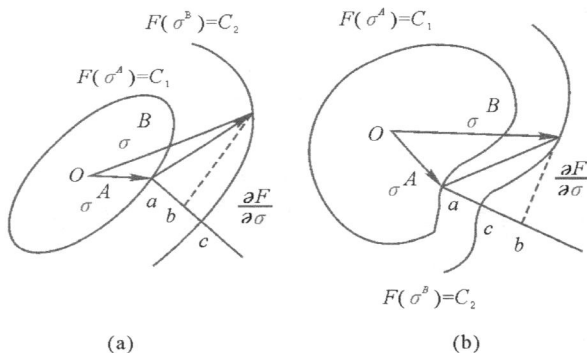

图 5-7　外凸性条件图示

由(5-33)式可推得本构方程

$$\dot{\boldsymbol{\varepsilon}}_c = \frac{3}{2} \frac{f(\bar{\sigma})}{\bar{\sigma}} \boldsymbol{S}$$

或

$$\boldsymbol{S} = \frac{2}{3} \frac{f^{-1}(\bar{\dot{\varepsilon}}^c)}{\bar{\dot{\varepsilon}}^c} \dot{\boldsymbol{\varepsilon}}_c$$

式中 $\boldsymbol{S}$ 表示应力偏张量，这里 $f^{-1}(\bar{\dot{\varepsilon}}^c) = \left(\dfrac{\bar{\dot{\varepsilon}}^c}{B}\right)^{\frac{1}{n}} = \bar{\sigma}$，类似地可设想在应变空间亦存在流动势函数 $W(\bar{\dot{\varepsilon}}_c) > 0$，且存在关系

$$S = \frac{\mathrm{d}W}{\mathrm{d}\dot{\boldsymbol{\varepsilon}}_c}$$

若体积不可压缩，上式可写成

$$\boldsymbol{\sigma} = \frac{\mathrm{d}W}{\mathrm{d}\dot{\boldsymbol{\varepsilon}}_c} \qquad (5-37)$$

$$W = \int_0^{\dot{\varepsilon}_c} S \,\mathrm{d}\dot{\boldsymbol{\varepsilon}}_c = \int_0^{\dot{\varepsilon}_c} \boldsymbol{\sigma} \,\mathrm{d}\dot{\boldsymbol{\varepsilon}}_c$$

W 称为蠕变耗散应变能。

若应力由 $\boldsymbol{\sigma}^A$ 变到 $\boldsymbol{\sigma}^B$，应变由 $\dot{\boldsymbol{\varepsilon}}_C^A$ 变到 $\dot{\boldsymbol{\varepsilon}}_C^B$，设 B 点为任意点，则 $\dot{\boldsymbol{\varepsilon}}_C^B = \dot{\boldsymbol{\varepsilon}}_C^A + \mathrm{d}\dot{\boldsymbol{\varepsilon}}_c$，$\boldsymbol{\sigma}^B = \boldsymbol{\sigma}$。类同于 $(5-36)$ 式的推导，可得出

$$W(\dot{\boldsymbol{\varepsilon}}_C^B) - W(\dot{\boldsymbol{\varepsilon}}_C^A) - \frac{\mathrm{d}W(\dot{\boldsymbol{\varepsilon}}_C^A)}{\mathrm{d}\dot{\boldsymbol{\varepsilon}}_c}(\dot{\boldsymbol{\varepsilon}}_C^B - \dot{\boldsymbol{\varepsilon}}_C^A) \geqslant 0 \quad (5-38)$$

上式为在应变空间中流动面的外凸性条件。

顺便指出：如果蠕变规律为 $\dot{\varepsilon}_c = Bg(t)\sigma^n$，只需改变一下时间尺度，令 $t^* = \int g(t)\mathrm{d}t$ 仍然可得出上述关系与外凸性条件。

(二)最小势能原理与最小余能原理

下面介绍建立在稳态蠕变条件下与材料性能无关的两个普遍性能量原理，它对任何变形固体都是正确的。

设有一固体结构，体积为 V，承受体力 $\overline{\boldsymbol{b}}$，在表面 S_T 上作用有面力 $\overline{\boldsymbol{T}}$，在表面 S_u 上给定位移率 $\overline{\dot{\boldsymbol{u}}}$，其应力与应变率满足本构关系。若满足平衡方程及力边界的静力许可应力为 $\boldsymbol{\sigma}^s$，符合边界约束且与位移场 $\dot{\boldsymbol{u}}^k$ 协调的运动许可应变率为 $\dot{\boldsymbol{\varepsilon}}^k$，结构的真实解为 $\boldsymbol{\sigma}$、$\dot{\boldsymbol{\varepsilon}}$、$\dot{\boldsymbol{u}}$、$\boldsymbol{P}$。按虚功原理有

$$\int \boldsymbol{\sigma} \cdot \dot{\boldsymbol{\varepsilon}}^{k} \, \mathrm{d}V = \int_{S_T} \overline{\boldsymbol{T}} \dot{\boldsymbol{u}}^{k} \, \mathrm{d}S + \int_{S_u} \boldsymbol{P} \bar{\boldsymbol{u}} \, \mathrm{d}S + \int_{V} \bar{\boldsymbol{b}} \cdot \dot{\boldsymbol{u}}^{k} \, \mathrm{d}V$$

$$\int \boldsymbol{\sigma} \cdot \dot{\boldsymbol{\varepsilon}} \, \mathrm{d}V = \int_{S_T} \overline{\boldsymbol{T}} \dot{\boldsymbol{u}} \, \mathrm{d}S + \int_{S_u} \boldsymbol{P} \cdot \bar{\boldsymbol{u}} \, \mathrm{d}S + \int_{V} \bar{\boldsymbol{b}} \cdot \dot{\boldsymbol{u}} \, \mathrm{d}V \quad (\mathrm{n})$$

在(5-38)式中,设 $\dot{\boldsymbol{\varepsilon}}_C^B$ 表示运动许或的应变率 $\dot{\boldsymbol{\varepsilon}}^{k}$,$\dot{\boldsymbol{\varepsilon}}_C^A$ 表示真实应变 $\dot{\boldsymbol{\varepsilon}}$,以式(5-37)代入可得

$$W(\dot{\boldsymbol{\varepsilon}}^{k}) - \boldsymbol{\sigma} \cdot \dot{\boldsymbol{\varepsilon}}^{k} \geqslant W(\dot{\boldsymbol{\varepsilon}}) - \boldsymbol{\sigma} \cdot \dot{\boldsymbol{\varepsilon}}$$

将(n)式代入上式,简化得

$$\int_{V} W(\dot{\boldsymbol{\varepsilon}}^{k}) \, \mathrm{d}V - \int_{V} \bar{\boldsymbol{b}} \cdot \dot{\boldsymbol{u}}^{k} \, \mathrm{d}V - \int_{S_T} \overline{\boldsymbol{T}} \cdot \dot{\boldsymbol{u}}^{k} \, \mathrm{d}S \geqslant$$

$$\int_{V} W(\dot{\boldsymbol{\varepsilon}}) \, \mathrm{d}V - \int_{V} \bar{\boldsymbol{b}} \cdot \dot{\boldsymbol{u}} \, \mathrm{d}V - \int_{S_T} \overline{\boldsymbol{T}} \cdot \dot{\boldsymbol{u}} \, \mathrm{d}S$$

由此可建立最小势能原理:若 $\dot{\boldsymbol{\varepsilon}}^{k}$、$\dot{\boldsymbol{u}}^{k}$ 为运动许可的,则对真实的 $\dot{\boldsymbol{\varepsilon}}$ 应取使下式函数值最小的 $\dot{\boldsymbol{u}}$。

$$U_P(\dot{\boldsymbol{\varepsilon}}^{k}, \dot{\boldsymbol{u}}^{k}) = \int_{V} W(\dot{\boldsymbol{\varepsilon}}^{k}) \, \mathrm{d}V - \int_{V} \bar{\boldsymbol{b}} \cdot \dot{\boldsymbol{u}}^{k} \, \mathrm{d}V$$

$$- \int_{S_T} \overline{\boldsymbol{T}} \cdot \dot{\boldsymbol{u}}^{k} \, \mathrm{d}S \quad (5-39)$$

作类似推导可建立最小余能原理,因在 S_u 上 $\bar{\boldsymbol{u}}=0$,故真实应力及表面载荷应使下式的函数值取最小[①]。

$$U_c(\boldsymbol{\sigma}^{s}) = \int_{V} F(\boldsymbol{\sigma}^{s}) \, \mathrm{d}V \quad (5-39)'$$

上述概念与弹性理论中的最小势能与最小余能原理相似。

---

① 注:设非零约束边界 S_u 上的静力许可解为 P^s,则一般情况下据最小余能原理应使下式的函数值取最小

$$U_c(\boldsymbol{\sigma}^{s}, P^{s}) = \int_{V} F(\boldsymbol{\sigma}^{s}) \, \mathrm{d}V - \int_{S_u} P^{s} \bar{\boldsymbol{u}} \, \mathrm{d}s$$

§5.5.2 不同加载情况的近似分析

(一)常载荷

分析极限状态的应力与位移问题,可以得到两个结论,今证明如下:

结论1 在常载荷情况下的结构、应力趋于稳态蠕变解。

证: 令 $\boldsymbol{\sigma}$、$\dot{\boldsymbol{\varepsilon}}$ 表示真实应力及应变率,$\boldsymbol{\sigma}_{ss}$ 及 $\dot{\boldsymbol{\sigma}}_{ss}$ 表示稳态应力及应变率,则 $(\boldsymbol{\sigma}-\boldsymbol{\sigma}_{ss})$ 是载荷为零的自平衡力系。按虚功原理,因外力功为零。故

$$\int_V (\boldsymbol{\sigma}-\boldsymbol{\sigma}_{ss}) \cdot \dot{\boldsymbol{\varepsilon}}\,\mathrm{d}V = 0 \tag{o}$$

因

$$\dot{\boldsymbol{\varepsilon}} = \dot{\boldsymbol{\varepsilon}}_e + \dot{\boldsymbol{\varepsilon}}_c = C\dot{\boldsymbol{\sigma}} + \dot{\boldsymbol{\varepsilon}}_c \tag{p}$$

而

$$\frac{\mathrm{d}}{\mathrm{d}t}C\boldsymbol{\sigma} = \frac{\mathrm{d}}{\mathrm{d}t}C(\boldsymbol{\sigma}-\boldsymbol{\sigma}_{ss}) \tag{q}$$

其中 C 为弹性柔量,是常数。将(p)式代入(o)式并利用(q)式可得

$$\int_V (\boldsymbol{\sigma}-\boldsymbol{\sigma}_{ss}) \cdot \dot{\boldsymbol{\varepsilon}}_c\,\mathrm{d}V + \int_V C(\dot{\boldsymbol{\sigma}}-\dot{\boldsymbol{\sigma}}_{ss})(\boldsymbol{\sigma}-\dot{\boldsymbol{\sigma}}_{ss})\,\mathrm{d}V = 0 \tag{r}$$

上式第二项可写成

$$\int_V C(\dot{\boldsymbol{\sigma}}-\dot{\boldsymbol{\sigma}}_{ss})(\boldsymbol{\sigma}-\boldsymbol{\sigma}_{ss})\,\mathrm{d}V = \frac{\mathrm{d}}{\mathrm{d}t}\overline{E}(\boldsymbol{\sigma}-\boldsymbol{\sigma}_{ss})$$

而 $\overline{E}(\sigma) = \dfrac{1}{2}\displaystyle\int_V C\boldsymbol{\sigma} \cdot \boldsymbol{\sigma}\,\mathrm{d}V$ 表示弹性应变能,因此(r)式成为

$$\int_V (\boldsymbol{\sigma}-\boldsymbol{\sigma}_{ss}) \cdot \dot{\boldsymbol{\varepsilon}}_c\,\mathrm{d}V = -\frac{\mathrm{d}}{\mathrm{d}t}\overline{E}(\boldsymbol{\sigma}-\boldsymbol{\sigma}_{ss}) \tag{5-40}$$

等式的左端可写成

$$\int_V (\boldsymbol{\sigma}-\boldsymbol{\sigma}_{ss})\dot{\boldsymbol{\varepsilon}}_c\,\mathrm{d}V = \int_V (\dot{\boldsymbol{\varepsilon}}_c-\dot{\boldsymbol{\varepsilon}}_{ss}) \cdot (\boldsymbol{\sigma}-\boldsymbol{\sigma}_{ss})\,\mathrm{d}V +$$

$$\int_V \dot{\boldsymbol{\varepsilon}}_{ss}(\boldsymbol{\sigma}-\boldsymbol{\sigma}_{ss})\,\mathrm{d}V \tag{s}$$

上式右端第一项根据(5-35)式为非负，第二项因$(\boldsymbol{\sigma}-\boldsymbol{\sigma}_{ss})$为自平衡力系故为零，因此

$$\int_V (\boldsymbol{\sigma}-\boldsymbol{\sigma}_{ss}) \cdot \dot{\boldsymbol{\varepsilon}}_c \, \mathrm{d}V \geqslant 0$$

由(5-40)故，

$$\frac{\mathrm{d}}{\mathrm{d}t}\overline{E}(\boldsymbol{\sigma}-\boldsymbol{\sigma}_{ss}) \leqslant 0$$

说明弹性能随时间增加而降低。

当 $t \to \infty$ 时 $\dfrac{\mathrm{d}}{\mathrm{d}t}\overline{E}(\boldsymbol{\sigma}-\boldsymbol{\sigma}_{ss}) \to 0$

由(5-40)式得　　$\displaystyle\int_V (\boldsymbol{\sigma}-\boldsymbol{\sigma}_{ss})\dot{\boldsymbol{\varepsilon}}_c \, \mathrm{d}V \to 0$

于是由(5-40)式及(s)式，得

$$\int_V (\dot{\boldsymbol{\varepsilon}}_c - \dot{\boldsymbol{\varepsilon}}_{ss}) \cdot (\boldsymbol{\sigma}-\boldsymbol{\sigma}_{ss})\mathrm{d}V \to 0$$

由(5-35)可知，仅在 $\boldsymbol{\sigma}^B = \boldsymbol{\sigma}^A$ 条件下上式成立，因此若存在极限状态，则必须 $\boldsymbol{\sigma}=\boldsymbol{\sigma}_{ss}$。由此可知，趋近极限状态时，应力必趋近于稳态应力。

下面研究位移解，问题是如何得到近似解的上、下限？

在常荷载情况下，瞬态蠕变典型的位移由三部分组成如图 5-8 所示。初始位移为 q_0，稳态位移为 q_{ss}，应力重新分配引起的位移为 q_1。简单地处理略去 q_1，显然是小于真实解的。今分析近似解的上、下限。

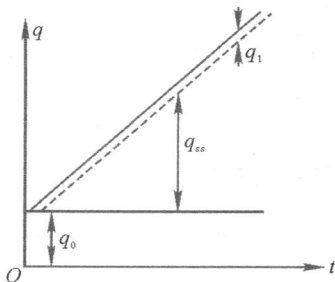

设位移的近似解为 $\boldsymbol{q}_0 +$

图 5-8　典型的位移解

$\dot{q}_{ss}t$，它与真实解之间的误差为 Δq。于是

$$q(t) = q_0 + \dot{q}_{ss}t + \Delta q$$

一般情况对 Δq 的估计有困难，但在幂函数蠕变规律条件下，可以得出如下结论。

结论 2 近似解的误差范围 Δq 应满足下式：

$$\overline{E}(\boldsymbol{\sigma}_{ss}) - \overline{E}(\boldsymbol{\sigma}_0) \leqslant \lim_{t \to \infty} \boldsymbol{P} \cdot \Delta q \leqslant (n+2)[\overline{E}(\boldsymbol{\sigma}_{ss}) - \overline{E}(\boldsymbol{\sigma}_0)]$$

今用能量原理证明如下。

若物体的体积为 V，表面上作用有集中力 $\boldsymbol{P}$，相应的位移场为 q，以 $\boldsymbol{\sigma}$ 及 $\dot{\boldsymbol{\varepsilon}}$ 表示应力和应变率场，按率形式的虚功原理可表达为

$$\boldsymbol{P} \cdot \dot{q} = \int_V \boldsymbol{\sigma} \cdot \dot{\boldsymbol{\varepsilon}} \, \mathrm{d}V = \int_V \boldsymbol{\sigma} \cdot \dot{\boldsymbol{\varepsilon}}_c \, \mathrm{d}V + \frac{\mathrm{d}}{\mathrm{d}t}\overline{E}(\boldsymbol{\sigma}) \tag{5-41}$$

设 $\boldsymbol{\sigma}_{ss}$、$\dot{\boldsymbol{\varepsilon}}_{ss}$、$\dot{q}_{ss}$ 分别表示稳态蠕变解的应力、应变率及位移，以 $\boldsymbol{\sigma}_0$、q_0 表示初始弹性解的应力及位移。

因 $$\boldsymbol{P} \cdot q = \boldsymbol{P} \cdot (q_0 + \dot{q}_{ss}t + \Delta q)$$

而

$$\left. \begin{array}{l} \boldsymbol{P} \cdot \dot{q} = \boldsymbol{P}(\dot{q}_{ss} + \Delta \dot{q}) \\[2mm] \boldsymbol{P} \cdot \dot{q}_{ss} = \displaystyle\int_V \boldsymbol{\sigma}_{ss} \cdot \dot{\boldsymbol{\varepsilon}}_{ss} \, \mathrm{d}V \end{array} \right\} \tag{t}$$

由 (5-41) 式及 (t) 式得

$$\boldsymbol{P} \cdot \Delta q = \int_0^t \int_V (\boldsymbol{\sigma} \cdot \dot{\boldsymbol{\varepsilon}}_c - \boldsymbol{\sigma}_{ss}\dot{\boldsymbol{\varepsilon}}_{ss}) \mathrm{d}V \mathrm{d}t + \overline{E}(\boldsymbol{\sigma}(t)) - \overline{E}(\boldsymbol{\sigma}_0)$$

对于幂函数蠕变规律，例如 $\dot{\varepsilon}_c = B\sigma^n$ 存在流动势函数 $F = \dfrac{B}{n+1}\sigma^{n+1}$，则

$$\int_V \boldsymbol{\sigma} \cdot \dot{\boldsymbol{\varepsilon}}_c \, \mathrm{d}V = (n+1) \int_V F \mathrm{d}V$$

令 $$\int_V F \mathrm{d}V = U_c(\boldsymbol{\sigma}) \tag{u}$$

则 $$\boldsymbol{P} \cdot \Delta \boldsymbol{q} = (n+1) \int_0^t [U_c(\boldsymbol{\sigma}) - U_c(\boldsymbol{\sigma}_{ss})] \mathrm{d}t +$$
$$\overline{E}(\boldsymbol{\sigma}(t)) - \overline{E}(\boldsymbol{\sigma}_0) \tag{5-42}$$

由上式可得精确的位移误差 $\Delta \boldsymbol{q}$。

若结构处于稳态蠕变,则所得误差为下限。因在稳定蠕变状态,按最小余能原理,对真实应力所得余能函数 U_c 值最小。若 $\boldsymbol{\sigma}^s$ 是静力许可应力,稳态应力解为 $\boldsymbol{\sigma}_{ss}$,则

$$U_c(\boldsymbol{\sigma}) \geqslant U_c(\boldsymbol{\sigma}_{ss})$$

显然(5-42)式的积分项为正。故

$$\boldsymbol{P} \cdot \Delta \boldsymbol{q} \geqslant \overline{E}(\boldsymbol{\sigma}(t)) - \overline{E}(\boldsymbol{\sigma}_0)$$

当 $t \to \infty$ 时,$\boldsymbol{\sigma} \to \boldsymbol{\sigma}_{ss}$,则

$$\boldsymbol{P} \cdot \Delta \boldsymbol{q} \geqslant \overline{E}(\boldsymbol{\sigma}_{ss}) - \overline{E}(\boldsymbol{\sigma}_0)$$

可求得位移误差 $\Delta \boldsymbol{q}$ 的下限。

对上限情况,考虑外凸性条件(5-36)式,令 $\boldsymbol{\sigma}^A = \boldsymbol{\sigma}$,$\boldsymbol{\sigma}^B = \boldsymbol{\sigma}_{ss}$,对整体积分并参照(u)式及(5-33)式,得

$$U_c(\boldsymbol{\sigma}) - U_c(\boldsymbol{\sigma}_{ss}) \leqslant \int_V (\boldsymbol{\sigma} - \boldsymbol{\sigma}_{ss}) \cdot \dot{\boldsymbol{\varepsilon}}_c \mathrm{d}V \tag{v}$$

上式右端以(p)式代入得

$$\int_V (\boldsymbol{\sigma} - \boldsymbol{\sigma}_{ss}) \cdot \dot{\boldsymbol{\varepsilon}}_c \mathrm{d}V = \int_V (\boldsymbol{\sigma} - \boldsymbol{\sigma}_{ss}) \cdot \dot{\boldsymbol{\varepsilon}} \mathrm{d}V -$$
$$\int_V (\boldsymbol{\sigma} - \boldsymbol{\sigma}_{ss}) \cdot C\dot{\boldsymbol{\sigma}} \mathrm{d}V \tag{w}$$

因 $\boldsymbol{\sigma} - \boldsymbol{\sigma}_{ss}$ 为自平衡力系,等式右边第一项为零,由(v)、(w)式可得

$$U_c(\boldsymbol{\sigma}) - U_c(\boldsymbol{\sigma}_{ss}) \leqslant - \int_V (\boldsymbol{\sigma} - \boldsymbol{\sigma}_{ss}) C\dot{\boldsymbol{\sigma}} \mathrm{d}V$$

对上式积分

$$\int_0^t [U_c(\boldsymbol{\sigma}) - U_c(\boldsymbol{\sigma}_{ss})] dt \leqslant \int_V \boldsymbol{\sigma}_{ss} \cdot C(\boldsymbol{\sigma} - \boldsymbol{\sigma}_0) dV -$$
$$[\overline{E}(\boldsymbol{\sigma}) - \overline{E}(\boldsymbol{\sigma}_0)] \qquad (5-43)$$

其中 $\boldsymbol{\sigma}_0$ 为 $t=0$ 时的应力。若应力 $\boldsymbol{\sigma}_{ss}$ 与 $\boldsymbol{\sigma}_0$ 都是静力许可的,则对同一应变场 $\boldsymbol{\varepsilon}_0$,其外力功必相等,故

$$\int_V \boldsymbol{\sigma}_{ss} \cdot \boldsymbol{\varepsilon}_0 dV = \int_V \boldsymbol{\sigma}_0 \cdot \boldsymbol{\varepsilon}_0 dV = 2\overline{E}(\boldsymbol{\sigma}_0)$$

因 $t \to \infty$ 时,$\boldsymbol{\sigma} \to \boldsymbol{\sigma}_{ss}$ 存在极限,故

$$\lim_{t \to \infty} \int_V \boldsymbol{\sigma}_{ss} \cdot C\boldsymbol{\sigma} dV = 2\overline{E}(\boldsymbol{\sigma}_{ss})$$

将上式代入(5-43)式,得

$$\lim_{t \to \infty} \int_0^t [U_c(\boldsymbol{\sigma}) - U_c(\boldsymbol{\sigma}_{ss})] dt \leqslant \overline{E}(\boldsymbol{\sigma}_{ss}) - \overline{E}(\boldsymbol{\sigma}_0)$$

将上式代入(5-42)式,得

$$\boldsymbol{P} \cdot \Delta \boldsymbol{q} \leqslant (n+2)[\overline{E}(\boldsymbol{\sigma}_{ss}) - \overline{E}(\boldsymbol{\sigma}_0)]$$

由此可得位移误差 Δq 的上限。

(二)变载荷

在变载荷下一般结构总是处于瞬时状态,而不可能提出某些渐近状态。但如能用已知的解(如初始弹性解或稳态蠕变解)来表示时,也能得出某些较弱的结论。

设物体的体积 V,表面积 S,作用载荷 $\boldsymbol{Q}(t)$ 及温度应变 $\boldsymbol{\varepsilon}_T(t)$,不计体力。其相应的真实应力、应变及位移解为 $\boldsymbol{\sigma}$、$\boldsymbol{\varepsilon}$ 及 $\boldsymbol{q}(t)$。设 $\boldsymbol{\sigma}^*$ 为同样温度加载的等效弹性问题的应力,但 $\boldsymbol{Q}^*$ 不要求等于 $\boldsymbol{Q}$,而 $\boldsymbol{q}^*$ 为相应的弹性位移,与其相应的应变场为 $\boldsymbol{\varepsilon}^{**}$。在时间间隔 (t_1, t_2) 内,可导出下列关系式

$$\int_{t_1}^{t_2}(Q^*-Q)\cdot(\dot{q}-\dot{q}^*)\mathrm{d}t\leqslant\overline{E}^{**}(t_1)-$$

$$\overline{E}^{**}(t_2)+\int_{t_1}^{t_2}[U_c(\sigma^{**})-U_c(\sigma)]\mathrm{d}t \qquad(5-44)$$

式中，$\sigma^{**}=\sigma^*+\rho^*$，$\rho^*$是任意不变的自平衡应力场；$\overline{E}^{**}(t)=\overline{E}(\sigma^{**}-\sigma)$。

今用虚功原理及外凸性条件证明如下：

根据虚功原理

$$\left.\begin{aligned}Q\cdot q^*=\int_V\sigma\cdot\dot{\boldsymbol{\varepsilon}}^{**}\mathrm{d}V\\Q^*\cdot q=\int_V\sigma^{**}\cdot\dot{\boldsymbol{\varepsilon}}\mathrm{d}V\end{aligned}\right\} \qquad(\mathrm{x})$$

$$\left.\begin{aligned}Q\cdot q=\int_V\sigma\cdot\boldsymbol{\varepsilon}\mathrm{d}V\\Q^*\cdot q^*=\int_V\sigma^{**}\boldsymbol{\varepsilon}^{**}\mathrm{d}V\end{aligned}\right\} \qquad(\mathrm{y})$$

将(x)两式之和与(y)两式之和相减，可得

$$(Q^*-Q)\cdot(q-q^*)=\int_V(\sigma^{**}-\sigma)(\dot{\boldsymbol{\varepsilon}}-\dot{\boldsymbol{\varepsilon}}^{**})\mathrm{d}V$$

因 ρ^* 是不变的自平衡力系，$\dot{\rho}^*=0$。故

$$\dot{\boldsymbol{\varepsilon}}^{**}=C(\dot{\sigma}^{**})=C(\dot{\sigma}^*+\dot{\rho}^*)=C\dot{\sigma}^*$$

$$\int_V(\sigma^{**}-\sigma)(\dot{\boldsymbol{\varepsilon}}-\dot{\boldsymbol{\varepsilon}}^{**})\mathrm{d}V$$

$$=\int_V[(\sigma^{**}-\sigma)(\dot{\boldsymbol{\varepsilon}}_c+\dot{\boldsymbol{\varepsilon}}_e)-(\sigma^{**}-\sigma)C\dot{\sigma}^*]\mathrm{d}V$$

$$=\int_V(\sigma^{**}-\sigma)\dot{\varepsilon}_c\mathrm{d}V-\frac{\mathrm{d}}{\mathrm{d}t}\overline{E}^{**}$$

故 $(Q^*-Q)(\dot{q}-\dot{q}^*)=-\dfrac{\mathrm{d}}{\mathrm{d}t}\overline{E}^{**}+\displaystyle\int_V(\sigma^{**}-\sigma)\dot{\varepsilon}_c\mathrm{d}V$

积分上式，利用外凸性条件(5-36)，并参照(u)及(5-33)式即得(5-44)式。

推论 如果给予 Q^* 及 ρ^* 以某些特定值，就能得到各种变载荷的特征。假如在间隔(t_1、t_2)内，$Q^* = Q$，则 $\sigma^* = \sigma_0$。因为 ρ^* 是任意假设的某一自平衡力系，等效弹性解为初始弹性解，即可由(5-44)式推得蠕变耗散余能累积的上限值

$$\int_{t_1}^{t_2} U_c(\boldsymbol{\sigma}) \mathrm{d}t \leqslant \int_{t_1}^{t_2} U_c(\boldsymbol{\sigma}^{**}) \mathrm{d}t + \overline{E}^{**}(t_1) - \overline{E}^{**}(t_2)$$

$$(5-45)$$

如果不计 $\overline{E}^{**}(t_2)$，上面的不等式仍然成立。这时

$$\boldsymbol{\sigma}^{**} = \boldsymbol{\sigma}^* + \boldsymbol{\rho}^* = \boldsymbol{\sigma}_0 + \boldsymbol{\rho}^*$$

$$\overline{E}^{**}(t_1) = \overline{E}(\boldsymbol{\sigma}_0 + \boldsymbol{\rho}^* - \boldsymbol{\sigma}_0) = \overline{E}(\boldsymbol{\rho}^*)$$

则 $$\int_{t_1}^{t_2} U_c(\boldsymbol{\sigma}) \mathrm{d}t \leqslant \int_{t_1}^{t_2} U_c(\boldsymbol{\sigma}_0 + \boldsymbol{\rho}^*) \mathrm{d}t + \overline{E}(\boldsymbol{\rho}^*)$$

选取 $\boldsymbol{\rho}^*$ 使不等式右端项最小可得上限解。这样，瞬态蠕变问题就转变成某一弹性解问题。

(三)循环载荷

如果作用的载荷是周期性的 $Q(t+T) = Q(t)$，及 $\boldsymbol{\varepsilon}_T(t+T) = \boldsymbol{\varepsilon}_T(t)$，式中 T 为周期。对于稳定材料制造的结构，在足够多次循环后，最后应力到达某一稳定循环状态。类似于前面对常载荷稳定状态的讨论，下面按不同情况研究某些结论。

情况一 设同一材料组成的两个相同结构，受有不同的加载条件 $Q_1(t)$、$\boldsymbol{\varepsilon}_{T1}(t)$ 及 $Q_2(t)$、$\boldsymbol{\varepsilon}_{T2}(t)$。假如经过有限时间后载荷变成相等，则最后两结构的应力 $\boldsymbol{\sigma}_1(t)$ 与 $\boldsymbol{\sigma}_2(t)$ 也将相等。

证明 由虚功原理可推得

$$(\boldsymbol{Q}_1 - \boldsymbol{Q}_2) \cdot (\dot{\boldsymbol{q}}_1 - \dot{\boldsymbol{q}}_2) = \int_V (\boldsymbol{\sigma}_1 - \boldsymbol{\sigma}_2) \cdot (\dot{\boldsymbol{\varepsilon}}_1 - \dot{\boldsymbol{\varepsilon}}_2) \mathrm{d}V$$

$$= \frac{\mathrm{d}}{\mathrm{d}t} \overline{E}(\boldsymbol{\sigma}_1 - \boldsymbol{\sigma}_2) + \int_V (\dot{\boldsymbol{\varepsilon}}_{c1} - \dot{\boldsymbol{\varepsilon}}_{c2}) \cdot (\boldsymbol{\sigma}_1 - \boldsymbol{\sigma}_2) \mathrm{d}V$$

$$+ \int_V (\boldsymbol{\sigma}_1 - \boldsymbol{\sigma}_2) \cdot (\dot{\boldsymbol{\varepsilon}}_{T1} - \dot{\boldsymbol{\varepsilon}}_{T2}) \mathrm{d}V$$

因式中右边第二项恒为正(按(5-35)式),故经过有限时间后,假设 $\boldsymbol{Q}_1 = \boldsymbol{Q}_2$、$\boldsymbol{\varepsilon}_{T1} = \boldsymbol{\varepsilon}_{T2}$,则 $\dot{\boldsymbol{\varepsilon}}_{T1} = \dot{\boldsymbol{\varepsilon}}_{T2}$,必然有

$$\frac{\mathrm{d}}{\mathrm{d}t} \overline{E}(\boldsymbol{\sigma}_1 - \boldsymbol{\sigma}_2) \leqslant 0$$

这说明了 $\overline{E}(\boldsymbol{\sigma}_1 - \boldsymbol{\sigma}_2)$ 是随时间变化的单调减函数。因此极限状态时 $\overline{E}(\boldsymbol{\sigma}_1 - \boldsymbol{\sigma}_2) \to 0$,即 $\boldsymbol{\sigma}_1 \to \boldsymbol{\sigma}_2$。它说明了初始阶段应力经长时期蠕变后影响消失。因此若主要对结构经过长时期蠕变后的应力有兴趣,就可以不管初始阶段。譬如制造时加于结构上的未知残余应力(或初应力)可以不加考虑。

情况二 对于周期加载情况,上述结构亦成立且更有实用意义。

设在 $t = 0$ 时,结构受有周期为 T 的载荷,产生的真实应力为 $\boldsymbol{\sigma}_1$。对同一结构,如果作用同样的载荷,但首次作用于 $t = T$ 时,其应力为 $\boldsymbol{\sigma}_2$。则经过有限时间后,应力 $\boldsymbol{\sigma}_1(t) \to \boldsymbol{\sigma}_2(t)$。

由定义 $\boldsymbol{\sigma}_1(t) = \boldsymbol{\sigma}(t)$,而 $\boldsymbol{\sigma}_2(t) = \boldsymbol{\sigma}(t+T)$,故 $\boldsymbol{\sigma}_1(t) \to \sigma(t+T)$。它说明这些应力最终是一个具有与施加外力同一周期循环的应力(即到达稳定循环状态),用 $\boldsymbol{\sigma}_{cs}$ 表示,须按整个加载过程来确定。它与常载荷的情况不同,不能用稳态边值问题来表征循环的稳定状态,还需要根据加载特征提出某些简单分析方法。

情况三 循环时间比较短(与某些时间尺度相比,如常载荷下应力重新分配至稳态的时间)的特殊情况。

若加载循环为 $Q(\gamma_0)=Q(\gamma_1)=\cdots Q(\gamma_i)$,式中 γ 为整体计算时间,则 $\gamma_0=0$,$\gamma_{j+1}-\gamma_j=T$。第 j 个循环内的局部时间 $t=\gamma_j+sT$,$0\leqslant s\leqslant 1$,s 值由 0 到 1 表示一个周期始末。对周期$(\gamma_j、\gamma_{j+1})$内的应力分布用 S 来描述。对循环加载结构应力可写成 $\boldsymbol{\sigma}(t)=\boldsymbol{\sigma}_0(t)+\boldsymbol{\rho}(t)$。要知道真实应力,按理应知道瞬态循环$(\gamma_j、\gamma_{j+1})$中的应力分布,即等效弹性应力 $\boldsymbol{\sigma}_0(S)$ 及残余弹性应力 $\boldsymbol{\rho}(t)$(它不一定有周期性)。

现考虑一特殊形式的静力许可应力分布 $\boldsymbol{\sigma}_{rs}(t)$

$$\boldsymbol{\sigma}_{rs}(t)=\boldsymbol{\sigma}_0(S)+\boldsymbol{\rho}(\gamma_j)$$

表示一个循环$(\gamma_j、\gamma_{j+1})$开始时的等效弹性应力及残余弹性应力的总和(假设在重复循环中不变)。这样,可以说明存在着下面结果:

当 $T\to 0$ 时,真实应力 $\boldsymbol{\sigma}(t)\to\boldsymbol{\sigma}_{rs}(t)$。

证:在一个循环中

$$\frac{\mathrm{d}}{\mathrm{d}s}\boldsymbol{\varepsilon}=C\frac{\mathrm{d}}{\mathrm{d}s}\boldsymbol{\sigma}+\frac{\mathrm{d}}{\mathrm{d}s}\boldsymbol{\varepsilon}_c+\frac{\mathrm{d}}{\mathrm{d}s}\boldsymbol{\varepsilon}_T$$

因 $t=\gamma_j+sT$,故

$$\mathrm{d}t=T\mathrm{d}s$$

而 $\dfrac{\mathrm{d}\boldsymbol{\varepsilon}_c}{\mathrm{d}t}=\dfrac{\mathrm{d}F}{\mathrm{d}\boldsymbol{\sigma}}$ 可写成

$$\frac{\mathrm{d}\boldsymbol{\varepsilon}_c}{\mathrm{d}s}=T\frac{\mathrm{d}F}{\mathrm{d}\boldsymbol{\sigma}}$$

故当 $T\to 0$ 时,$\dfrac{\mathrm{d}\boldsymbol{\varepsilon}_c}{\mathrm{d}s}\to 0$,表示一个循环中 $\boldsymbol{\varepsilon}_c$ 几乎不变,因此残余弹性应力亦不变,于是

$$\frac{\mathrm{d}\boldsymbol{\sigma}}{\mathrm{d}s} \rightarrow \frac{\mathrm{d}\boldsymbol{\sigma}_0}{\mathrm{d}s}$$

由此类推，可得

$$\boldsymbol{\sigma}(t) \rightarrow \boldsymbol{\sigma}_0(s) + \boldsymbol{\rho}(\gamma_j) = \boldsymbol{\sigma}_{rs}(t)$$

据此结果，我们称 $\boldsymbol{\sigma}_{rs}(t)$ 为快速循环应力，它的意义是：一旦到达循环的稳定应力状态 $\boldsymbol{\sigma}_{cs}(t)$，则残余弹性应力变成周期性，即 $j \rightarrow \infty$，$\boldsymbol{\rho}(\gamma_{j+1}) \rightarrow \boldsymbol{\rho}(\gamma_j)$。这样在整体时间尺度 γ 范围内，$\boldsymbol{\rho}(\gamma_j)$ 必须是常量，可由渐近值 $\boldsymbol{\rho}_{rs}$ 表示。于是不等式(5-45)在稳定循环状态的一个循环(γ_j、γ_{j+1})中，因始末的 $\overline{E}^{**}$ 值相等而变为如下形式

当 $t \rightarrow \infty$ $\qquad \int_0^1 U_c(\boldsymbol{\sigma}_{cs})\mathrm{d}s \leqslant \int_0^1 U_c(\boldsymbol{\sigma}_0 + \boldsymbol{\rho}^*)\mathrm{d}s$ $\qquad$ (5-46)

循环状态蠕变耗散能的累积受限于循环应力 $\boldsymbol{\sigma}_0 + \boldsymbol{\rho}^*$ 的蠕变耗散能，而 $\boldsymbol{\rho}^*$ 是任意自平衡力系。显然对于快速循环应力解 $\boldsymbol{\rho}_{rs}$ 必须为所有 $\boldsymbol{\rho}^*$ 值中的最小值。因此 $\boldsymbol{\rho}_{rs}$ 可由下列表达式中求得

$$\min_{\rho^*} \int_0^1 U_c(\boldsymbol{\sigma}_0 + \boldsymbol{\rho}^*)\mathrm{d}s \qquad (5-47)$$

综上所述：对循环加载结构，若周期 T 比常载荷下应力重新分配的时间短得多，其渐近的稳定循环状态可近似地从等效弹性解及满足(5-47)式的不变的自平衡残余应力解求得。若(5-47)式的极值条件找不到，即不能满足快速循环条件，这种近似也就无法实现。

§5.5.3 算 例

例 5-1 载面面积为 A 的两等长连杆与刚性杆 DB 联结如图5-9所示，DB 杆上作用有循环载荷 $Q(t)$。采用时间硬化蠕变规律

$$\dot{\varepsilon} = \frac{\dot{\sigma}}{E} + B(t)\sigma^n$$

常数 n 及 $B(t)$ 由常载蠕变试验确定(理应从单轴循环试验确定,现在这样做仅出于工程应用的目的);求稳态循环应力和残余弹性应力。

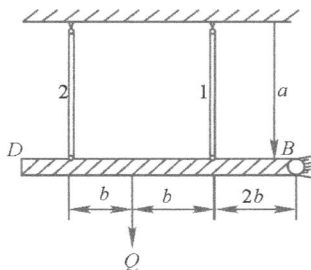

图 5-9 连杆结构

解:设杆 1、2 内的瞬时应力分别为 σ_1 和 σ_2,则由

平衡条件得
$$\sigma_1 + 2\sigma_2 = \frac{3Q}{2A}$$

几何条件得
$$u_2 = 2u_1$$
$$\dot{\varepsilon}_2 = 2\dot{\varepsilon}_1$$

本构关系
$$\dot{\varepsilon}_1 = \frac{\dot{\sigma}_1}{E} + B(t)\sigma_1^n$$
$$\dot{\varepsilon}_2 = \frac{\dot{\sigma}_2}{E} + B(t)\sigma_2^n$$

按 §5.3 方法求解,需分析等效弹性解及残余弹性解。

等效弹性解:若结构上作用常载荷 Q_0,初始弹性解为
$$\sigma_1(0) = \frac{1}{5}\frac{3Q_0}{2A}, \quad \sigma_2(0) = \frac{2}{5}\frac{3Q_0}{2A}$$

故承受变载荷 $Q(t)$ 时,可得瞬态等效弹性解为
$$\sigma_1^0 = \frac{1}{5}\frac{3Q(t)}{2A}, \quad \sigma_2^0 = \frac{2}{5}\frac{3Q(t)}{2A}$$

残余弹性解:因边界 S_T 上,$\overline{T} = 0$,可得 $\sigma_1 + 2\sigma_2 = 0$,再与上述几何关系,本构关系联立,解得残余弹性应力率
$$\frac{\mathrm{d}\sigma_1^R}{\mathrm{d}t} = EB(t)\left(\frac{2}{5}\sigma_2^n - \frac{4}{5}\sigma_1^n\right)$$

$$\frac{\mathrm{d}\sigma_2^R}{\mathrm{d}t} = EB(t)\left(\frac{2}{5}\sigma_1^n - \frac{1}{5}\sigma_2^n\right)$$

瞬态应力率 $\quad \dfrac{\mathrm{d}\sigma_1}{\mathrm{d}t} = EB(t)\left(\dfrac{2}{5}\sigma_2^n - \dfrac{4}{5}\sigma_1^n\right) + \dfrac{\mathrm{d}\sigma_1^0}{\mathrm{d}t}$

$$\frac{\mathrm{d}\sigma_2}{\mathrm{d}t} = EB(t)\left(\frac{2}{5}\sigma_1^n - \frac{1}{5}\sigma_2^n\right) + \frac{\mathrm{d}\sigma_2^0}{\mathrm{d}t}$$

残余弹性应力

$$\rho_1(t) = \sigma_1(t) - \sigma_1^0(t)$$
$$\rho_2(t) = \sigma_2(t) - \sigma_2^0(t)$$

若变换时间尺度为 $\quad t^* = E\sigma_0^{n-1}\displaystyle\int B(t)\,\mathrm{d}t$

式中 $\sigma_0 = \dfrac{3Q_0}{2A}$，这里 Q_0 亦表示初始载荷。变化加载周期，经过有限时间到达循环稳定状态。可画出连杆 1 的残余弹性应力 $\sigma_1^{SS} - \sigma_1^0$ 与渐近的自平衡残余弹性应力 ρ_{rs}，两者比较如图 5-10、5-11、5-12。由图示可见，这时的残余弹性应力随

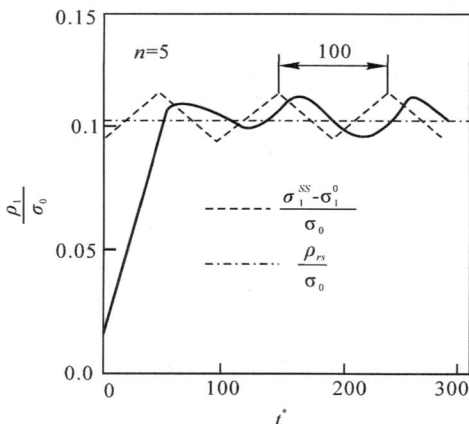

图 5-10　周期 100 残余弹性应力的变化

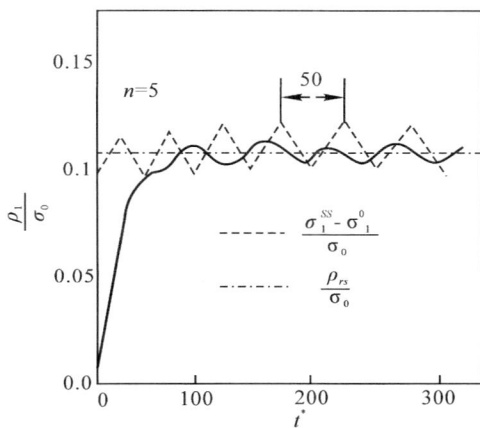

图 5-11　周期 50 残余弹性应力的变化

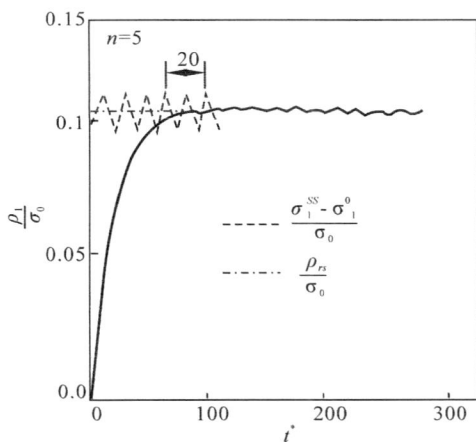

图 5-12　周期 20 残余弹性应力的变化

着加载周期的减少而逐渐接近于常数，如快速循环解，其残余弹性应力 ρ 由 $(5-47)$ 式确定。

因 ρ（包括 1，2 杆的 ρ_1 与 ρ_2）是任意的自平衡力系，可分别设为 $\rho_1=\sigma_0\beta$，$\rho_2=-\sigma_0\beta$，按 $(5-47)$ 式取下面的函数值（根据 U_c 表达式得出）最小来确定 $\bar{\beta}$

$$\frac{Aa}{n+1}\sigma_0^{n+1}\int_0^1\left[\left(\frac{1}{5}\,\frac{Q(s)}{Q_0}+\beta\right)^{n+1}+\right.$$
$$\left.\left(\frac{2}{5}\,\frac{Q(s)}{Q_0}-\frac{\beta}{2}\right)^{n+1}\right]g(s)\mathrm{d}s$$

于是对于 1 杆的残余弹性应力渐近值为 $\rho_{rs}=\sigma_0\bar{\beta}$。

§5.6　旋转盘的差分解

前几节所述属于弹性-蠕变问题，并未涉及塑性应变的计算。许多工程结构，如涡轮盘及蒸汽管道，皆处于不均匀加热状态，且往往在应力集中部位，形成局部塑性区。因此，本节以转盘为例，讨论不均匀温度场弹塑性-蠕变问题的差分解法。

(一)弹塑性转盘的应力分析

变厚度转盘的强度计算基本上可分为两类：一类用迭代法（包括差分形式）进行近似计算；另一类则用积分逐次近似法。这里对变厚度转盘（考虑到非均匀温度场材料常数的变化），采用有限差分法计算。由于盘体厚度比直径尺寸小得多，可按平面应力问题处理。

变厚度转盘的平衡微分方程为

$$\frac{\mathrm{d}}{\mathrm{d}r}(hr\sigma_r)-h\sigma_\theta+\rho'\omega^2hr^2=0 \qquad (5-48)$$

其中 $\rho'=\rho/g$。变形协调方程为

$$\frac{\mathrm{d}\varepsilon_\theta}{\mathrm{d}r}+\frac{\varepsilon_\theta-\varepsilon_r}{r}=0$$

若为增量加载的情况、总应变为

$$\varepsilon=\varepsilon_e+\alpha T+\varepsilon_p+\Delta\varepsilon_p$$

或按柱面坐标写成

$$\left.\begin{array}{l}\varepsilon_r=\dfrac{1}{E}(\sigma_r-\nu\sigma_\theta)+\alpha T+\varepsilon_r^p+\Delta\varepsilon_r^p\\[2mm]\varepsilon_\theta=\dfrac{1}{E}(\sigma_\theta-\nu\sigma_r)+\alpha T+\varepsilon_\theta^p+\Delta\varepsilon_\theta^p\\[2mm]\varepsilon_z=-\dfrac{\nu}{E}(\sigma_r+\sigma_\theta)+\alpha T-\varepsilon_r^p-\varepsilon_\theta^p-\Delta\varepsilon_r^p-\Delta\varepsilon_\theta^p\end{array}\right\}$$

$$(5-49)$$

其中 ε_r^p，ε_θ^p 表示瞬时增量加载时的总塑性应变。

$\Delta\varepsilon_r^p$、$\Delta\varepsilon_\theta^p$ 表示瞬时增量加载后产生的塑性应变增量。式中用到塑性变形体积不可压缩条件，即

$$\varepsilon_r^p+\varepsilon_\theta^p+\varepsilon_z^p=0 \text{ 或 } \Delta\varepsilon_r^p+\Delta\varepsilon_\theta^p+\Delta\varepsilon_z^p=0$$

将方程组(5-49)代入协调方程，得

$$\frac{\mathrm{d}}{\mathrm{d}r}\left[\frac{\sigma_\theta}{E}-\frac{\nu\sigma_r}{E}+\alpha T+\varepsilon_\theta^p+\Delta\varepsilon_\theta^p\right]=$$

$$\frac{1+\nu}{E}\frac{\sigma_r-\sigma_\theta}{r}+\frac{\varepsilon_r^p-\varepsilon_\theta^p}{r}+\frac{\Delta\varepsilon_r^p-\Delta\varepsilon_\theta^p}{r} \qquad (5-50)$$

如把 ε_r^p、ε_θ^p、$\Delta\varepsilon_r^p$、$\Delta\varepsilon_\theta^p$ 作为已知量，则由平衡方程及 (5-50)式，可以解得应力 σ_r 和 σ_θ。

应用有限差分法需把转盘的半径分成 N 个区间(等距或不等距)，即有 $N+1$ 个节点，第一个节点在内径(或中

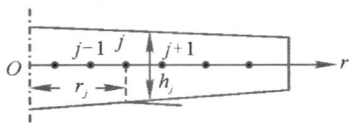

图 5-13　转盘节点图示

心），最后节点在外径，以 j 表示某一节点如图 5-13 所示。方程（5-48）及（5-50）即可化成有限差分形式，现采用中心差分来表示。在第（$j-1$）区间中点

$$\frac{d}{dr}(hr\sigma_r)_{j-\frac{1}{2}} = \frac{(hr\sigma_r)_j - (hr\sigma_r)_{j-1}}{r_j - r_{j-1}}$$

$$(h\sigma_\theta)_{j-\frac{1}{2}} = \frac{1}{2}\left[(h\sigma_\theta)_{j-1} + (h\sigma_\theta)_j\right]$$

（5-48）及（5-50）可分别写成

$$\left.\begin{array}{l} C_j\sigma_{r,\,j} - D_j\sigma_{\theta,\,j} = F_j\sigma_{r,\,j-1} + G_j\sigma_{\theta,\,j-1} - H_j \\ C'_j\sigma_{r,\,j} - D'_j\sigma_{\theta,\,j} = F'_j\sigma_{r,\,j-1} - G'_j\sigma_{\theta,\,j-1} + H'_j - P'_j \end{array}\right\}$$

$$(5-51)$$

其中
$$C_j = r_j h_j \quad D_j = \frac{1}{2}(r_j - r_{j-1})h_j$$

$$F_j = C_{j-1} \quad G_j = \frac{h_{j-1}}{h_j}D_j$$

$$C'_j = \frac{\nu_j}{E_j} + a_j \quad F'_j = \frac{\nu_{j-1}}{E_{j-1}} - b_j$$

$$D'_j = \frac{1}{E_j} + a_j \quad G'_j = \frac{1}{E_{j-1}} - b_j$$

$$H_j = \frac{\omega^2}{2}(r_j - r_{j-1})(\rho'_j h_j r_j^2 + \rho'_{j-1}h_{j-1}r_{j-1}^2)$$

$$H'_j = \alpha_j T_j - \alpha_{j-1}T_{j-1}$$

$$P'_j = d_j \left[\varepsilon^p_{r,j} + \Delta\varepsilon^p_{r,j} + \frac{r_j}{r_{j-1}} (\varepsilon^p_{r,j-1} + \Delta\varepsilon^p_{r,j-1}) - \right.$$

$$\left(1 + \frac{1}{d_j} \right) (\varepsilon^p_{\theta,j} + \Delta\varepsilon^p_{\theta,j}) + \left(\frac{1}{d_j} - \frac{r_j}{r_{j-1}} \right) (\varepsilon^p_{\theta,j-1} + $$

$$\left. \Delta\varepsilon^p_{\theta,j-1}) \right]$$

$$d_j = \frac{r_j - r_{j-1}}{2r_j} \quad a_j = \frac{1 + \nu_j}{E_j} d_j$$

$$b_j = \frac{E_j r_j}{E_{j-1} r_{j-1}} a'_j \quad a'_j = \frac{1 + \nu_{j-1}}{E_j} d_j \qquad (5-52)$$

由上面式子可以看出，假如圆盘的直径不变，在计算中所有的系数，除 P'_j 以外，仅与初始几何条件有关，而 P'_j 则是塑性流动的函数。

方程(5-51)给出了节点 j 与节点$(j-1)$的应力之间的关系，可以得出节点 j 的应力表达式

$$\left.\begin{array}{l} \sigma_{r,j} = l_{11,j}\sigma_{r,j-1} + l_{12,j}\sigma_{\theta,j-1} + m_{1,j} \\ \sigma_{\theta,j} = l_{21,j}\sigma_{r,j-1} + l_{22,j}\sigma_{\theta,j-1} + m_{2,j} \end{array}\right\} \qquad (5-53)$$

$$\left.\begin{array}{ll} l_{11,j} = \dfrac{D'_j F_j - D_j F'_j}{C_j D'_j - C'_j D_j} & l_{12,j} = \dfrac{D'_j G_j + D_j G'_j}{C_j D'_j - C'_j D_j} \\[3mm] l_{21,j} = \dfrac{C'_j F_j - C_j F'_j}{C_j D'_j - C'_j D_j} & l_{22,j} = \dfrac{C'_j G_j - C_j G'_j}{C_j D'_j - C'_j D_j} \\[3mm] & m_{1,j} = \dfrac{D_j P'_j - H_j D'_j - H'_j D_j}{C_j D'_j - C'_j D_j} \\[3mm] & m_{2,j} = \dfrac{C_j P'_j - H_j C'_j - H'_j C_j}{C_j D'_j - C'_j D_j} \end{array}\right\}$$

$$(5-54)$$

或用矩阵表示

$$\begin{bmatrix} \sigma_{r,j} \\ \sigma_{\theta,j} \end{bmatrix} = \begin{bmatrix} l_{11,j} & l_{12,j} \\ l_{21,j} & l_{22,j} \end{bmatrix} \begin{bmatrix} \sigma_{r,j-1} \\ \sigma_{\theta,j-1} \end{bmatrix} + \begin{bmatrix} m_{1,j} \\ m_{2,j} \end{bmatrix}$$

或 $$\sigma_j = L_j \sigma_{j-1} + M_j \qquad (5-55)$$

式中 σ_j、σ_{j-1}、L_j、M_j 都是矩阵。(5-55)式表达了节点 j 与节点 $(j-1)$ 的应力成线性关系。因此类推可知第 j 个节点应力与第一个节点应力必成线性关系，写成

$$\sigma_j = A_j \sigma_1 + B_j \qquad (5-56)$$

$$\sigma_{j-1} = A_{j-1} \sigma_1 + B_{j-1} \qquad (5-57)$$

σ_1 表示第一节点应力，A_j、B_j 为未知，把(5-56)式代入(5-55)式得

$$A_j \sigma_1 + B_j = L_j(A_{j-1}\sigma_1 + B_{j-1}) + M_j$$

或 $$(A_j - A_{j-1}L_j)\sigma_1 = L_j B_{j-1} - B_j + M_j \qquad (5-58)$$

(5-58)式对 σ_1 的任意值均成立，故方程两边必须为零，则

$$\left. \begin{array}{l} A_j = A_{j-1}L_j \\ B_j = L_j B_{j-1} + M_j \end{array} \right\} \qquad (5-59)$$

第二节点由方程(5-56)可得

$$\sigma_2 = A_2 \sigma_1 + B_2$$

由(5-55)式 $$\sigma_2 = L_2 \sigma_1 + M_2$$

因此 $$A_2 = L_2, \quad B_2 = M_2 \qquad (5-60)$$

开始由(5-60)式给出 A_2、B_2，其余的 A、B 均可重复应用(5-59)式算出，对最后的节点 $(N+1)$，$r_{N+1} = R$。方程 (5-56)变成

$$\sigma_{N+1} = A_{N+1}\sigma_1 + B_{N+1}$$

或 $$\begin{bmatrix} \sigma_{r,N+1} \\ \sigma_{\theta,N+1} \end{bmatrix} = \begin{bmatrix} a_{11,N+1} & a_{12,N+1} \\ a_{21,N+1} & a_{22,N+1} \end{bmatrix} \begin{bmatrix} \sigma_{r,1} \\ \sigma_{\theta,1} \end{bmatrix} + \begin{bmatrix} b_{1,N+1} \\ b_{2,N+1} \end{bmatrix}$$

$$(5-61)$$

因此 $\sigma_r(R) = \sigma_{r,N+1} = a_{11,N+1}\sigma_{r,1} + a_{12,N+1}\sigma_{\theta,1} + b_{1,N+1}$

对于实心盘　　　　　$\sigma_{r,1} = \sigma_{\theta,1}$

因此　　　　$\sigma_{r,1} = \sigma_{\theta,1} = \dfrac{\sigma_r(R) - b_{1,N+1}}{a_{11,N+1} + a_{12,N+1}}$ 　　（5－62）

对承内压的带中心孔的转盘（内径为 R_0）

$$\sigma_{r,1} = \sigma_r(R_0)$$

由（5－61）式给出

$$\sigma_{\theta,1} = \frac{\sigma_r(R) - a_{11,N+1}\sigma_r(R_0) - b_{1,N+1}}{a_{12,N+1}} \quad （5－63）$$

因此 σ_1 是已知的，而每一节点应力均可按（5－56）式计算。

总的步骤：由（5－52）、（5－54）式计算矩阵 L_j、M_j，由（5－59）、（5－60）式计算 A_j、B_j，应用（5－62）、（5－63）式计算 σ_1，由（5－56）式计算其它各点应力。

对于弹性问题，（5－51）、（5－52）、（5－54）式中 $P_j = 0$，可以迅速解出。对于塑性问题，$P'_j \neq 0$，首先按弹性问题进行计算，求得弹性极限载荷，并以此为起点，按增量加载。对增量步的具体进行，类同于下面的蠕变计算。

（二）转盘的蠕变计算

若盘体材料适用 Mises 型蠕变增量本构关系，采用极坐标表示为

$$\left.\begin{aligned}
\Delta\varepsilon_r^c &= \frac{\Delta\bar{\varepsilon}_c}{2\bar{\sigma}}(2\sigma_r - \sigma_\theta) \\[2mm]
\Delta\varepsilon_\theta^c &= \frac{\Delta\bar{\varepsilon}_c}{2\bar{\sigma}}(2\sigma_\theta - \sigma_r) \\[2mm]
\Delta\varepsilon_z^c &= -\Delta\varepsilon_r^c - \Delta\varepsilon_\theta^c
\end{aligned}\right\} \quad （5－64）$$

$$\Delta\bar{\varepsilon}_c = \frac{2}{\sqrt{3}} = \left[(\Delta\varepsilon_r^c)^2 + \Delta\varepsilon_r^c\Delta\varepsilon_\theta^c + (\Delta\varepsilon_\theta^c)^2\right]^{\frac{1}{2}} \quad （5－65）$$

$$\bar{\sigma} = (\sigma_r^2 - \sigma_r\sigma_\theta + \sigma_\theta^2)^{\frac{1}{2}}$$

蠕变情况下，平衡方程(5-48)仍适用，用应力表示的协调方程为

$$\frac{\mathrm{d}}{\mathrm{d}r}\left(\frac{\sigma_\theta}{E} - \frac{\nu\sigma_r}{E} + \alpha T + \varepsilon_\theta^c + \Delta\varepsilon_\theta^c\right) = \frac{1+\nu}{E}\frac{\sigma_r - \sigma_\theta}{r} +$$

$$\frac{\varepsilon_r^c - \varepsilon_\theta^c}{r} + \frac{\Delta\varepsilon_r^c - \Delta\varepsilon_\theta^c}{r} \qquad (5-66)$$

式中：ε_r^c、ε_θ^c 为任意时间 t 累积的蠕变应变总量；$\Delta\varepsilon_r^c$、$\Delta\varepsilon_\theta^c$ 为瞬时 t 时间增量 Δt 所产生的蠕变应变增量。

若任意时刻 t 的 ε_r^c、ε_θ^c 是已知的，而瞬时 t 的时间增量 Δt 内 $\Delta\varepsilon_r^c$、$\Delta\varepsilon_\theta^c$ 是未知的。可先设 $\Delta\varepsilon_r^c$、$\Delta\varepsilon_\theta^c$ 值，后由(5-48)、(5-66)式进行应力 σ_r 和 σ_θ 的计算，如部分(一)。由于 $\Delta\varepsilon_r^c$、$\Delta\varepsilon_\theta^c$ 的值是假设的，故还须用逐次逼近法进行迭代计算，才能求得该步的蠕变解。下面用具体算例说明计算方法。

例 5-2 等厚及等温转盘的外径为 30.48 cm，内径为 6.35 cm，转速 $\omega = 15\,000$ r.p.m，弹性模量 $E = 1.26 \times 10^5$ MPa，温度 $1000\,{}^\circ\!F$，根据蠕变曲线给出

$$\bar{\varepsilon}_c = B\,\bar{\sigma}^m t^q \qquad (5-67)$$

式中 $m = 6$，$q = \dfrac{2}{3}$，$B = 8.52 \times 10^{-24}(10)^m/(\text{MPa})^m h^q$，求应力分布。

解：对于时间硬化规律，在时间 t 与 $t + \Delta t$ 之间，按平均应力为常数考虑蠕变率，取时间步长的中值计算，可直接由方程(5-67)得到

$$\Delta\bar{\varepsilon}_c = qB\,\bar{\sigma}^m\left(t + \frac{\Delta t}{2}\right)^{q-1}\Delta t$$

解上式可得

$$\overline{\sigma} = \left(\frac{\Delta\overline{\varepsilon}_c}{qB\Delta t}\right)^{\frac{1}{m}} \left(t + \frac{\Delta t}{2}\right)^{\frac{1-q}{m}} \qquad (5-68)$$

开始的时间间隔选 0.01 小时，第一次近似的蠕变增量 $\Delta\varepsilon_r^c$ 和 $\Delta\varepsilon_\theta^c$ 设为常数 0.00001，总蠕变应变 ε_r^c 和 ε_θ^c 初值为零。具体计算步骤如下：

1.$\Delta\varepsilon_c$ 按(5-65)式计算；

2.应力 σ_r 和 σ_θ 的解由(5-48)、(5-66)式按部分(一)方法计算；

3.按(5-68)式计算 $\overline{\sigma}$；

4.由(5-65)式得到蠕变增量 $\Delta\varepsilon_r^c$ 和 $\Delta\varepsilon_\theta^c$ 新的近似值；

5.重复进行步骤 1 到 4，直到两个应变增量的计算结果在相邻两个迭代中无变化，算得 0.01 小时末的蠕变应变，得到第一时段末的应力。

第二时段仍以同样程序得到蠕变增量及总蠕变应变 ε_r^c 及 ε_θ^c（该时段末瞬时累积的蠕变应变），如此按步骤 1 到 5 重复进行，计算到 180 小时。注意，计算中第一次近似的蠕变增量是任意假设的，计算的时间间隔亦是任意选择的，为了达到一定的精度要求此间隔的应力增量不能超过 7 MPa(约小于 $10\%\sigma_\theta$)。

同样也可按应变硬化理论进行计算，若采用公式

$$\overline{\dot{\varepsilon}}_c (\overline{\varepsilon}_c)^\alpha = A\sigma^n \qquad (5-69)$$

蠕变方程 $\quad \overline{\varepsilon}_c = [A(1+\alpha)\sigma^n]^{\frac{1}{1+\alpha}} t^{\frac{1}{1+\alpha}}$

与(5-67)式比较系数，可确定 α、A、n 值。

蠕变过程取时间步中值，由(5-69)式可得

$$\left(\overline{\varepsilon}_c + \frac{\Delta\overline{\varepsilon}_c}{2}\right)^\alpha \Delta\overline{\varepsilon}_c = A\,\overline{\sigma}^n \Delta t$$

由上式求解、并代入相应系数关系，可得

$$\bar{\sigma} = B^{-\frac{1}{m}} \left(\frac{\Delta \bar{\varepsilon}_c}{q \Delta t} \right)^{\frac{g}{m}} \left(\bar{\varepsilon}_c + \frac{\Delta \bar{\varepsilon}_c}{2} \right)^{\frac{1-q}{m}}$$

计算结果[38]如图 5-14 及图 5-15。图 5-14 表明，时间硬化理论比应变硬化理论应力松弛得快（图中 1 psi＝0.00703 MPa）。图 5-15 说明周向蠕变对两个蠕变规律几乎一样（虽然应变硬化理论给出的蠕变应变稍微低些，但差别很小，图中不易看出）。

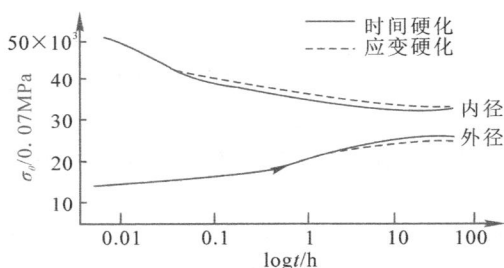

图 5-14　σ_θ 重分配规律（按应变硬化及时间硬化理论）

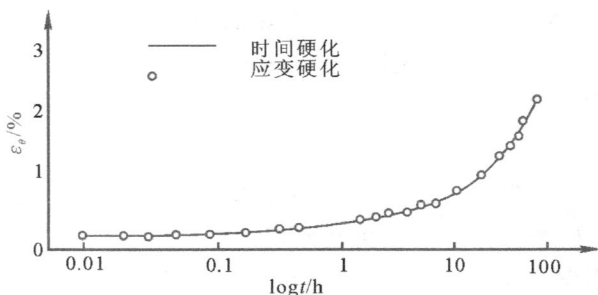

图 5-15　ε_θ 变化规律（按应变硬化与时间硬化规律）

(三)转盘的弹塑性–蠕变分析

若转盘处于弹塑性–蠕变状态,这时协调方程可表达为

$$\frac{\mathrm{d}}{\mathrm{d}r}\left(\frac{\sigma\theta}{E}-\frac{\nu\sigma_r}{E}+\alpha T+\varepsilon_\theta^p+\Delta\varepsilon_\theta^p+\varepsilon_\theta^c+\Delta\varepsilon_\theta^c\right)=$$

$$\frac{1+\nu}{E}\frac{\sigma_r-\sigma_\theta}{r}+\frac{\varepsilon_r^p-\varepsilon_\theta^p+\varepsilon_r^c-\varepsilon_\theta^c}{r}+$$

$$\frac{\Delta\varepsilon_r^p-\Delta\varepsilon_\theta^p+\Delta\varepsilon_r^c-\Delta\varepsilon_\theta^c}{r} \tag{5-70}$$

在常载荷情况下,首先按部分(一)进行弹塑性计算,以所得的解作为蠕变计算的初始值,$\varepsilon_{i,j}^p$ 已知,$\Delta\varepsilon_{i,j}^p=0$,$\varepsilon_{i,j}^c=0$,假设 $\Delta\varepsilon_{i,j}^c$;然后按部分(二)进行第一时间间隔的蠕变计算。若应力解经判断属塑性加载情况,则须令 $\Delta\varepsilon_{i,j}^c$ 保持不变,按 Prandtl – Reuss 理论计算 $\Delta\varepsilon_{i,j}^p$,并代入(5 – 69)式,按部分(一)重复计算应力,改变 $\Delta\varepsilon_{i,j}^p$,进行迭代,以达到一定精度。

目前,考虑塑性变形的蠕变计算途径有二:一是探索更为理想或简捷的本构方程求精确解,譬如用内变量理论统一地描述塑性与蠕变,建立本构方程;而二是着眼于工程应用,求合理的简化,例如把材料简化成理想塑性模型,研究蠕变范围的安定性问题,对于循环载荷,只要保持在安定载荷范围内,就可避免塑性变形的再次发生。继续加载过程就成为弹性–蠕变问题。若再考虑温度与塑性疲劳综合效应,问题就更为复杂。但这是工程上极为关注,值得进一步研究的问题。

§5.7 应力分析的实验验证

(一)梁的弯曲蠕变

R、G、Sim 等于 1970 年[39] 对矩形截面梁作纯弯曲试验，梁的尺寸长、宽、高为 25.4 cm×0.635 cm×1.27 cm，加载形式如图 5−16 所示。所用材料为商业铝，这种材料在室温下就有明显的蠕变现象。适合于材料的时间硬化规律为

$$\dot{\epsilon}_c = Bt^{-m}\sigma^n$$

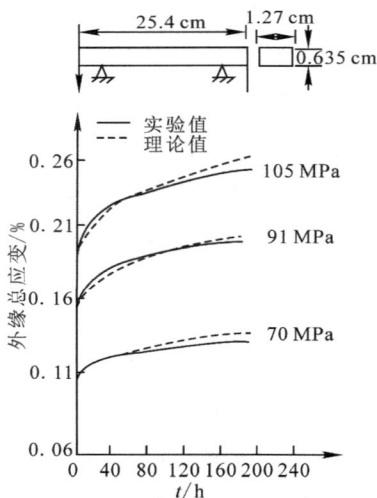

图 5−16　梁的弯曲蠕变试验

材料常数：$B = 3.29 \times 10^{12} \dfrac{(10)^n}{(\text{MPa})^n h^{(1+m)}}$，$n = 3.2$，$m = 0.7$，$E = 0.735 \times 10^5$ MPa。时间单位为小时。

按 §5−4 所述方法，进行常载荷下蠕变分析。对上述矩

形梁采用三个不同载荷水平，即梁外缘弹性应力为 70、91、105 MPa 作恒载下的蠕变试验，测得不同载荷水平时梁外缘的应变，与理论解比较如图 5－16 所示，虽在高应力情况下相差大些，但总的讲还能很好吻合。

（二）转盘蠕变

A.M.Wahl[40] 及 A.Medelson 等[38] 于 1954 年、1959 年曾对带中心孔的等厚度转盘，作旋转蠕变试验。试验条件为：转速 $\omega = 15\ 000$ r.p.m.试验温度 1 000℉，盘体外缘及内孔直径分别为 30.48 cm 及 6.35 cm，采用的材料是 12％碳钢（称 Allegheny 418）试验进行 180 小时。

对此转盘 Medelson 用 §5－7 方法按时间硬化规律 $\dot{\varepsilon}_c = Bt^{-m}\sigma^n$ 进行计算，各系数为 $B = 5.68 \times 10^{-26}$、$n = 6$、$m = 0.33$、$E = 1.26 \times 10^5$ MPa。

试验与理论计算结果比较如图 5－17 所示。可以看出，瞬态蠕变计算值在试验分散带的界限上，而稳态蠕变解在分散带界限之内，经过 180 小时，盘体已开始变薄，最后导致破坏。

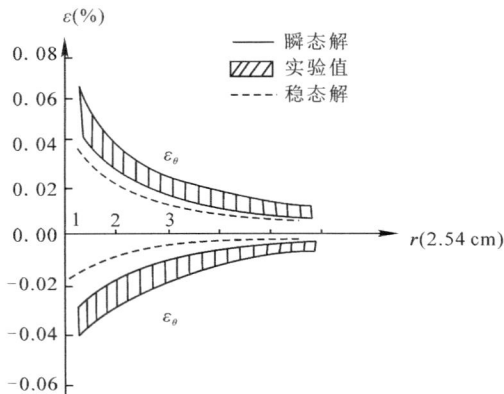

图 5－17　12％碳钢转盘蠕变试验

习　　题

1.已知两端封闭的厚壁筒在 $t=0$ 时作用内压 $p(0)$，后保持径向位移 u 不变，对 Norton 材料，试分析其松弛应力及内压 $p(t)$。

2.若上题的厚壁筒箍在一刚性套筒内，承受不变的压力 $p(0)$，试问蠕变过程该筒所承受的外压 $q(t)$。

3.一半径为 a 的等厚度圆盘，材料符合 $\dot{\varepsilon}_c = B(t)\sigma^n$ 的蠕变规律，试用 §5.3 所述方法求盘体的瞬态蠕变应力解。

4.试述应力空间外凸性条件与应变空间外凸性条件在蠕变理论中的重要性。

5.试将蠕变情况下的两个普遍原理(最小势能与最小余能原理)与弹性理论中相应的两个普遍原理作一比较。

6.对于弹塑性蠕变问题的计算，在时间段 Δt 内，如何处理 $\Delta\varepsilon_c$ 与 $\Delta\varepsilon_p$ 两者的关系？

第六章 弹塑性-蠕变有限元分析

前述求瞬态蠕变的一般解法是基于弹性解的迭加，它以等效弹性解已知及残余弹性解存在作为前提，否则该方法即不适用。目前较为普遍的是采用有限元法，它可以求解各种复杂情况下蠕变问题的数值解。

由于蠕变属于非线性问题，因此本章首先介绍非线性有限元基础知识，并以空间轴对称热弹性蠕变问题为例推导基本方程，介绍求解方法并给出有限元程序（源程序及说明），以便读者掌握使用，作为进一步深入的基础，此外还介绍了考虑材质变化对稳态温度场及瞬态温度场的升温加载问题，给出基本公式与求解步骤；并对热弹塑性蠕变分析在实践中遇到的问题进行探讨。最后给出算例。

§6.1 非线性有限元法基础

有限元方法首先要求将结构离散化，看成有限个单元拼装成的体系，它们仅在单元的角点用铰联结，称为节点。

一般情况应力场与应变场以 σ 与 ε 表示，它们是六维向量，位移 u 表示三维列向量。弹性本构关系为

$$\{\sigma\} = [D]\{\varepsilon\} \tag{6-1}$$

式中，$[D]$ 为弹性矩阵。按直接法，选定位移模式，得到结构位移场与单元节点位移之间的关系

$$\{u\} = [N]\{\delta\} \qquad (6-2)$$

式中 $[N]$ 是坐标的函数，反映单元的位移形态，称为"形函数"。δ 为单元节点位移向量，而应变与位移关系为

$$\{\varepsilon\} = [B]\{\delta\} \qquad (6-3)$$

已知物体上作用的外力为 P，根据虚功原理可以推导得到

$$[K]\{\delta\} = \{P\} \qquad (6-4)$$

而

$$[K] = \Sigma[k], \quad [k] = \int_V [B]^T[D][B]\mathrm{d}V \qquad (6-5)$$

式中，$[k]$ 为单元刚度矩阵；$[K]$ 为总刚度矩阵；$[B]$ 为应变矩阵；$\{P\}$ 为节点载荷向量。

由代数方程组(6-4)求得节点位移后，由上面算式很容易求得弹性应力解与应变解。

但是，由于蠕变问题的本构方程是非线性的，并涉及时间效应，问题复杂得多。对于小应变情况，属物理非线性问题；对于大应变情况，则属物理与几何双重非线性问题，情况更为复杂。因此必须掌握求解非线性问题的方法。

§6.1.1 非线性方程求解方法

常用的将非线性方程进行线性化处理的方法有二：牛顿-拉斐逊法与修正的牛顿-拉斐逊法。

设存在一阶导数的连续函数 $\Psi(x)$ 及非线性方程 $\Psi(x) = 0$。若在 x_n 点按一阶泰勒级数展开，便有

$$\Psi(x) = \Psi(x_n) + \left(\frac{\mathrm{d}\Psi}{\mathrm{d}x}\right)_n (x - x_n) = 0$$

于是，在 x_n 附近的方程是线性的，

即 $$\Psi(x_n) = -\left(\frac{\mathrm{d}\Psi}{\mathrm{d}x}\right)_n (x - x_n)$$

令 $$x_{n+1} = x_n + \Delta x_n$$

可写成 $$\Delta x_n = -\frac{\Psi(x_n)}{\left(\dfrac{\mathrm{d}\Psi}{\mathrm{d}x}\right)_n} \tag{a}$$

(a)式即是线性化的迭代公式。

按牛顿-拉斐逊迭代法如图 6-1 所示，每次迭代中 $\Psi'(x) = \left(\dfrac{\mathrm{d}\Psi}{\mathrm{d}x}\right)_n$ 是变化的；按修正的牛顿-拉斐逊迭代法如图 6-2，每次迭代中 $\Psi'(x) = \left(\dfrac{\mathrm{d}\Psi}{\mathrm{d}x}\right)$，其值不变。

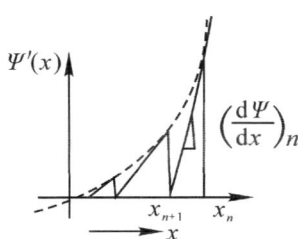

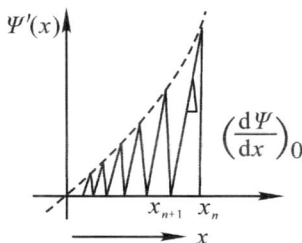

图 6-1 牛顿-拉斐逊迭代法　　图 6-2 修正的牛顿-拉斐逊迭代法

现联系求解平衡方程的迭代过程加以说明。为了便于叙述，考虑单自由度系统，其平衡方程为

$$K\delta - P = 0 \tag{b}$$

令 $F(\delta) = K\delta$，则

$$\Psi(\delta) = F(\delta) - P = 0 \tag{c}$$

若载荷不随变形而改变，则

$$\frac{\mathrm{d}\Psi}{\mathrm{d}\delta} = \frac{\mathrm{d}F}{\mathrm{d}\delta} = K_T \qquad (\mathrm{d})$$

式中 K_T 是曲线 $F(\delta)$ 的斜率，表示结构的切线刚度。根据（b）式显然曲线 $F \sim \delta$ 与 $F = P$ 线的交点为 A，其横坐标 δ_A 为平衡方程的根（见图 6-3）。按牛顿-拉斐逊法，第一次近似按线性理论求解得到 δ_1 及 B_1 点的斜率，第二次从 B_1 点作切线得到 δ_2，如此重复迭代直到 $\delta_n \approx \delta_{n-1}$ 为止，如图 6-3(a) 所示。

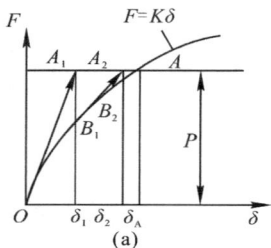

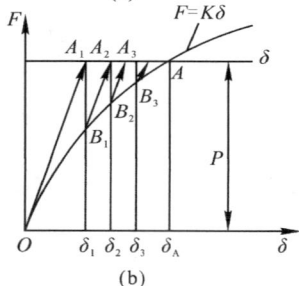

图 6-3　求解迭代过程

按修正的牛顿-拉斐逊方法则每次迭代过程斜率不变（见图 6-3(b)），故前者称为切线刚度法，后者则称为等刚度法。

§6.1.2　弹塑性有限元分析方法

由于复杂零件的蠕变分析离不开弹塑性解的基础，因此下面对 Mises 型材料分别以全量理论及增量理论作简单介绍。

（一）全量理论

弹塑性应力应变关系为

$$\{\sigma\} = [D](\{\varepsilon\} - \{\varepsilon\}_p)$$

可以表达成三种形式

$$\{\sigma\} = [D]_{ep}\{\varepsilon\}$$

$$\{\sigma\} = [D]\{\varepsilon\} + \{\sigma_0\}$$

$$\{\sigma\} = [D](\{\varepsilon\} - \{\varepsilon_0\})$$

平衡方程分别为

$$[K]_{ep}\{\delta\} = \{P\}$$

$$[K]\{\delta\} = \{P\} + \{R(\sigma_0)\}$$

$$[K]\{\delta\} = \{P\} + \{R(\varepsilon_0)\}$$

其中 $[D]_{ep}$ 为弹塑性刚度矩阵[①]，$\{\sigma_0\}$ 及 $\{\varepsilon_0\}$ 分别为初应力及初应变，$\{R(\sigma_0)\}$ 及 $\{R(\varepsilon_0)\}$ 分别为由于 $\{\sigma_0\}$ 及 $\{\varepsilon_0\}$ 所引起的节点向量。这三种形式所建立的迭代求解方法依次为：切线刚度法（或变刚度法），初应力法及初应变法。后面两种即前述的等刚度法。

(二)增量理论

载荷采取增量加载，因此求解弹塑性问题的方法为增量形式的变刚度、初应力及初应变方法。简要介绍如下：

(1)变刚度法

在塑性区由流动法则及加载条件推得的应力应变关系可近似地写作增量形式

$$\Delta\{\sigma\} = [D]_{ep}\Delta\{\varepsilon\} \tag{6-6}$$

对式(6-2)—(6-4)也相应采用增量形式，平衡方程为

---

① $[D]_{ep} = [D] - [D]_p$

$$[D]_p = \frac{3G^2}{(H'+3G)\bar{\sigma}^2}\begin{pmatrix} S_x^3 & & & & & \\ S_xS_y & S_y^2 & & & 对齐 & \\ S_xS_z & S_yS_z & S_z^2 & & & \\ S_x\tau_{xy} & S_y\tau_{xy} & S_z\tau_{xy} & \tau_{xy}^2 & & \\ S_x\tau_{yz} & S_y\tau_{yz} & S_z\tau_{yz} & \tau_{xy}\tau_{yz} & \tau_{yz}^2 & \\ S_x\tau_{zx} & S_y\tau_{zx} & S_z\tau_{zx} & \tau_{xy}\tau_{zx} & \tau_{yz}\tau_{zx} & \tau_{zx}^2 \end{pmatrix}$$

$$[K]_{ep} \Delta\{\delta\} = \Delta\{P\} \qquad (6-7)$$

而
$$[k]_{ep} = \int_V [B]^T [D]_{ep} [B] \mathrm{d}V \qquad (6-8)$$

因$[D]_{ep}$的元素与瞬时应力水平有关(通常计算中取该增量步加载时的当前应力水平),故在计算每一增量步时刚度矩阵$[K]_{ep}$是随应力而变的,其计算通式为

$$[K]_{n-1} \Delta\{\delta\}_n = \Delta\{P\}_n \qquad (6-9)$$

由弹性极限开始逐步加载,求得$\Delta\delta$、$\Delta\varepsilon$、$\Delta\sigma$等,重复计算直到全部加载完(区别于全量理论的变刚度法,增量步取得适当小,在每个步长就不必进行迭代)。

对于过渡区单元,在加载增量步中由弹性区发展到塑性区,按(6-5)或(6-8)式计算误差较大,因而采用带权平均弹塑性矩阵$[\overline{D}]_{ep}$来代替(6-8)式中的$[D]_{ep}$。

$$[\overline{D}]_{ep} = [D] - (1-m)[D]_p = m[D] + (1-m)[D]_{ep} \qquad (6-10)$$

设$\Delta\overline{\varepsilon}_s$为达到屈服点所需要的等效应变,并估计由这次加载所引起的等效应变增量$\Delta\overline{\varepsilon}_{es}$如图6-4,而权系数$m$为

$$m = \frac{\Delta\overline{\varepsilon}_s}{\Delta\overline{\varepsilon}_{es}} \qquad 0 < m < 1$$

通常,先给出$\Delta\overline{\varepsilon}_{es}$的估计值,第一次估算时过渡区单元按弹性处理(即令$m=1$),用所得计算结果来修改$\Delta\overline{\varepsilon}_{es}$,经过2~3次迭代才比较精确。计算

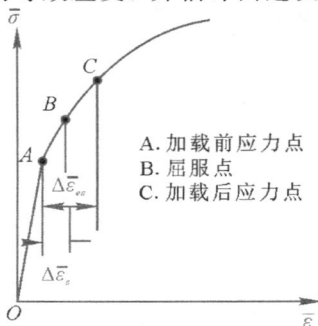

A.加载前应力点
B.屈服点
C.加载后应力点

图6-4 过渡区$\Delta\overline{\varepsilon}_s$与$\Delta\overline{\varepsilon}_{es}$

中由于微分方程作了线性化处理，并将已算出的当前应力代替$[D]_{ep}$中变化的应力，因此载荷增量应足够小才能保证精度要求。

（2）初应力法

方程（6-6）可改写为

$$\Delta\{\sigma\}=([D]-[D]_p)\Delta\{\varepsilon\}=[D]\Delta\{\varepsilon\}+\Delta\{\sigma_0\}$$

即初应力

$$\Delta\{\sigma_0\}=-[D]_p\Delta\{\varepsilon\} \qquad (6-11)$$

因此初应力不但与应力水平有关，还与本次加载所引起的应变增量 $\Delta\{\varepsilon\}$ 有关，所得平衡方程为

$$[K]_e\Delta\{\delta\}=\Delta\{P\}+\Delta\{R\}$$

而 $\Delta\{R\}$ 为初应力引起的等效节点力。

$$\Delta\{R(\Delta\{\sigma_0\})\}=-\int[B]^T\Delta\{\sigma_0\}\mathrm{d}V=\int[B]^T[D]_p\Delta\{\varepsilon\}\mathrm{d}V$$

$$(6-12)$$

因式中 $\Delta\{\varepsilon\}$ 是待定量，故在每一增量加载步需要进行迭代，直到相邻两次迭代的值接近相等为止。第 n 级的计算通式为

$$[K]_e\Delta\{\delta\}_n^j=\Delta\{P\}_n+\Delta\{R\}_n^{j-1}(j=0,1,2,\cdots)$$

$$(6-13)$$

在迭代中$[K]_e$ 为不变的弹性刚度矩阵，$[D]_p$ 可由每步加载前的应力来确定，在计算中作为已知量而用变化的 $\Delta\{\varepsilon\}$ 来调整初应力。

对于过渡区单元，考虑到初应力只按进入屈服后的应变部分计算，故应采用$(1-m)\Delta\{\varepsilon\}$来代替 $\Delta\{\varepsilon\}$，即

$$\Delta\{R\}=\int[B]^T[D]_p(1-m)\Delta\{\varepsilon\}\mathrm{d}V \qquad (6-14)$$

（3）初应变法

塑性区的应力应变关系 $d\{\sigma\} = [D](d\{\varepsilon\} - d\{\varepsilon\}_p)$，写成有限形式为 $\Delta\{\sigma\} = [D](\Delta\{\varepsilon\} - \Delta\{\varepsilon\}_p) = [D](\Delta\{\varepsilon\} - \Delta\{\varepsilon_0\})$ 把塑性应变当作初应变

$$\Delta\{\varepsilon_0\} = \Delta\{\varepsilon\}_p = \frac{1}{H'} \frac{\partial\bar\sigma}{\partial\{\sigma\}} \left\{\frac{\partial\bar\sigma}{\partial\{\sigma\}}\right\}^T \Delta\{\sigma\} \quad (6-15)$$

这时应满足的平衡方程组为

$$[K]_e\Delta\{\sigma\} = \Delta\{P\} + \Delta\{R(\Delta\{\varepsilon_0\})\}$$

因初应变与 $\Delta\{\sigma\}$ 有关，而 $\Delta\{\sigma\}$ 又是待定量，因此必须用迭代法求解。其迭代的通式在形式上与（6-13）类同，只是初应变引起的等效节点力为

$$\Delta\{R(\Delta\{\varepsilon_0\})\} = \int [B]^T[D]\Delta\{\varepsilon\}_p dV$$

$$= \int \frac{1}{H'}[B]^T[D] \frac{\partial\bar\sigma}{\partial\{\sigma\}} \left\{\frac{\partial\bar\sigma}{\partial\{\sigma\}}\right\}^T \Delta\{\sigma\} dV$$

关于细节不再详述，可参见[41]。

蠕变问题的求解区别于弹塑性问题。用有限元法求解时，必须对时间域与空间域同时进行离散，并以时间增量法为基础建立求解公式。在恒温恒载下，对于弹性-蠕变问题一般采用初应变法，对于弹塑性-蠕变问题则常以变刚度法，初应变法（或初应力法）混合使用。

§6.2 瞬态蠕变数值解的有限元法

用有限元法求蠕变问题的数值解，通常可分显式算法与隐式算法两种，而欧拉（Euler）方法是数值解中最简单的一种，它也是建立上述两种方法的基础。

§6.2.1 欧拉(Euler)方法

如图6-5所示曲线，$y(t)$是连续可导的函数，以一阶泰勒级数展开，即得欧拉方法表达式，其纵标为

$$y_{i+1} = y_i + \Delta t_{i+1} \dot{y}_i \quad \text{或}$$

$$y_{i+1} = y_i + \Delta t_{i+1} f(t, y_i) \quad (e)$$

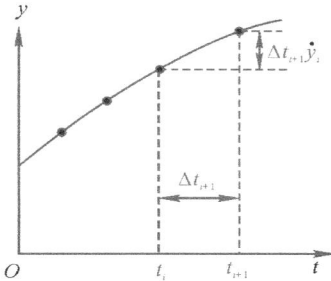

图6-5 欧拉法几何表示

这样，从初始值开始，由i时刻的解可推求$i+1$时刻的解，以此类推可求得$y(t)$的解。在(e)式中因$f(t, y_1)$已知，故此为显式欧拉方法。但欧拉法的解，其正确与否和时间步长的大小有关。譬如例2.3已求得算式为

$$\frac{\mathrm{d}\sigma_1}{\mathrm{d}t} = \frac{2\left[\left(\frac{P}{F} - \sigma_1\right)/2\cos\theta\right]^n \cos\theta - 2\sigma_1^n \cos^3\theta}{1 + 2\cos^3\theta} - EB(t)$$

在分析中如按等步长计算，已知的初值为弹性解$\sigma_1(0)$，则

$$(\sigma_1)_{i+1} = (\sigma_1)_i + (\dot{\sigma}_1)_i \Delta t_{i+1}$$

设$\theta = 45°$，$n = 5$，令$S_1 = \sigma_1 / \frac{P}{F}$，$t^* = E\left(\frac{P}{F}\right)^{n-1} \int B(t)\mathrm{d}t$

可用欧拉方法求解。现以不同时间步长的大小进行试算，计算的结果如图6-6所示。当时间步长比较小时解是收敛的，时间步长太大解就不稳定，如图中所示$\Delta t^* = 2$时很接近实际，$\Delta t^* > 12$就发散，因此欧拉法求解的稳定条件与时间步长密切相关。采用算例所示蠕变规律，对于任何结构，欧拉方法的稳定条件的上限为[36]

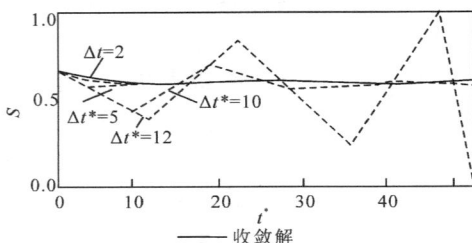

图 6-6 用欧拉法求超静定桁架的解

$$\Delta t_{i+1} \leqslant \frac{4(1+\nu)}{3E} \frac{1}{ng(t)\overline{\sigma}_i^{n-1}}$$

这里 $\overline{\sigma}_i$ 表示 i 时刻的等效应力，欧拉稳定条件与材料的蠕变特性有关，很难得到统一的表达式。此处不再研究。

在计算时时间步长太小不但耗费大，且积累误差也大，怎样保证精度成了主要矛盾。希望能在保证精度的前提下，取较大的时间步长，则可采用一阶隐式欧拉法，其表达式为

$$y_{i+1} = y_i + \Delta t_{i+1}[(1-\alpha)f_i + \alpha f_{i+1}] \tag{f}$$

式中 $f_{i+1} = f(t, y_{i+1})$ 为未知量，故称为隐式欧拉法。其中，α 为常量，在 0 与 1 之间。当 $\alpha = 0$ 时即是上面的欧拉法，$\alpha = \dfrac{1}{2}$ 时即隐含着梯形规则，对于 $\alpha \geqslant \dfrac{1}{2}$ 就是无条件稳定。这样作实际上是考虑到 Δt_{i+1} 段 $\dot{y}$ 是变化的，而引进一加权系数 α 来处理，通过迭代求解以提高精度，这时时间步长可以增大[1]。

---

① 一阶隐式欧拉法的解虽在理论上认为是无条件稳定的，但在实践中时间步长太大仍会出现发散。

§6.2.2 蠕变分析显式与隐式算法

蠕变问题的数值解以时间增量步为基础，逐步累积，求得蠕变解，在计算第 i 个时间步长时可分别按显式与隐式算法表示如下：

（一）按显式欧拉法

$$\varepsilon_i^c = \varepsilon_{i-1}^c + \Delta t_i \dot{\varepsilon}_{i-1}^c$$

或令 $\varepsilon_i^c - \varepsilon_{i-1}^c = \Delta \varepsilon_i^c$，写成

而

$$\left.\begin{array}{l} \Delta \varepsilon_i^c = \Delta t_i \dot{\varepsilon}_{i-1}^c \\[2mm] \dot{\varepsilon}_{i-1}^c = f(t, \sigma_{i-1}) \end{array}\right\} \tag{6-16}$$

对于多维应力状态，可将等效蠕变量、等效蠕变率代替式中的蠕变量和蠕变率。可以这样理解：对于非线性蠕变问题，因为蠕变过程中应力重新分配，蠕变量与瞬时应力水平有关，而瞬时应力水平又是时间的未知函数，按显式欧拉法 $\dot{\varepsilon}_{i-1}^c$ 为已知量，实际上是把蠕变经历的时间分成有限间隔，假定在每一时间步内应力不变，可按 Δt_i 初的应力水平进行蠕变，这样就可把变应力情况求蠕变量问题看作是求逐段常应力蠕变量的积累，即把非线性蠕变计算进行线性化处理。

现分别以时间硬化理论与应变硬化理论为例，联系蠕变规律的分析来说明这一概念。按时间硬化规律在蠕变过程中，其蠕变率只与瞬时应力、温度有关，且是时间的函数；在各时段蠕变过程，如图 6-7(a) 所示的 Oa、$a'b$、$b'c$、…蠕变量为其纵坐标的累积。

对应变硬化规律，在蠕变过程中，蠕变率仅与瞬时应力、温度及积累的蠕变量有关。这样，在变应力情况下，各时段蠕变量的积累过程按图 6-7(b) 所示，即 Oa，bc，de，…。

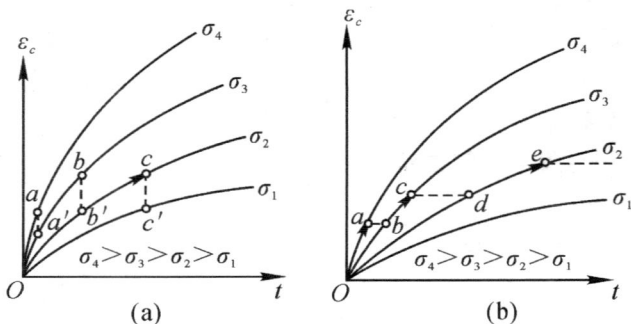

图 6-7 蠕变累积过程

(二)按隐式欧拉法

计算中首先在 $\dfrac{1}{2} \leqslant a < 1$ 范围内选定某一数值，在增量时间 Δt 内隐式欧拉法的表达式为

$$\varepsilon_{ci}^{t+\Delta t} = \varepsilon_{ci}^{t} + \Delta t \left[(1-\alpha) \dot{\varepsilon}_{ci}^{t} + \alpha \dot{\varepsilon}_{ci}^{t+\Delta t} \right] \tag{g}$$

而

$$\dot{\varepsilon}_{ci}^{t} = f(\sigma_i^t, t) \tag{h}$$

$$\dot{\varepsilon}_{ci}^{t+\Delta t} = f(\sigma_i^{t+\Delta t}, t) \tag{i}$$

(i)式中 $\sigma_i^{t+\Delta t}$ 为未知量，因此在每一时间步计算过程需要多次迭代直至收敛，达到预定的精度要求。

总的来看，用隐式算法虽然时间步长可以增大，但重复迭代过程是比较慢的，也有一些改进措施，但要增加编程的麻烦。在初次实践中比较方便的还是在显式算法基础上采取种种改进措施，因此下面着重研究显式算法的应用。

§6.2.3 有限元显式算法

用有限元方法分析蠕变问题的显式算法，以弹性-蠕变问题为例可作简单的归纳如下：

(1)求得初始弹性解。

(2)按蠕变本构理论建立时间步长 Δt_i 的表达式

$$\bar{\dot{\varepsilon}}^c_{i-1} = \varphi(\bar{\sigma}_{i-1}, t) \tag{j}$$

及

$$\Delta\{\varepsilon_c\}_i = \frac{3\bar{\dot{\varepsilon}}^c_{i-1}}{2\bar{\sigma}_{i-1}}\{S\}_{i-1}\Delta t_i \tag{k}$$

(3)按欧拉方法建立

$$\Delta\bar{\varepsilon}^c_i = \Delta t_i\bar{\dot{\varepsilon}}^c_{i-1} \tag{l}$$

由本构方程求 $\Delta\{\varepsilon_c\}_i$。

(4)建立因蠕变引起的等效节点力 $\Delta\{R\}^c_i$

$$\Delta\{R\}^c_i = \int_V [B]^T[D]\Delta\{\varepsilon\}^c_i \mathrm{d}V \tag{m}$$

(5)由$[K]\Delta\{\delta\} = \Delta\{P\} + \Delta\{R\}^c_i$ 解得位移增量，再求应变增量、应力增量，得到该时间步末的应变、应力等。

(6)重复步骤(2)—(5)直到所需计时算完。

考虑到蠕变问题的特点，其总应变是长时间微量变形的累积，因此要求计算过程保持足够的精度，选取比较先进的单元。下面介绍的具体问题都按非线性位移函数的等参元进行。它区别于线性位移模式的三角元，这种单元不但精度高，能直接用于曲线边界，并能使单元的完备性和协调性都得到满足，可用较少的单元数求解实际问题，达到所要求的精度。

§6.3 热弹性-蠕变问题

若物体的形状与作用的载荷(包括热负荷)都与中心轴对

称，称为空间轴对称问题。下面研究初始状态是弹性–蠕变空间轴对称问题。

§6.3.1　有限元基本公式

在轴对称问题中，整体坐标采用圆柱坐标系，因为应力、应变等变量都与 θ 无关，故可在回转体的子午面内划分单元，这里介绍剖面为 8 节点的曲边四边形单元，就回转体而言，它实际上是环形单元。现按 8 节点等参元分析。为方便起见，曲边四边形可在 xy 坐标平面内表示，见图 6-8(a)，另取一基本单元如图 6-8(b)所示，单元上各个节点坐标(ξ，η)分别为 0 和 ±1，此坐标系为局部坐标系。

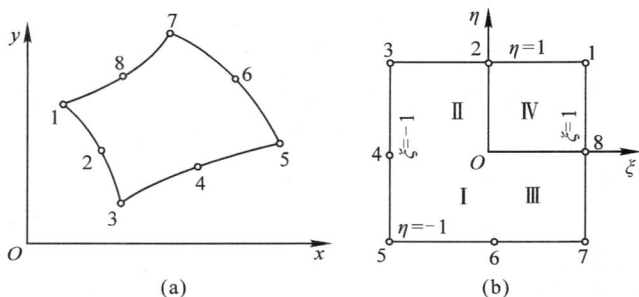

(a)　　　　　　　　(b)

图 6-8　8 节点等参元

(1)基本单元的位移模式

$$u = \alpha_1 + \alpha_2\xi + \alpha_3\eta + \alpha_4\xi^2 + \alpha_5\xi\eta + \alpha_6\eta^2 + \alpha_7\xi^2\eta + \alpha_8\xi\eta^2$$
$$v = \beta_1 + \beta_2\xi + \beta_3\eta + \beta_4\xi^2 + \beta_5\xi\eta + \beta_6\eta^2 + \beta_7\xi^2\eta + \beta_8\xi\eta^2$$

式中系数 α_1，β_1，…，α_8，β_8 由节点位移确定，写成插值公式为

$$u = \sum_{i=1}^{8} N_i u_i, \quad v = \sum_{i=1}^{8} N_i v_i \qquad (6-17)$$

式中 u_i，v_i 为节点位移，N_i 称为形函数。

（2）形函数

（6-17）式中的形函数 N_i，按局部坐标给出如下：

$$
\left.
\begin{aligned}
N_1 &= \frac{1}{4}(1+\xi)(1+\eta)(\xi+\eta-1) \\[2mm]
N_2 &= \frac{1}{2}(1-\xi^2)(1+\eta) \\[2mm]
N_3 &= \frac{1}{4}(1-\xi)(1+\eta)(-\xi+\eta-1) \\[2mm]
N_4 &= \frac{1}{2}(1-\xi)(1-\eta^2) \\[2mm]
N_5 &= \frac{1}{4}(1-\xi)(1-\eta)(-\xi-\eta-1) \\[2mm]
N_6 &= \frac{1}{2}(1-\xi^2)(1-\eta) \\[2mm]
N_7 &= \frac{1}{4}(1+\xi)(1-\eta)(\xi-\eta-1) \\[2mm]
N_8 &= \frac{1}{2}(1+\xi)(1-\eta^2)
\end{aligned}
\right\} \tag{6-18}
$$

（3）坐标变换

利用局部坐标和整体坐标的变换方程

$$
x = \sum_{i=1}^{8} N_i x_i, \quad y = \sum_{i=1}^{8} N_i y_i \tag{6-19}
$$

式中 x_i，y_i 表示节点坐标，由（6-19）式可使 ξ-η 平面的 8 节点（图 6-8(b)），对应地映象到 xy 平面上的 8 节点（图 6-8(a)）。这样就使基本单元经过坐标变换映射到 xy 平面上形成原来的曲边四边形。由于插值公式（6-17）与坐标变换式(6-19)两者所取的形函数相同，因此称为等参元。

(4)应变分量

若以 x 表示轴向，以 y 表示径向，则

$$\{\varepsilon\}=\begin{Bmatrix}\varepsilon_z\\\varepsilon_r\\\varepsilon_\theta\\\gamma_{rz}\end{Bmatrix}=\begin{Bmatrix}\dfrac{\partial u}{\partial x}\\[2mm]\dfrac{\partial v}{\partial y}\\[2mm]\dfrac{v}{y}\\[2mm]\dfrac{\partial v}{\partial x}+\dfrac{\partial u}{\partial y}\end{Bmatrix}=[B]\{\delta\}^e=[B_1 B_2\cdots B_8]\begin{Bmatrix}\delta_1\\\vdots\\\delta_4\\\delta_5\\\vdots\\\delta_8\end{Bmatrix}$$

$$(6-20)$$

写成增量形式为

$$\Delta\{\varepsilon\}=[B]\Delta\{\delta\}^e$$

式中，$\{\delta\}^e$ 为单元节点位移，$[B]$ 矩阵表示如下：

$$[B_i]=\begin{bmatrix}0 & N_{i,x}\\N_{i,y} & 0\\\dfrac{N_i}{y} & 0\\N_{i,x} & N_{i,y}\end{bmatrix},\quad\{\delta_i\}=\begin{Bmatrix}u_i\\v_i\end{Bmatrix}\quad(i=1,2,\cdots,8)$$

$$(6-21)$$

但 N_i 是以局部坐标表达的形函数，故求 $[B]$ 矩阵还要经过变换，上式中 N 的下标所含"，"表示求其所随项的偏导。

根据复合函数的求导规则有

$$\begin{Bmatrix} N_{i,\xi} \\ N_{i,\eta} \end{Bmatrix} = \begin{bmatrix} x,\xi & y,\xi \\ x,\eta & y,\eta \end{bmatrix} \begin{Bmatrix} N_{i,x} \\ N_{i,y} \end{Bmatrix} = [J] \begin{Bmatrix} N_{i,x} \\ N_{i,y} \end{Bmatrix}$$

而
$$\begin{Bmatrix} N_{i,x} \\ N_{i,y} \end{Bmatrix} = [J]^{-1} \begin{Bmatrix} N_{i,\xi} \\ N_{i,\eta} \end{Bmatrix} \qquad (6-22)$$

$[J]$ 为雅可比变换矩阵，仅当其行列式 $|J| > 0$ 时存在变换关系，而 $[J]^{-1}$ 为 $[J]$ 的逆阵

$$[J]^{-1} = \frac{1}{|J|} \begin{bmatrix} y,\eta & -y,\xi \\ -x,\eta & x,\xi \end{bmatrix}$$

$$|J| = x,\xi \cdot y,\eta - x,\eta \cdot y,\xi$$

$$而\ x,\xi = \sum_{i=1}^{8} N_{i,\xi} \cdot x_i, \quad x,\eta = \sum_{i=1}^{8} N_{i,\eta} \cdot x_i \left.\rule{0pt}{24pt}\right\}$$
$$y,\xi = \sum_{i=1}^{8} N_{i,\xi} \cdot y_i, \quad y,\eta = \sum_{i=1}^{8} N_{i,\eta} \cdot y_i$$

$$(6-23)$$

（5）增量应力应变关系
$$\Delta\{\sigma\} = [D](\Delta\{\varepsilon\} - \Delta\{\varepsilon\}_T - \Delta\{\varepsilon\}_c) \qquad (6-24)$$

利用 $\Delta\varepsilon_z^c + \Delta\varepsilon_r^c + \Delta\varepsilon_\theta^c = 0$ 的关系可推得

$$[D]\Delta\{\varepsilon\}_c = 2G\Delta\{\varepsilon\}_c \qquad (6-25)$$

G 为剪切模量。

（6）应力增量

$$\Delta\{\sigma\} = \begin{Bmatrix} \Delta\sigma_z \\ \Delta\sigma_r \\ \Delta\sigma_\theta \\ \Delta\tau_{rz} \end{Bmatrix} = [D](\Delta\{\varepsilon\} - \Delta\{\varepsilon\}_c - \Delta\{\varepsilon\}_T)$$

$$= [D][B]\Delta\{\delta\}^e - [D]\Delta\{\varepsilon\}_c - [D]\Delta\{\varepsilon\}_T$$

$$(6-26)$$

式中$[D] = \dfrac{E}{(1+\nu)(1-2\nu)} \begin{bmatrix} 1-\nu & \nu & \nu & 0 \\ \nu & 1-\nu & \nu & 0 \\ \nu & \nu & 1-\nu & 0 \\ 0 & 0 & 0 & \dfrac{1-2\nu}{2} \end{bmatrix}$　(n)

（7）刚度矩阵

单元刚度矩阵在局部坐标系中的表达式为

$$[k] = \int_V [B]^T [D][B] \mathrm{d}V =$$

$$2\pi \int_{-1}^{1} \int_{-1}^{1} [B]^T [D][B] y \mid J \mid d\xi d\eta \qquad (6-27)$$

（8）外力形成的等效节点力

以集中力为例，设在单元径向坐标 y_c 处作用集中力为 $\{F\} = [F_x \quad F_y]^T$，考虑到单元是环形的，得到单元节点上的等效力为

$$\{g_i\}^e = \begin{Bmatrix} g_{ix} \\ g_{iy} \end{Bmatrix} = 2\pi y_c (N_i)_c \begin{Bmatrix} F_x \\ F_y \end{Bmatrix} \quad (i = 1, 2, \cdots, 8)$$

式中$(N_i)_c$是形函数 N_i 在载荷作用点的值。

体积力：设单元体积力$\{P\} = [px \quad py]^T$，则作用在单元节点上的等效节点力为

$$\{P_i\}^e = \begin{Bmatrix} P_{ix} \\ P_{iy} \end{Bmatrix} = 2\pi \int_{-1}^{1} \int_{-1}^{1} y N_i \begin{Bmatrix} p_x \\ p_y \end{Bmatrix} \mid J \mid \mathrm{d}\xi \mathrm{d}\eta$$

$$(i = 1, 2, \cdots, 8)$$

表面力：设沿单元的边界作用表面力$\{q\} = [q_x \; q_y]^T$，假如边界是对应于 $\xi = 1$ 的那条边，则边界节点的等效节点力计算公式为

$$\{Q_i\}^e = \begin{Bmatrix} Q_{ix} \\ Q_{iy} \end{Bmatrix}^e = 2\pi \int_{-1}^{1} N_i \begin{Bmatrix} q_x \\ q_y \end{Bmatrix} \sqrt{\left(\frac{\partial x}{\partial \eta}\right)^2 + \left(\frac{\partial y}{\partial \eta}\right)^2}\, d\eta$$

$$(t = 1, 2, \cdots, 8) \qquad (6-28)$$

（9）增量平衡方程

由虚功原理可以推得增量形式的平衡方程为

$$[K]\Delta\{\delta\} = \Delta\{P\} + \Delta\{R_C\} + \Delta\{R_T\} \qquad (6-29)$$

式中，$\Delta\{R_C\}$ 及 $\Delta\{R_T\}$ 是因蠕变增量及温度应变增量所引起的等效节点力，由于轴对称在平衡方程中各项积分式的公因子 2π 可消去，因此计算 $[k]$，$\Delta\{g_i\}^e$，$\cdots$ 等项时皆可略去 2π，例如

$$\Delta\{R_T\}^e = \iint [B]^T [D] \Delta\{\varepsilon\}_T y\, dx\, dy$$

$$= \int_{-1}^{1}\int_{-1}^{1} [B]^T [D] \Delta\{\varepsilon\}_T y \mid J \mid d\xi\, d\eta$$

其中
$$\left. \begin{array}{l} [K] = \displaystyle\sum_{c=1}^{n} [k], \ \Delta\{P\} = \displaystyle\sum_{c=1}^{n} \Delta\{P\}^e \\[3mm] \Delta\{R_C\} = \displaystyle\sum_{c=1}^{n} \Delta\{R_C\}^e, \ \Delta\{R_T\} = \displaystyle\sum_{c=1}^{n} \Delta\{R_T\}^e \end{array} \right\}$$

$$(6-30)$$

式中，n 表示结构的单元数。

方程（6-27）—（6-30）中的积分式利用高斯积分法写成

$$\iint f(\xi, \eta)\, d\xi\, d\eta = \sum_{i=1}^{l} \sum_{j=1}^{m} c_i c_j f(\xi_i, \eta_i)$$

式中 $l \times m$ 表示高斯积分点的个数，ξ_i，η_i 表示高斯积分点的坐标，c_i，c_j 表示权系数。

（10）$\Delta\{\varepsilon\}_T$ 及 $\Delta\{\varepsilon\}_C$ 算式

$$\Delta\{\varepsilon\}_T = \alpha\Delta T[1\ 1\ 1\ 0]^T = \alpha(T - T_0)[1\ 1\ 1\ 0]^T \qquad (6-31)$$

蠕变规律若按时间硬化理论 $\dot{\varepsilon}_C = A(T)\sigma^n t^m$，则对非均

匀温度场 $\bar{\dot{\varepsilon}}_C = Ae^{-\frac{c}{T}}\bar{\sigma}^n t^m$ 按欧拉方法有

$$\Delta\bar{\varepsilon}_C = Ae^{-\frac{c}{T}}\bar{\sigma}^n t^m \Delta t \qquad (6-32)$$

由 Mises 型蠕变本构方程得到

$$\Delta\{\varepsilon\}_c = \frac{3\Delta\bar{\varepsilon}_c}{2\bar{\sigma}}\{S\} \qquad (6-33)$$

§6.3.2 求解技术与措施

(一)求解平衡方程组

由于时间与空间的双重离散,致使计算工作量较大,因此减少机时是一项重要指标。其中,占机时的主要部分是总体刚度矩阵(简称总刚)的形成与方程组(6-29)的求解。由(6-26)式可见,对于弹性-蠕变问题,把蠕变看作初应变,可按初应变法处理,在每一增量步计算中刚度矩阵保持不变,因此总刚只需形成一次即可。然而对于求解运算,即使是常载荷下的蠕变问题,平衡方程右端项也总是变化的,每一时间步都须解大量的方程组。但若采用初应变法使总刚不变,求解时就可以采用特殊技术减少机时。平衡方程为

$$[K]\Delta\{\delta\} = \Delta\{P\} \qquad (o)$$

若用高斯消去法求解这一方程组中的 $\Delta\{\delta\}$,需先消元后回代。现采取的特殊办法是把总刚化为上三角阵,在数学处理上可用矩阵乘积来实现。如对方程组(o)两边乘某一矩阵 $[L]$,则

$$[L][K]\Delta\{\delta\} = [L]\Delta\{P\}$$

而 $\qquad\qquad [L][K] = [U]$

$[U]$ 为上三角矩阵,且令 $[L]\Delta\{P\} = [C]$,则

$$[U]\Delta\{\delta\} = \{C\} \qquad (p)$$

化成(p)式形式以后,等式左端项因总刚不变,上三角

阵$[U]$亦不变。在计算机内可存储$[U]$及$[L]$，对等式右端因向量的变化所得到的新向量$[C]$，很容易由(p)式回代求得，这样就免去了每次求解运算的消元过程，从而节省大量机时。Greenbaum[42]等曾以三角形单元为例进行计算，如对700个方程的系统(带宽59)用 IBM 7094 计算机按原高斯消去法求解一次约 1 分钟，但采用上面方法求解不超过 7 秒，所免去的消元过程大约节省了$\frac{5}{6}$的时机，这是十分可观的。

(二)加速收敛

在应力分析中把蠕变作为初应变量按初应变法计算，因蠕变变形与瞬时变化的应力水平有关，按初应变法在每一时间步内进行迭代，结果能更符合实际。曾有学者 Stanley[43]在实践中提出简易办法：对于每一时间步，第一次按 Δt 初应力水平$\{\sigma_0\}$计算 $\Delta\{\varepsilon\}_c$，求得应力增量 $\Delta\{\sigma\}_1$；第二次按应力水平$\{\sigma_0\}+\frac{\Delta\{\sigma\}_1}{2}$计算，得到 $\Delta\{\sigma\}_2$，如此逐步进行直到 $\Delta\{\sigma\}$ 变化足够小，一般计算两次已足够了，因此我们在计算中参考上述方法采取在每一步长中计算两次。从几何上看相当于在欧拉算法中，将 $\dot{y}_i$ 由取该步初值改为取该步的中值。

(三)提高精度措施

由于在求解非线性方程组

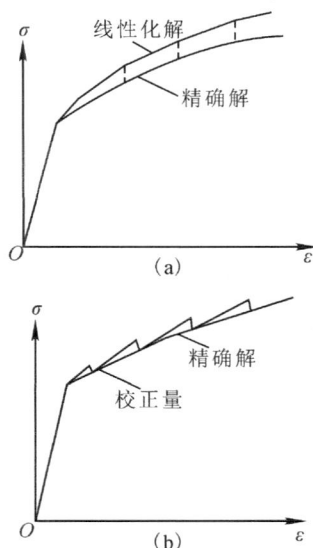

图 6-9　一阶自校正法

过程中进行了线性化处理，引起了不平衡量如图 6-9(a)中虚线所示，可采用"一阶自校正"法进行平衡校正。它最早由 Haister[44] 等人提出，用于增量加载过程。此法特点是在每一加载增量步中对加载节点进行一次平衡校正，其方程为

$$[K]_n \Delta\{\delta\} = \Delta\{P\}_n + \{E\}_n$$

式中 $\{E\}_n$ 为不平衡量的校正项

$$\{E\}_n = \{P\}_{n-1} - \int_V [B]^T \{\sigma\}_{n-1} dV \qquad (6-34)$$

$\{P\}_{n-1}$ 和 $\{\sigma\}_{n-1}$ 分别为前一次加载末的外载荷及应力，因此 $\{E\}_n$ 为前一加载步的校正量。由于每次增量计算中均进行调整，避免了误差的积累，可使加载步增大。引用到蠕变情况，只须把载荷增量步改为时间增量步，在每一 Δt 内进行一次校正。

另外，采用双精度数据，也可提高计算精度。

(四)时间增量步的选取

这在蠕变运算中是非常突出的问题。前已提及，时间步太小计算量大，时间步太大又可能引起成解的发散，甚至运算几步后计算机即指示"溢出"信号而无法运算。一般按照蠕变规律，起始阶段处于不稳定状态，蠕变率变化剧烈，引起明显的应力重新分配，故蠕变开始时的数个时间步宜取得非常小(由应力水平及蠕变特性而定)，以后可逐步放大。为保证收敛，文献[42]提出控制条件为在 Δt 内 $\dfrac{\Delta\bar{\sigma}}{\bar{\sigma}} < 5\%$，实践表明这个条件是合适的，且能保证足够的精度。

§6.3.3 计算步骤

设物体处于稳定温度场、常载荷情况，其计算步骤如下：

(1)令 $\{\varepsilon\}_c = 0$，由 $(6-18)$—$(6-23)$式计处 N_i，$[J]$，

$[B]$矩阵，按$(6-27)$、$(6-30)$式形成总刚，求得初始弹性解作为蠕变计算的起点，考虑到非均匀温度场，在求总刚及$\Delta\{R_T\}$时，要求根据积分点的温度值确定相应的弹性模量与$[D]$矩阵元素。

（2）在期望时间内给定时间增量数组Δt_1，$\cdots$，Δt_n。

（3）计算Δt_i把Δt_{i-1}末的应力水平$\{\sigma\}$作为蠕变计算应力，按$(6-32)$式计算$\Delta\bar{\varepsilon}_c$，由$(6-33)$式得到$\Delta\{\varepsilon\}_c$。

（4）由$(6-30)$式计算$\Delta\{R\}_c$。

（5）由$(6-29)$，$(6-20)$，$(6-26)$式分别求得Δt_i的$\Delta\{\delta\}$，$\Delta\{\varepsilon\}$，$\Delta\{\sigma\}$。

（6）将$\{\sigma\}+\dfrac{\Delta\{\sigma\}}{2}$作为$\Delta t_i$的蠕变计算应力，重复步骤（3）—（5），进行一次迭代求解，算得$\Delta\{\delta\}_i$，$\Delta\{\varepsilon\}_i$，$\Delta\{\sigma\}_i$。

（7）将$\Delta\{\delta\}_i$，$\Delta\{\varepsilon\}_i$，$\Delta\{\sigma\}_i$，迭加于Δt_i的初始值上，得到Δt_i末的节点位移、及积分点的应变与应力，作为下一时间步的初值。

（8）计算Δt_{i+1}，重复步骤（3）—（7）直到期望时间而停机。

值得注意的是，若加载时间比较短，一般可按上述步骤进行；若加载时间较长，加载与蠕变应同时考虑，则载荷亦须按期望时间分成增量段，按时间步增量加载，或简化成阶梯加载，中间穿插蠕变段。

§6.4　空间轴对称热弹性–蠕变程序（ABCA）

该程序采用 8 节点等参元，按 FORTRAN Ⅵ 语言编制，并在编制中采用了§6.3.2中所述的求解技术。

选取对称轴为 x 轴、径向轴为 y 轴构成右手坐标系$(x,$ $y)$，在整体坐标及局部坐标中的编号次序按逆时针方向选取，计算中取 2×2 个积分点，位置见图 $6-8$(b)中所示Ⅰ、Ⅱ、Ⅲ、Ⅳ。

§6.4.1　程序功能及特点

程序特点：所编制的程序对载荷形式不限（计及面力、体力、集中力）；程序结构不受蠕变规律影响；考虑到温度非均匀分布，蠕变公式采用 $\dot{\varepsilon}_c = QQ\mathrm{e}^{-\frac{BR}{T}}t^{CC}\sigma^{AA}$ 形式（BR，CC，AA 为常量，QQ 随温度而异，T 为绝对温度）。当连续数个相邻 Δt 的 $\Delta\sigma$ 趋近于零时$\left(\text{这里取}\left(\dfrac{\Delta\bar{\sigma}}{\bar{\sigma}}\right)_{\max} < 0.0005\right)$，表示应力达到稳定状态，则计算终止而自动停机。另外当$|J| \leqslant 0$及瞬时应力超过屈服极限时均能自动停机。

程序可以计算 5 种工况：

(1)非均匀温度场蠕变计算。

(2)均匀温度场蠕变计算，但需控制输入数据 $AO = 0$，$BR = 0$，$TT = 0$。

(3)非均匀温度场变化范围不大时，可认为材料常数与温度无关，而按温度范围平均值计算，可控制输入与温度有关的数组为常量，且令 $BR = 0$。

(4)只计算温度应力，不计蠕变，则控制输入 $NM = 0$。

(5)计算均匀温度场弹性解，则控制输入 $AO = 0$，$TT = 0$，$NM = 0$。

§6.4.2 标识符及子程序标识符说明

(一)上机前需准备的信息

NN　节点数

NE　单元数

KU　给定 x 方向位移节点数

KV　给定 y 方向位移节点数

KR　载荷作用的节点数

KPR　控制打印一次的时间步数

NM　所给时间步个数

KT　所输温度个数

KC　积分点总数

RU　材料密度

RPM　转速(转/分)

AA，CC，BR　蠕变常数

A1　时间步控制数

B1　待扩充控制数,可输 0

XO　x 方向节点坐标

YO　y 方向节点坐标

TT(KT)　初温为零的温度数组

RO(KT)　径向坐标 r 数组

EO(KT)　弹性模量数组

PO(KT)　泊松比数组

AO(KT)　线膨胀系数数组

B1　待扩充控制数可输

QQ(KT)　与温度有关的蠕变系数

BB(KT)　屈服极限数组

JE($8 \times NE$)　单元节点编号

JU(KU)　沿 x 向位移受约束节点编号

JV(KV)　沿 y 向位移受约束节点编号

JR(KR)　加载节点编号

RX(KR)　给定 x 向节点载荷

RY(KR)　给定 y 向节点载荷

DTT(NM)　时间步数组

(二)标识符说明

DT　时间增量

JEW(8)　工作单元节点编号

XI　x 方向积分点坐标

YI　y 方向积分点坐标

NF　方程个数

JD(NF)　总刚度矩阵对角元在一维存贮中的序号

SK　总刚度矩阵

SE(136)　单元刚度矩阵

JLL(16)　工作单元刚度矩阵与总刚度矩阵行对应

LK　一维存贮总刚度矩阵长度

B(256)　单元积分点$[B]$矩阵

S_1、S_2、S_3、S_4　积分点应力分量

E_1、E_2、E_3、E_4　积分点应变分量

SS、EE　积分点等效应力、等效应变

DE1、DE2、DE3、DE4　积分点应变分量增量

TO(4)　单元积分点温度

QI(4)　单元积分点蠕变系数

BI(4)　单元积分点屈服极限

AI(4)　单元积分点膨胀系数

D1(4)、D2(4)、D3(4)　单元积分点弹性矩阵$[D]$元素

U　先放节点载荷，后放位移

UR　每一时间步末总位移

UV　存放弹性状态的节点载荷

Q　积分点上雅可比行列式与r坐标的乘积

DEA，DEB，DEC，DED　积分点上应变分量增量

DSA，DSB，DSC，DSD　积分点上应力分量增量

(三)子程序标识符

SKDD　计算 LK

NCNA　计算积分点$\dfrac{\partial N_i}{\partial \xi}$，$\dfrac{\partial N_i}{\partial \eta}(i=1,\cdots,8)$

XYCA(N，I，J)　计算单元 N，积分点 I、J 上的$[B]$及离心力等效节点向量

EPT(N，I，J)　计算积分点上材质参数

HLS　计算非均匀温度场引起的等效节点向量

RIGHT　计算外载引起的节点向量

FKE(N)　计算单元刚度矩阵

SKKE　计算总刚度矩阵

FIXD1　平衡方程左端的约束化零

FIXD2　平衡方程右端的对应行化零

SOLVE1　平衡方程组右端项化约

SOLVE2　回代得位移解

STRESS(N)　计算单元应力增量及应变增量

CREEP　计算蠕变引起的等效节点向量

$$\left.\begin{array}{l} \text{INPUT(AR, LS)} \\ \text{NOINP(NR, LS, MQ)} \end{array}\right\} \text{输入格式}$$

$$\left.\begin{array}{l} \text{DOUJ(NR, LS, NB, NC, L)} \\ \text{DOUT(AR, LS, NB, NC, L)} \end{array}\right\} \text{输出格式}$$

§6.4.3 主程序框图简示

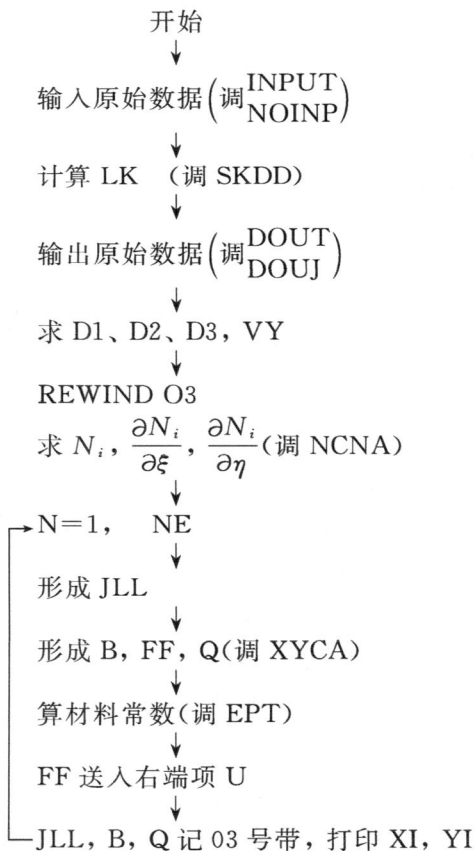

开始

↓

输入原始数据$\left(\text{调}\begin{array}{l}\text{INPUT}\\\text{NOINP}\end{array}\right)$

↓

计算 LK （调 SKDD）

↓

输出原始数据$\left(\text{调}\begin{array}{l}\text{DOUT}\\\text{DOUJ}\end{array}\right)$

↓

求 D1、D2、D3，VY

↓

REWIND O3

求 N_i，$\dfrac{\partial N_i}{\partial \xi}$，$\dfrac{\partial N_i}{\partial \eta}$（调 NCNA）

↓

→ N=1， NE

↓

形成 JLL

↓

形成 B，FF，Q（调 XYCA）

↓

算材料常数（调 EPT）

↓

FF 送入右端项 U

↓

JLL，B，Q 记 03 号带，打印 XI，YI

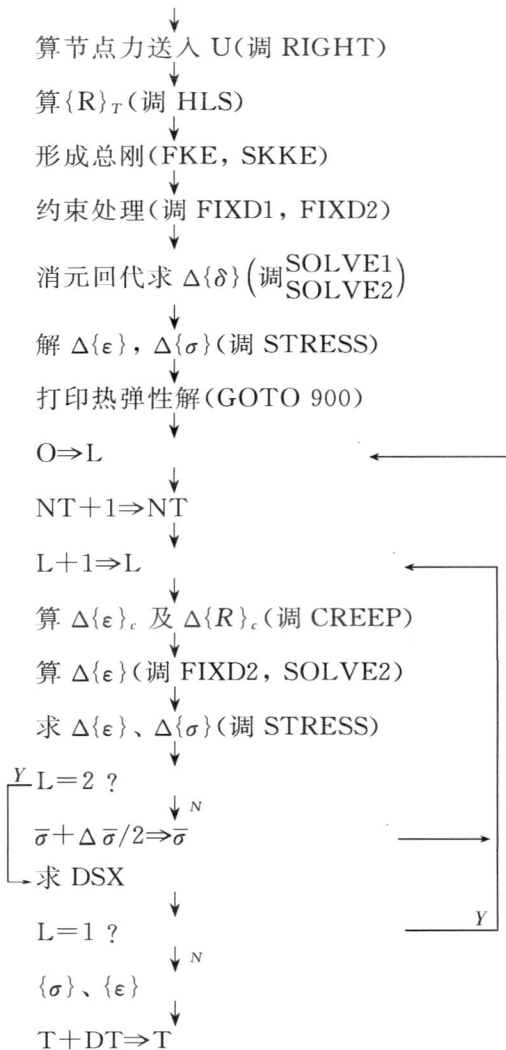

算节点力送入 U(调 RIGHT)

算 $\{R\}_T$(调 HLS)

形成总刚(FKE，SKKE)

约束处理(调 FIXD1，FIXD2)

消元回代求 $\Delta\{\delta\}$ $\left(\text{调}\genfrac{}{}{0pt}{}{\text{SOLVE1}}{\text{SOLVE2}}\right)$

解 $\Delta\{\varepsilon\}$，$\Delta\{\sigma\}$(调 STRESS)

打印热弹性解(GOTO 900)

$O \Rightarrow L$

$NT+1 \Rightarrow NT$

$L+1 \Rightarrow L$

算 $\Delta\{\varepsilon\}_c$ 及 $\Delta\{R\}_c$(调 CREEP)

算 $\Delta\{\varepsilon\}$(调 FIXD2，SOLVE2)

求 $\Delta\{\varepsilon\}$、$\Delta\{\sigma\}$(调 STRESS)

^{Y} L＝2 ？

$\downarrow N$

$\bar\sigma + \Delta\bar\sigma/2 \Rightarrow \bar\sigma$

求 DSX

L＝1 ？

$\downarrow N$

$\{\sigma\}$、$\{\varepsilon\}$

$T+DT \Rightarrow T$

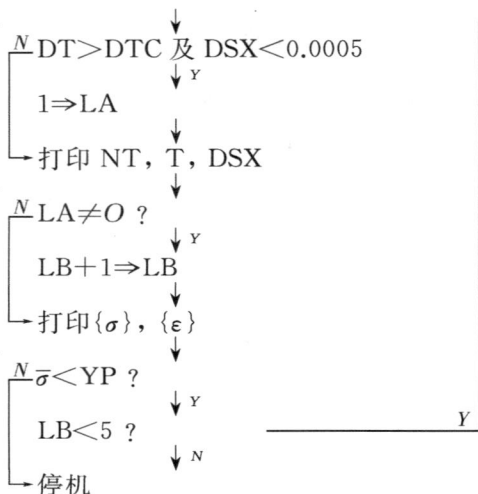

^{N}DT>DTC 及 DSX<0.0005 $\downarrow^{Y}$

1⇒LA $\downarrow$

打印 NT，T，DSX $\downarrow$

^{N}LA≠O ? $\downarrow^{Y}$

LB+1⇒LB $\downarrow$

打印 $\{\sigma\}$，$\{\varepsilon\}$ $\downarrow$

$^{N}\bar{\sigma}<$YP ? $\downarrow^{Y}$

LB<5 ? $\downarrow^{N}$

停机

§6.4.4　源程序（略）

源程序代码不在书中详述，可发邮件向出版社索取。

§6.4.5　数据准备举例

使用 ABCA 程序数据准备举例：一变厚度转盘边缘受均匀拉应力 σ_{rb}，处于非均匀温度场，因圆盘是对称的可取 $\frac{1}{4}$ 剖面划分成 8 个单元及 43 个节点（如图 6-10）进行分析。所需

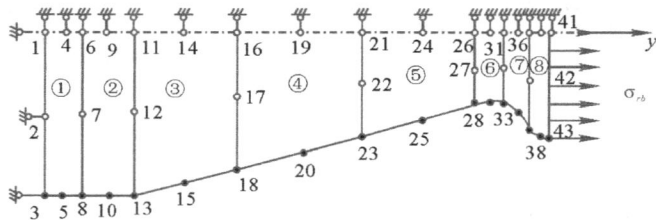

图 6-10　单元划分（单位：cm）

数据为：密度 $\rho = 7.85$ t/m³，$n = 15480$ r.p.m，$\sigma_{rb} = 244.85$ MPa，$\nu = 0.4$，$h_0 = 4.8$ cm。蠕变公式为 $\dot{\varepsilon}_c = QQ(T)e^{-\frac{BR}{TA}} t^{CC}\sigma^{AA}$，若不计蠕变常数随着温度的变化，则 $\dot{\varepsilon}_c = 6.416 \times 10^{-16}\sigma^{4 \cdot 4}t^{-0.3}$。其它截面尺寸及温度有关的数据如表 6-1 所示。

表 6-1

截面 项目	h_0	h_1	h_2	h_3	h_4	h_5	h_6	h_7	h_8
T ℃	239	239	253	322	374	494	501	509	513
r(cm)	0.0	1.0	2.5	5.5	9.5	13.5	14.5	15.5	16.0
$\xi = \dfrac{h}{h_0}$	1.000	1.000	1.000	0.857	0.679	0.504	0.529	0.681	0.751
$10^5 \times \alpha$	1.687	1.687	1.694	1.708	7.718	1.729	1.720	1.722	1.723
$10^{-5} \times$ E(MPa)	1.857	1.857	1.849	1.799	1.750	1.673	1.670	1.666	1.634

程序中需输入的信息依次如下：

43　　　　8　　　17　　　3　　　3　　　1　　　12　　　9

0.000785　15480　－0.3　4.4　0　0.5

0.　1.2　2.4　0　2.4　0　1.2　2.4

0　2.4　0　1.2　2.4　0　2.229　0

1.029　2.057　0　1.843　0　0.815　1.63　0

1.42　0　0.605　1.21　0　1.242　0　0.635

1.271　0　1.402　0　0.817　1.634　0　1.718

0　0.902　1.803

0　0　0　0.5　0.5　1　1　1

1.75　1.75　2.5　2.5　2.5　4　4　5.5

5.5　5.5　7.5　7.5　9.5　9.5　9.5　11.5
11.5　13.5　13.5　13.5　14　14　14.5　14.5
14.5　15　15　15.5　15.5　15.5　15.75　15.75
16　16　16
239　239　253　322　374　494　501　509　513
0　1　2.5　5.5　9.5　13.5　14.5　15.5　16
185700　185700　184900　179900　175000　167300
167000　166600　1663400
0.4　0.4　0.4　0.4　0.4　0.4　0.4　0.4　0.4
0.1687E − 04　0.1687E − 04　0.1694E − 04　0.1708E − 04
0.1708E − 04　0.1729E − 04　0.172E − 04
0.1722E − 04　0.1723E − 04
6.416E − 10　6.416E − 10　6.416E − 10　6.416E − 10
6.416E − 10　6.416E − 10　6.416E − 10　6.416E − 10
6.416E − 10
849.8　849.8　847.9　840.2　837.3　830.5
829.9　829.4　829
1　2　3　5　8　7　6　4　6　7　8　10　13　12　11
9
11　12　13　15　18　17　16　14　16　17　18　20
23　22　21　19
21　22　23　25　28　27　26　24　26　27　28　30
33　32　31　29
31　32　33　35　38　37　36　34　36　37　38　40
43　42　41　39
1　4　6　9　11　14　16　19　21　24　26　29　31
34　36　39　41
1　2　3

41　42　43

0.　0.　0.

73.5774　294.3097　73.5774

0.0005　0.001　0.002　0.005　0.01　0.03　0.07　0.1

0.2　0.4　0.7　1

§6.5 等向强化模型热弹塑性-
蠕变问题

材料进入塑性阶段后问题就比较复杂，这是众所周知的，因热端部件往往伴随着温度与机械加载的变化，为符合实际情况就需要考虑材质与温度的关系，如果再涉及蠕变效应则难度更大，因此我们首先讨论塑性流动过程中最简单的强化模型，即等向强化模型下的热弹塑性-蠕变问题。

§6.5.1 本构方程

材料进入弹塑性状态后，加载时弹性区与塑性区的应力应变关系应分别考虑，卸载时皆按弹性规律处理。

(一)考虑材质随温度而变

对于 Mises 型材料，塑性区内的本构关系在 §3.4.2 已讨论，由(3-31)、(3-32)式可得增量关系：

$$\mathrm{d}\sigma_{ij} = E_{ijkl}(\mathrm{d}\varepsilon_{kl} - \mathrm{d}\varepsilon_{kl}^o - \mathrm{d}\varepsilon_{kl}^c - \mathrm{d}\varepsilon_{kl}^p) \qquad (6-35)$$

而　$\mathrm{d}\varepsilon_{kl}^o = \mathrm{d}\varepsilon_{kj}^T + \mathrm{d}\widetilde{\varepsilon}_{kl} = \left[\dfrac{\mathrm{d}C_{klmn}}{\mathrm{d}T}\sigma_{mn} + \alpha\delta_{kl} + \right.$

$$\left. (T - T_0)\frac{\mathrm{d}\alpha}{\mathrm{d}T}\delta_{kl} \right]\mathrm{d}T \qquad (6-36)$$

式中，$\mathrm{d}\widetilde{\varepsilon}_{kl}$ 是考虑变温时材质变化所引起的应变增量。这里，E_{ijkl} 弹性刚度张量，C_{klmn} 是弹性柔度张量。

若加载条件为

$$f(\sigma_{ij}, \bar{\varepsilon}_p, T) = 0 \qquad (6-37)$$

因塑性流动时加载点（即应力点）在后继屈服面上，即满足
$\mathrm{d}f = 0$，则

$$\mathrm{d}f = \frac{\partial f}{\partial \sigma_{ij}} \mathrm{d}\sigma_{ij} + \frac{\partial f}{\partial \bar{\varepsilon}_p} \mathrm{d}\bar{\varepsilon}_p + \frac{\partial f}{\partial T} \mathrm{d}T = 0 \qquad (6-38)$$

利用 $\mathrm{d}\bar{\varepsilon}_p = \left(\dfrac{2}{3} \mathrm{d}\varepsilon_{ij}^p \mathrm{d}\varepsilon_{ij}^p \right)^{1/2}$ 的关系，由（3-35）式可得

$$\mathrm{d}\varepsilon_{ij}^p = \frac{\mathrm{d}\bar{\varepsilon}_p}{\left(\dfrac{2}{3} \dfrac{\partial f}{\partial \sigma_{rs}} \dfrac{\partial f}{\partial \sigma_{rs}} \right)^{1/2}} \frac{\partial f}{\partial \sigma_{ij}} \qquad (6-39)$$

将（6-39）式代入（6-35）式后与（6-38）式解得 $\mathrm{d}\bar{\varepsilon}_p$，再
利用关系式（6-39），代回（6-35）式可得到一般的热弹性-
蠕变的增量本构方程

$$\mathrm{d}\sigma_{ij} = D_{ijkl} \left(\mathrm{d}\varepsilon_{kl} - \mathrm{d}\varepsilon_{kl}^c - \frac{3\varphi}{2\bar{\sigma}} S_{kl} \mathrm{d}t \right) - \mathrm{d}\sigma_{ij}^\circ \qquad (6-40)$$

式中

$$\left.\begin{aligned}
D_{ijkl} &= E_{ijkl} - \\
&\qquad \frac{E_{ijmn} - \dfrac{\partial f}{\partial \sigma_{mn}} \dfrac{\partial f}{\partial \sigma_{rs}} E_{rskl}}{-\left(\dfrac{2}{3} \dfrac{\partial f}{\partial \sigma_{rs}} \dfrac{\partial f}{\partial \sigma_{rs}} \right)^{1/2} \dfrac{\partial f}{\partial \bar{\varepsilon}_p} + \dfrac{\partial f}{\partial \sigma_{rs}} E_{rsmn} \dfrac{\partial f}{\partial \sigma_{mn}}} \\[2ex]
\mathrm{d}\sigma_{ij}^\circ &= \frac{E_{ijkl} \dfrac{\partial f}{\partial \sigma_{kl}} \dfrac{\partial f}{\partial T} \mathrm{d}T}{-\left(\dfrac{2}{3} \dfrac{\partial f}{\partial \sigma_{rs}} \dfrac{\partial f}{\partial \sigma_{rs}} \right)^{1/2} \dfrac{\partial f}{\partial \bar{\varepsilon}_p} + \dfrac{\partial f}{\partial \sigma_{rs}} E_{rsmn} \dfrac{\partial f}{\partial \sigma_{mn}}}
\end{aligned}\right\}$$

$$(6-41)$$

在弹塑性阶段，判断加载的准则为

$$L = \frac{\partial f}{\partial \sigma_{ij}} \mathrm{d}\sigma_{ij} + \frac{\partial f}{\partial T} \mathrm{d}T \begin{cases} >0 & \text{加载} \\ =0 & \text{中性变载} \\ <0 & \text{卸载} \end{cases} \quad (6-42)$$

仅有 $L>0$ 的情况产生新的塑性变形，另外，(6-40)式亦适用于理想塑性材料。

在弹性区，这时只须将上面式中的塑性部分略去，即令 $\mathrm{d}\varepsilon_{ij}^p = 0$，可得

$$\mathrm{d}\sigma_{ij} = E_{ijkl} \left(\mathrm{d}\varepsilon_{kl} - \mathrm{d}\varepsilon_{kl}^0 - \frac{3\varphi}{2\bar{\sigma}} S_{kl} \mathrm{d}t \right) \quad (6-43)$$

(二)不考虑材质变化

这时 $\mathrm{d}\varepsilon_{kl}^0 = \alpha \mathrm{d}T \delta_{kl} = \mathrm{d}\varepsilon_{kl}^T$，由 (6-41)式因 $\dfrac{\partial f}{\partial T} = 0$ 得到 $\mathrm{d}\sigma_{ij}^0 = 0$。

在塑性区：

$$\mathrm{d}\sigma_{ij} = D_{ijkl} (\mathrm{d}\varepsilon_{kl} - \mathrm{d}\varepsilon_{kl}^T - \mathrm{d}\varepsilon_{kl}^e)$$

在弹性区：

$$\mathrm{d}\sigma_{ij} = E_{ijkl} (\mathrm{d}\varepsilon_{kl} - \mathrm{d}\varepsilon_{kl}^T - \mathrm{d}\varepsilon_{kl}^c)$$

§6.5.2　有限元计算格式

(一)考虑材质变化

塑性区：由(6-40)式可得增量本构关系

$$\Delta\{\sigma\} = [D]_{ep} (\Delta\{\varepsilon\} - \Delta\{\varepsilon\}_0) - \Delta\{\sigma_0\} \quad (6-44)$$

式中 $[D]_{ep}$ 为常温下弹塑性刚度矩阵表达式。

而

$$\Delta\{\varepsilon\}_0 = \Delta\{\varepsilon_0\} + \Delta\{\varepsilon\}_c$$

式中 $\Delta\{\varepsilon_0\}$，$\Delta\{\sigma_0\}$ 可分别由(6-36)及(6-41)，(3-37)式得出。

设考虑温度场时的加载条件表达式为

$$\bar{\sigma} - H_T\left(\int d\bar{\varepsilon}_p,\ T\right) = 0,\ H'_T = \frac{\partial \bar{\sigma}}{\partial \bar{\varepsilon}_p} = \frac{\partial H_T}{\partial \bar{\varepsilon}_p}$$

$$(6-45)$$

平衡关系为

$$[K]_{ep}\Delta\{\delta\} = \Delta\{P\} + \Delta\{R(\Delta\{\varepsilon\}_0)\} + \Delta\{R(\Delta\{\sigma_0\})\}$$

$$(6-46)$$

而

$$\Delta\{R(\Delta\{\varepsilon\}_0)\} = \int_V [B]^T [D]_{ep}\Delta\{\varepsilon\}_0 \mathrm{d}V \quad (6-47)$$

$$\Delta\{R(\Delta\{\sigma_0\})\} = \int_V [B]^T \Delta\{\sigma_0\}\mathrm{d}V \quad (6-48)$$

弹性区：由于 $d\varepsilon_{ij}^p = 0$，则基本方程可简化为

$$\Delta\{\sigma\} = [D]_e(\Delta\{\varepsilon\} - \Delta\{\varepsilon\}_0) \quad (6-49)$$

$$[K]_e\Delta\{\delta\} = \Delta\{P\} + \Delta\{R(\Delta\{\varepsilon\}_0)\} \quad (6-50)$$

过渡区：引入弹塑性权进行修正。详见文献[45]。

（二）不考虑材质变化

在塑性区：

$$\Delta\{\sigma\} = [D]_{ep}(\Delta\{\varepsilon\} - \Delta\{\varepsilon\}_T - \Delta\{\varepsilon\}_c)$$
$$= [D]_{ep}(\Delta\{\varepsilon\} - \Delta\{\varepsilon\}_0) \quad (6-51)$$

$$[K]_{ep}\Delta\{\delta\} = \Delta\{P\} + \Delta\{R(\Delta\{\varepsilon\}_0)\} \quad (6-52)$$

$$\Delta\{R(\Delta\{\varepsilon\}_0)\} = \int_V [B]^T [D]_{ep}\Delta\{\varepsilon\}_0\mathrm{d}V \quad (6-53)$$

在弹性区：

$$\Delta\{\sigma\} = [D]_e(\Delta\{\varepsilon\} - \Delta\{\varepsilon\}_T - \Delta\{\varepsilon\}_c)$$
$$= [D]_e(\Delta\{\varepsilon\} - \Delta\{\varepsilon\}_0) \quad (6-54)$$

$$[K]\Delta\{\delta\} = \Delta\{P\} + \Delta\{R(\Delta\{\varepsilon\}_0)\} \quad (6-55)$$

这里 $\Delta\{\varepsilon\}_T$ 的表达式如式(6-31)所示。

为适应航空工业的需要我们根据上述方程编制了

TEPCA 程序[45]，该程序模拟飞机一次飞行的过程而设计，能计及加载与卸载。按照(6 - 46)式，程序以变刚度法为基础，考虑初应力与初应变，其功能范围可以计算：升温状态下的弹塑性蠕变问题(考虑，或不考虑材质变化)，均匀温度场弹塑性蠕变问题；升温下弹性蠕变问题(考虑，或不考虑材质变化)，弹塑性问题；变温下弹性问题(考虑，或不考虑材质变化)，弹性问题。并计及残余应力、应变解。

对于变温下加载的弹塑性蠕变问题，温度场是稳态的还是瞬态的，其处理方法不同，若温度场是稳态的，可认为载荷与温度是同步按增量进行加载。若温度场是瞬态的，则需要分别按其变化规律进行增量加载。但两者共同的一点是，都必须先按弹性解计算求得弹性极限载荷与相应的温度场，并以此作为增量加载的起点。在 TEPCA 程序(稳态温度场)基础上，曾编制了瞬态温度场的弹塑性蠕变有限元程序 TEP-CAB[46]，具体计算步骤可详见文献[45][46]，不再赘述。

* §6.6　其它强化模型热弹塑性-蠕变问题

当负载情况不出现卸载时，前节所述等向强化模型的分析能给出与实际比较接近的结果，但在循环加载情况下，等向强化模型对许多材料不再适用。从材料实验资料可知，当应力到达屈服点以后已发生塑性变形，若再卸载到反向加载，发现反向屈服应力比原屈服应力降低，这就是熟知的鲍辛格效应，它会引起屈服面移动。同时温度变化时，因材料常数的改变会引起屈服面的扩大或缩小，因此在循环载荷情况下采用合适的强化模型，得到其相应的本构方程是至关重要的。就强化模型而言，除等向强化模型①，还有运动强化（或随动强化）模型②、组合模型③、其它模型④等，其一维情况可表示如图 6-11。这里着重介绍运动强化模型和组合强化模型的蠕变问题）。

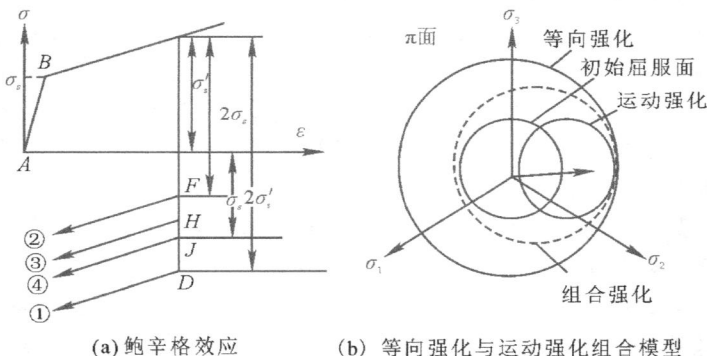

(a) 鲍辛格效应   (b) 等向强化与运动强化组合模型

图 6-11

§6.6.1 运动强化模型基本公式

按照运动强化模型，一维情况如图 6-11(a)中曲线②，材料在塑性流动过程中屈服面保持形状不变，仅沿着 $d\varepsilon_{ij}^p$ 方向发生刚性移动如图 6-11(b)所示。描述屈服面变化规律的强化条件（或加载条件）表达式为

$$f(\sigma_{ij} - \alpha_{ij}) = k^2 \qquad (6-56)$$

式中，k 为材料常数，表示屈服面半径，α_{ij} 为屈服面中心 o 的位移向量，按 Prager 提出的模型为

$$d\alpha_{ij} = c\, d\varepsilon_{ij}^p \qquad (6-57)$$

式中，c 为标量，称为硬化模量，与材料强化性质有关，由单向拉伸曲线确定。

设单向拉伸曲线方程为 $\sigma = H(\varepsilon_p)$，对于 Mises 型材料的屈服条件，则(6-56)式的显式为

$$f = \frac{1}{2}\big[(\sigma_1 - \alpha_1) - (\sigma_2 - \alpha_2)\big]^2 + \big[(\sigma_2 - \alpha_2) -$$

$$(\sigma_3 - \alpha_3)\big]^2 + \big[(\sigma_3 - \alpha_3) - (\sigma_1 - \alpha_1)\big]^2 = \sigma_2^2$$

$$(6-58)$$

单向拉伸时 $\varepsilon_2^p = \varepsilon_3^p = -\dfrac{1}{2}\varepsilon_1^p$，由(6-57)式关系可得

$$\alpha_2 = \alpha_3 = -\frac{1}{2}\alpha_1, \quad \mathrm{d}\alpha_2 = \mathrm{d}\alpha_3 = -\frac{1}{2}\mathrm{d}\alpha_1 \qquad (6-59)$$

对(6-58)式取微分，利用式(6-57)、(6-59)关系可得

$$c = \frac{2}{3} \frac{\mathrm{d}\sigma}{\mathrm{d}\varepsilon_p} = \frac{2}{3} H' \qquad (6-60)$$

若不计材质变化，可推导其本构方程如下：

根据胡克定律，应力增量为

$$\mathrm{d}\sigma_{ij} = E_{ijkl}\,\mathrm{d}\varepsilon_{kl}^e$$

$$= E_{ijkl}(\mathrm{d}\varepsilon_{kl} - \mathrm{d}\varepsilon_{kl}^p - \mathrm{d}\varepsilon_{kl}^T - \mathrm{d}\varepsilon_{kl}^c) \qquad (6-61)$$

这里

$$\mathrm{d}\varepsilon_{ij}^T = \alpha\,\mathrm{d}T\delta_{ij} \qquad (6-62)$$

强化条件为

$$F(\sigma_{ij} - \alpha_{ij}) = \sigma_s^2 \qquad (6-63)$$

式中 σ_s 按应力点温度选取，对 Mises 型材料即为(6-58)式。

因应力点在塑性流动过程中恒位于屈服面上，即满足

$$\mathrm{d}F \frac{\partial F}{\partial \sigma_{ij}}\mathrm{d}\sigma_{ij} + \frac{\partial F}{\partial \alpha_{ij}}\mathrm{d}\alpha_{ij} = 0 \qquad (q)$$

由于函数 F 的形式，必然满足

$$\frac{\partial F}{\partial \sigma_{ij}} = -\frac{\partial F}{\partial \alpha_{ij}} \qquad (r)$$

故有
$$\frac{\partial F}{\partial \sigma_{ij}}(\mathrm{d}\sigma_{ij} - \mathrm{d}\alpha_{ij}) = 0$$

由(6-57)式可得

$$\frac{\partial F}{\partial \sigma_{ij}}(\mathrm{d}\sigma_{ij} - c\,\mathrm{d}\varepsilon_{ij}^p) = 0 \qquad (6-64)$$

此式说明在塑性流动时，应力空间的应力点矢量$(\mathrm{d}\sigma_{ij} - c\,\mathrm{d}\varepsilon_{ij}^p)$与后继屈服面上该点的切平面平行。

塑性流动规律

$$\mathrm{d}\varepsilon_{ij}^p = \mathrm{d}\lambda\frac{\partial F}{\partial \sigma_{ij}} \qquad (6-65)$$

仅当满足下述条件时产生新的塑性应变

$$\frac{\partial F}{\partial \sigma_{ij}}\mathrm{d}\sigma_{ij} > 0$$

$\mathrm{d}\varepsilon_{ij}^e$的表达式仍如上节所述，则由(6-61)—(6-63)、(6-65)式及(6-57)、(6-60)式可以推得

$$\mathrm{d}\sigma_{ij} = D_{ijkl}(\mathrm{d}\varepsilon_{kl} - \mathrm{d}\varepsilon_{kl}^c - \mathrm{d}\varepsilon_{kl}^T) \qquad (6-66)$$

写成有限元格式为

$$\Delta\{\sigma\} = [D]_{ep}(\Delta\{\varepsilon\} - \Delta\{\varepsilon\}_0) \qquad (6-66a)$$

式中
$$\Delta\{\varepsilon\}_0 = \Delta\{\varepsilon\}_c + \Delta\{\varepsilon\}_T \qquad (6-67)$$

而$[D]_{ep}$与上节的$[D]_{ep}$不同，以$[D]_{ep}'$表示，即

$$[D]_{ep}' = [D] - \frac{[D]\dfrac{\partial F}{\partial\{\sigma\}}\left\{\dfrac{\partial f}{\partial\{\sigma\}}\right\}^T[D]}{\dfrac{2}{3}H'\left\{\dfrac{\partial F}{\partial\{\sigma\}}\right\}^T\dfrac{\partial F}{\partial\{\sigma\}} + \left(\dfrac{\partial F}{\partial\{\sigma\}}\right)^T[D]\dfrac{\partial F}{\partial\{\sigma\}}} \qquad (6-68)$$

平衡方程

$$[K]_{ep}\Delta\{\delta\}=\Delta\{P\}+\Delta\{R(\Delta\{\varepsilon\}_0)\}$$

而

$$\Delta\{R(\Delta\{\varepsilon\}_0)\}=\int_V [B]^T [D]'_{ep}\Delta\{\varepsilon\}_0 dV \quad (6-69)$$

在非均匀温度场中 σ_s 取当地温度下的屈服应力值，c 由相应温度下的单向拉伸曲线求得；在均匀温度场中令 $d\varepsilon_{kl}^T = 0$。若考虑到材质变化，公式推导详见文献[46]。

§6.6.2　组合模型基本公式

所谓组合模型是指等向强化与运动强化两种模型的组合，在一维情况下如图 6 - 11 曲线③所示，介于曲线①、②之间，在加载过程中，这种模型保持原始屈服面的形状移动且伴随着均匀的膨胀，如图 6 - 12 所示。

Hodge 首先提出在常温下的强化模型，他认为在加载过程中增加的塑性应变分别由等向强化与运动强化模型组合而得，并命名为混合强化模型，引入一系数 M，得到强化条件的表达式为

$$f(\sigma_{ij}-\alpha_{ij})=\overline{\sigma}_s^2(\overline{\varepsilon}_p，M)$$

式中，$\overline{\sigma}_s$ 是瞬时屈服应力，它是度量应力空间中屈服面的半

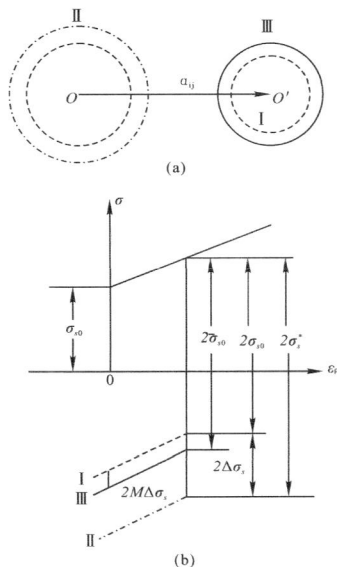

(a)

(b)

Ⅰ运动强化；Ⅱ等向强化；Ⅲ混合强化

图 6 - 12　混合强化模型

径。对于更一般的情况，文献[47]提出了变温下的混合强化模型。该文考虑到材质变化的瞬态温度场，温度变化引起屈服面均匀扩大（或缩小），塑性流动又引起加载面移动和扩大，变化过程十分复杂，这时可简化成每一瞬态加载面的最终位置来分析。以 Mises 材料为例如图 6-12(a)中的模型Ⅲ，即由运动强化模型Ⅰ及等向强化模型Ⅱ组合而成最终的混合模型Ⅲ，这时强化条件表达式为

$$f(\sigma_{ij}-\alpha_{ij})=\bar{\sigma}_s^2(\bar{\varepsilon}_p, M, T) \qquad (6-70)$$

$\bar{\sigma}_s$ 的计算方法如图 6-12(b)所示（以线性强化材料为例）：

$$\bar{\sigma}_s(\bar{\varepsilon}_p, M, T)=\sigma_{s0}+M\Delta\sigma_s$$
$$=\sigma_{s0}+M(\sigma_s^*(\bar{\varepsilon}_p, T)-\sigma_{s0})$$
$$=\sigma_{s0}(1-M)+M\sigma_s^*(\bar{\varepsilon}_p, T) \qquad (6-71)$$

式中 $\sigma_{s0}=\sigma_{s0}(T)$ 表示当前温度下的初始屈服应力，σ_s^* 表示等向强化屈服应力。这里 M 定义为强化参数，而不再是常系数。考虑到温度的变化，$M=M(T)$，其范围为 $0\leqslant M(T)\leqslant 1$。$M$ 的确定可根据不同温度下的多级疲劳试验，按图 6-12(b)所示方法确定（这时图 6-12(b)中Ⅲ表示试验曲线，$\bar{\sigma}_s$ 即表示实验确定值）

$$M(T)=\frac{\bar{\sigma}_s-\sigma_{s0}}{\sigma_s^*-\sigma_{s0}} \qquad (s)$$

一般情况很可能各级疲劳所得的 M 值不同，可在加载的应力范围内适当选取平均值。

按混合强化模型，塑性应变增量由两部分组成，即

$$d\varepsilon_{ij}^p=d\varepsilon_{ij}^{p(i)}+d\varepsilon_{ij}^{p(k)} \qquad (6-72)$$

式中 $d\varepsilon_{ij}^{p(i)}$、$d\varepsilon_{ij}^{p(k)}$ 分别描述加载面按等向强化及运动强化模

型相关的塑性变形部分，即

$$\mathrm{d}\varepsilon_{ij}^{p(i)} = M\mathrm{d}\varepsilon_{ij}^{p} , \ \mathrm{d}\varepsilon_{ij}^{p(k)} = (1-M)\mathrm{d}\varepsilon_{ij}^{p} \qquad (6-73)$$

故

$$\mathrm{d}\,\bar{\varepsilon}_{p}^{(i)} = M\mathrm{d}\,\bar{\varepsilon}_{p} , \ \mathrm{d}\,\bar{\varepsilon}_{p}^{(k)} = (1-M)\mathrm{d}\,\bar{\varepsilon}_{p} \qquad (6-74)$$

设总应变增量为

$$\mathrm{d}\varepsilon_{ij} = \mathrm{d}\varepsilon_{ij}^{e} + \mathrm{d}\varepsilon_{ij}^{p} + \mathrm{d}\varepsilon_{ij}^{c} + \mathrm{d}\varepsilon_{ij}^{T} \qquad (6-75)$$

据前述表达式可推得增量本构方程，写成有限元格式为

$$\mathrm{d}\{\sigma\} = [D]_{ep}(\mathrm{d}\{\varepsilon\} - \mathrm{d}\{\varepsilon\}^{0}) + \mathrm{d}\{\sigma\}^{0}) \qquad (6-76)$$

其中

$$\left.\begin{aligned}
&[D]_{ep} = [D] - \frac{1}{g}[D]\frac{\partial f}{\partial\{\sigma\}}\left(\frac{\partial f}{\partial\{\sigma\}}\right)^{T}[D] \\
&\mathrm{d}\{\varepsilon\}^{0} = \mathrm{d}\{\varepsilon\}_{c} + \mathrm{d}\{\varepsilon\}_{T} + \mathrm{d}\{\bar{\varepsilon}\}_{T} \\
&\mathrm{d}\{\sigma\}^{0} = \frac{1}{g}[D]\frac{\partial f}{\partial\{\sigma\}} \cdot \\
&\left[2\,\bar{\sigma}_{s}\frac{\partial\bar{\sigma}_{s}}{\partial T}\mathrm{d}T + (1-M)\frac{\partial H}{\partial T}\mathrm{d}T\left(\frac{2}{3}\left\{\frac{\partial f}{\partial\{\sigma\}}\right\}^{T}\frac{\partial f}{\partial\{\sigma\}}^{1/2}\right)\right] \\
&g = \left\{\frac{\partial f}{\partial\{\sigma\}}^{T}\right\}[D]\frac{\partial f}{\partial\{\sigma\}} + 2\,\bar{\sigma}_{s}\frac{\partial\bar{\sigma}_{s}}{\partial\bar{\varepsilon}_{p}} \cdot \\
&\left(\frac{2}{3}\left\{\frac{\partial f}{\partial\{\sigma\}}\right\}^{T}\frac{\partial f}{\partial\{\sigma\}}\right)^{1/2} + \frac{2}{3}H'(1-M)\left\{\frac{\partial f}{\partial\{\sigma\}}\right\}^{T}\frac{\partial f}{\partial\{\sigma\}}
\end{aligned}\right\}$$

$$(6-77)$$

分析 $(6-77)$ 式，当 $M=1$ 时为等向强化情况，与 $(6-40)$、$(6-41)$ 式对比完全相符；当 $M=0$ 时为运动强化情况，若不考虑材质变化，则与 $(6-66a)$ —$(6-68)$ 式相同，可详见文献[47]。

§6.7 热弹塑性–蠕变分析中的有关问题

考虑材质变化的热弹塑性蠕变分析是非常复杂的课题,在实践中会遇到的问题很多,下面分别介绍我们对这些问题的理解与克服的办法。

(一)考虑材质与温度有关的加载与卸载问题

弹性应力应变关系

$$\sigma = E\varepsilon \tag{6-78}$$

考虑到材质变化 $E = E(T)$,则有

$$d\sigma = (E + dE)(\varepsilon + d\varepsilon) - E\varepsilon = Ed\varepsilon + \varepsilon dE + dEd\varepsilon$$

有的学者用增量步来计算热弹性问题,其实对纯弹性问题没有必要,因(6-78)式是状态方程,所得解应与历史过程无关(可自行推证)。就以加载与卸载的循环过程来看,若采用增量加载,往往在计算中略去了小量 $dEd\varepsilon$,如果增量步太大则形成较大误差,在卸载时采用一步完成弹性卸载,反而出现一定数量的残余变形,这与实际不符。

(二)材质变化的处理

对材料模型的处理中,许多学者作出了努力,将材质变化规律简化成线性[48]、折线[49]、多项式[50]、拟合曲线[51]、拟合曲面[52]等,我们采取直接以点的坐标输入对应的热态参数(T、σ_s、E、ν、α),相当于直接输入 $\sigma_s - T$,$E - T$,$\nu - T$,$\alpha - T$ 等曲线,在程序中进行插值计算,这样做具有通用性,也避免了简化处理所引入的误差。

(三)应力应变曲线的处理

蠕变计算一涉及塑性状态必然会碰到这样的问题,即

当弹性直线段与条件屈服点 s 之间有过渡段时（如图 6-13），计算模型应怎样选取。方法有：①联接 os，改变 E 值，这对大变形问题的解影响不大，但对小变形问题有影响；②作 $o's$ 线与 oa 线平行，把原点 o 移至 o' 点，这样做的结果是使应变偏小；③延长强化段与 oa 延线交于 b 点，按 obc 折线计算，这样做使屈

图 6-13 应力应变曲线

服点降为 b 点，若该点下降太多亦不可取。我们曾采取了另外的方案④如图示，即在应力应变按折线 $oadsc$ 输入，计算中屈服点仍是 s，杨氏模量 E 可直接采用实验数据。对于过渡区，弹性部分斜率按折线 ds 计算，这样处理的结果是比较满意的。

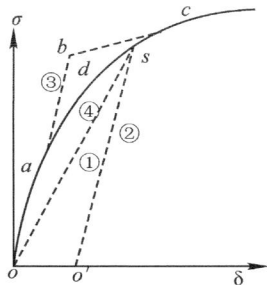

（四）屈服面校正向题

（1）按应力校正

屈服面的校正方法有两种：沿屈服面法向校正或沿加载路线校正，这里讨论后一种方法，如图 6-14 所示。

设上一步的应力为 σ_{ij}^{n-1}，本步计算值为 σ_{ij}^{n}，校正后的正确值为 σ_{ij}，则

$$\sigma_{ij} = \sigma_{ij}^{n} - W\sigma_{ij}^{n-1} \qquad (6-79)$$

式中 W 为要求的比例值。而 $\bar{\sigma}$ 值可根据 $\bar{\varepsilon}^n$ 由该温度的 $\bar{\sigma}$-$\bar{\varepsilon}$ 曲线得到，记为 R，应满足屈服条件

$$(\sigma_r - \sigma_\theta)^2 + (\sigma_\theta - \sigma_z)^2 + (\sigma_z - \sigma_r)^2 + 6(\tau_{r\theta}^2 + \tau_{\theta z}^2 + \tau_{zr}^2) = 2R^2$$
$$(6-80)$$

将(6-79)关系代入即得

$$BW^2 - GW + (\bar{\sigma}^n)^2 - R^2 = 0$$

式中

$$B = \frac{1}{2}\big[(\Delta\sigma_r - \Delta\sigma_\theta)^2 + (\Delta\sigma_\theta - \Delta\sigma_z)^2$$
$$+ (\Delta\sigma_z - \Delta\sigma_r)^2 + 6(\Delta\tau_{r\theta}^2 + \Delta\tau_{\theta z}^2 + \Delta\tau_{zr}^2)\big]$$

$$G = \sigma_r(2\Delta\sigma_r - \Delta\sigma_\theta - \Delta\sigma_z) + \sigma_\theta(2\Delta\sigma_\theta - \Delta\sigma_z - \Delta\sigma_r)$$
$$+ \sigma_z(2\Delta\sigma_z - \Delta\sigma_\theta - \Delta\sigma_r)$$
$$+ 6(\tau_{r\theta}\Delta\tau_{r\theta} + \tau_{\theta z}\Delta\tau_{\theta z} + \tau_{zr}\Delta\tau_{zr}) = \frac{1}{3}\sigma_{ij} \cdot \Delta s_{ij}$$

解出

$$W = [G \pm \sqrt{G^2 - 4B((\bar{\sigma}^n)^2 - R^2)}]/2B \qquad (6-81)$$

共有两个根, 若不计材质变化, $\sigma_{ij}^n > \sigma_{ij}^{n-1}$, $\sigma_{ij} > \sigma_{ij}^{n-1}$, 两个根中取绝对值小的那一个。

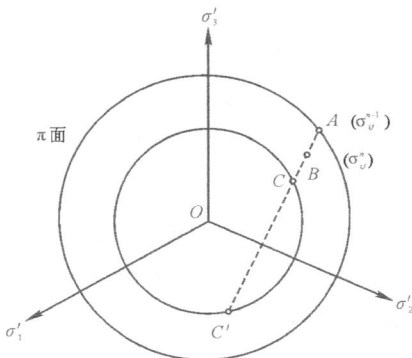

图 6-14 屈服面校正图示

令根式 $[G^2 - 4B((\bar{\sigma}^n)^2 - R^2)]^{1/2} = C$，若考虑材质变化，情况就不同，因变温时屈服面有可能扩大或缩小，这时可能使得 $R > \bar{\sigma}^n$ 或 $R < \bar{\sigma}^n$，G 值实际上与应力矢量 σ_{ij}、应力偏量增量 ΔS_{ij} 的点积成比例（加载时为正），在取 W 值时必须加以判断，由 (6-81) 式选取较小的根。如果校正不合适，可能所取之根非较小者，就会产生明显的应力跳跃，或者校正后反而使结果恶化，采取上面的判断措施可克服应力跳动。

（2）提高校正精度

往往存在这样的问题，应力校正后应力点虽在屈服面上，但还能否满足塑性流动法则？因此在应力校正的同时，还应将修正应力 $\delta\{\sigma\}$，利用流动法则求出塑性应变作为应变修正量 $\delta\{\varepsilon\}$，对应变进行修正，即令 $\delta\{\varepsilon\}_p = \delta\{\varepsilon\}$（常温情况按 (6-15) 式），则

$$\{\varepsilon\}_{n+1} = \{\varepsilon\}_n + \delta\{\varepsilon\}$$

§6.8　算　例

例 6-1　一内外半径分别为 a 及 b 的厚壁管，该管承受内压 p_i，假定材料是不可压缩的，已知 $a = 4$ mm，$b = 6.4$ mm，$p_i = 2\,515$ MPa，$E = 1.378 \times 10^5$ MPa，$\sigma_s = 1.378 \times 10^3$ MPa；蠕变方程为 $\varepsilon_c = 6.416 \times 10^{-10} \sigma^{4.4} t^{0.7}$，试分析蠕变状态下的应力、应变场。

解：此题属于弹性蠕变问题，用程序 ABCA 进行分析，按平面应变问题处理，计算中单元划分及边界处理如图 6-15 所示，泊松比 ν 取 0.499。约经 2 小时计算趋近稳定解，

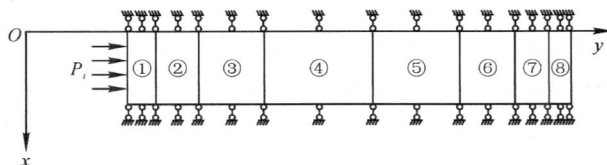

图 6 - 15　厚壁筒剖面单元划分

表 6 - 2 给出计算 2.4 小时后靠近内缘及外缘处积分点的应力解，它与 Bailey 稳定理论解十分吻合。图 6 - 16 给出了弹性解的等效应力 $\bar{\sigma}$ 及径向位移 u 并与相应的蠕变解进行比较以示差别。经 2.4 小时蠕变后近内缘处 $\bar{\sigma}$ 下降 26.7%，内缘上 u 却提高到 3.72 倍，有显著的蠕变效应。

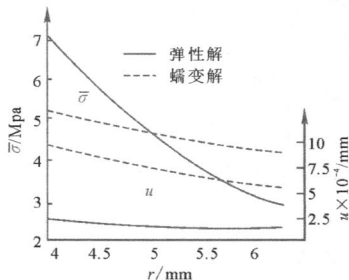

图 6 - 16　$\bar{\sigma}$ 与 u 的弹性解及蠕变解

表 6 - 2

径向坐标	方法	应力值			
		σ_z (10^2 MPa)	σ_r (10^2 MPa)	σ_θ (10^2 MPa)	$\bar{\sigma}$ (10^2 MPa)
4.086	理论值	57.649	−248.405	363.054	530.0511
4.086	计算值	57.587	−248.460	363.629	530.0851
6.378	理论值	248.224	−1.787	498.295	433.0442
6.378	计算值	248.165	−1.763	498.192	432.9731

例 6-2 某发动机高压涡轮盘转速为 1 4700 rpm，内缘及外缘处温度为 575℃ 及 625℃，温度场分布为 $T = T_a + (r^4 - r_a^4)(T_b - T_a)/(r_b^4 - r_a^4)$，下标 a、b 分别表示内缘及外缘处的量，蠕变方程已知为 $\varepsilon_c = 1.1806 \times 10^{10} \sigma^{5 \cdot 58} t^{0 \cdot 8} e^{\frac{-51204.8}{T_e}}$（$T_e$ 表示绝对温度），现分析转速稳定后蠕变 10 小时的应力场和变形场。

解：本题考虑到升温过程材质的变化，按空间轴对称问题处理，采用 TEPCA 程序计算。盘体剖面经简化后划分为 42 个单元，185 个节点如图 6-17 所示。计算结果：加载后处于弹塑性状态，蠕变 10 小时后的等效应力$\bar{\sigma}$及径向位移 u 的分布规律如图 6-18 所示，图中阴影区表示初始蠕变的局部塑性区。蠕变 10 小时后应力分量与位移分量变化不大，与蠕变初始状态相比，内缘处等效应力最大，蠕变后仅下降 0.02％；外缘最大径向位移发生在节点 180 处，蠕变后增长 0.14％。本例因该材料的抗蠕变性能好，蠕变现象对应力无甚影响，对位移略有影响。这也符合实际情况，如飞机发动机在稳速巡航期间是安全的，事故往往发生在起飞或降落阶段，因为这个阶段转速、温度变化剧烈。下面一例将分析温度历史的影响。

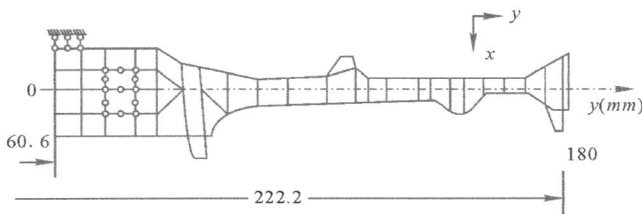

图 6-17　涡轮盘剖面单元划分

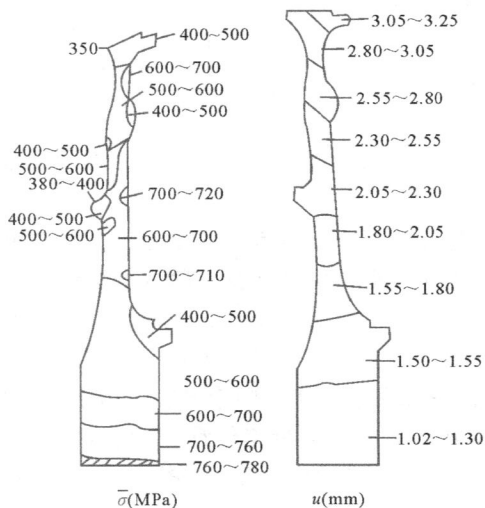

图 6-18 $\bar{\sigma}$ 及 u 的分布

例 6-3 数据仍同上题，本例只是考虑到温度历史过程不同，采用两种不同工况：工况 I 为温度与速度同步增加；工况 II 为温度与速度非同步增加，这是按实际工况作的简化，如图 6-19 所示。

解：工况 I 实际是按稳态温度场的计算方案，也就是上例所得计算结果。

工况 II 按瞬态温度场计算，采用程序 TEPCAB，将涡轮盘按方案 I 与方案 II 的计算结果比较，图 6-20、图 6-21 给出沿盘右侧靠近积分点的 $\bar{\sigma}$ 及节点的位移 u，并在图 6-20 中给出由方案 II 计算所得的残余等效应力 $\bar{\sigma}^0$。工况 II 的等应力 $\bar{\sigma}$ 与沿盘右侧的位移曲线 u 比方案 I 的对应曲线的峰值均有所下降。这样的变化对盘体的强度更为有利,说明方案Ⅱ是合理的。

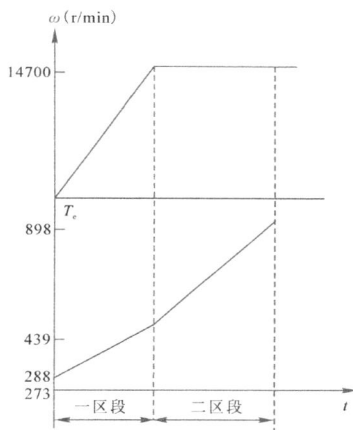

图 6-19　工况图示

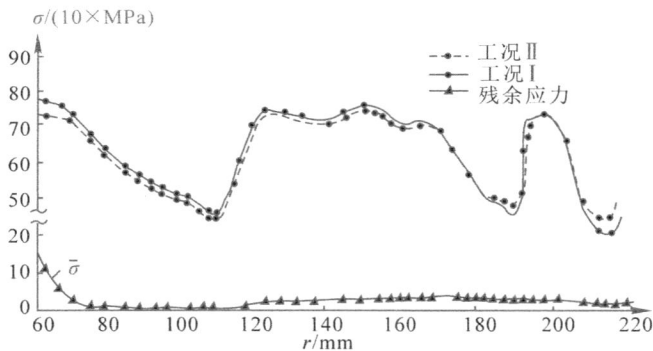

图 6-20　沿盘右侧$\bar{\sigma}$在两种工况下的比较及其残余应力

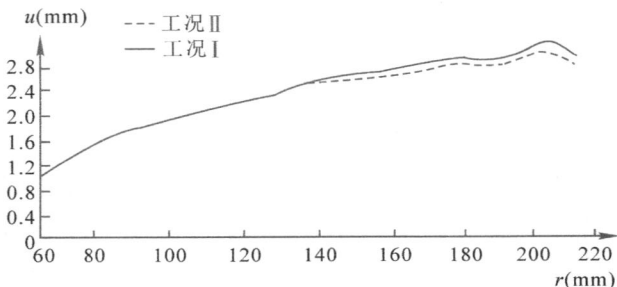

图 6-21 沿盘右侧 r 方向位移在两种工况下的比较

例 6-4 圆柱体两端受约束，由于温度变化产生热应力。柱体为线性硬化材料，$E = 2 \times 10^5$ MPa，$E_p = 4 \times 10^4$ MPa，$\alpha = 1.2 \times 10^{-5}/℃$，$\sigma_s = 240$ MPa，$\nu = 0.499$。设初温为 20℃，升至 220℃，降至 -30℃，再上升到 20℃，试用等向强化与运动强化模型计算，并比较其结果。

解：按等向强化模型计算的结果见表 6-2（如图 6-22 中实线上的应力点）；按运动强化模型计算结果见表 6-3（如图 6-22 中点划线上的应力点）显然在反向屈服以前两种模型的计算结果一样，但因两种模型的反向屈服点不同，对前一种模型是 288 MPa，而后一种模

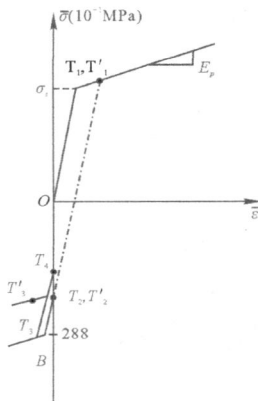

图 6-22 不同强化模型的计算值

型为 192 MPa，因此反向屈服后两种方案的计算结果就有很大差别。

表 6 - 3

温度℃		等　　向　　强　　化				运　　动　　强　　化		
		T_1 220	T_2 20	T_3 −30	T_4 20	T'_1 220	T'_2 20	T'_3 −30
σ_z MPa	计算值	−288.03	191.97	292.82	172.82	−288.03	191.97	215.98
	理论值	−288.00	192.00	292.80	172.80	−288.00	192.00	216.00

从上面算例可以归纳出如下几点看法：

（1）在厚壁筒计算中蠕变效应显著，但对于涡轮盘的计算影响不大，这种显著差别与结构形式及受载情况有关，并取决于材料的蠕变特性。因此对高温结构，分析其热弹塑性蠕变效应、全面校核各关键部件是十分必要的。

（2）由图 6 - 16 可见蠕变后应力调整使峰值下降，应力变化趋向于缓和；但对于复杂结构，很可能在蠕变过程中应力峰值发生转移，甚至超过初始峰值。因此对于复杂零件必须谨慎地进行计算，例如火电厂高温三通的蠕变分析结果就是这样。

（3）例 6 - 2、例 6 - 3 以稳态及瞬态温度场分析涡轮盘的应力，说明材料进入塑性以后加载历史（包括温度历史）的变化对应力应变都带来影响，因此在发动机升温过程中要合理考虑升温、升速方案。

（4）例 6-4 比较了不同的强化模型，在简单加载情况下能得到同样的结果，但卸载到达反向屈服后因鲍氏效应影响，结果会有较大差别，因此在工程应用中需要根据实际负荷及材料情况选择合适的强化模型。

第七章　蠕变强度与蠕变破坏

§7.1　蠕变强度

蠕变极限与持久强度是衡量材料蠕变强度的两个指标，也是设计与校核零件在高温下工作时的强度指标。

持久强度又称蠕变破坏强度，顾名思义即在高温情况下材料抵抗因长期加载发生断裂而破坏的能力。由加载直至破坏所经过的时间，称为破坏时间 t_R。持久强度是(恒载下拉伸试件)在某一规定的时间期限发生蠕变破坏的应力，用 σ_0 表示。而规定的时间期限则视零件的工作环境及服务期限而定，如汽轮机零件约 10 万小时，而航空发动机的主要零部件则仅按数百小时考虑。要确定持久强度，必须进行材料在工作温度下的蠕变破坏试验。对应于给定的破坏时间可直接由图 1 - 4 所示的持久强度曲线确定 σ_0 值。

显然，持久强度是从破坏(或寿命)角度提出的指标，实际上大量长期工作的零件，其应力并不大，断裂并不是主要的破坏形式。为了保证零件的正常工作，在设计中还需要考虑刚度问题，例如汽轮机叶片的蠕变变形在使用期限内是否会超出允许的间隙，而从刚度出发给出的强度指标即蠕变极限，用 σ_c 表示。蠕变极限的定义有两种：其一是在给定的使用期限 τ，产生允许应变值 $[\varepsilon]$ 的应力；其二是产生所规定蠕变速度的应力。σ_c 可由蠕变试验所得到的蠕变第一、第二阶段试验资料作出的 $\log\sigma - \log\dot{\varepsilon}_{min}$ 曲线或等应变蠕变曲线（如

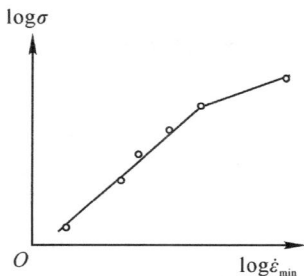

图 7-1 $\log\sigma - \log\dot{\varepsilon}_{min}$ 曲线

图 7-1、7-2）来确定。对于第一种定义，若给定的时间比较长（例如汽轮机蒸汽输送管道工作期限十万小时，允许应变 $[\varepsilon]$ 为 0.003），瞬时变形及第一阶段蠕变可略去，则根据最小蠕变率长期保持恒定的假设

$$[\varepsilon] = \dot{\varepsilon}\tau = \dot{\varepsilon}_{min}\tau$$

可求得最小蠕变率。

由恒速理论

$$\dot{\varepsilon}_{min} = Q(\sigma) \qquad (7-1)$$

可求出 σ，即求得 σ_c。

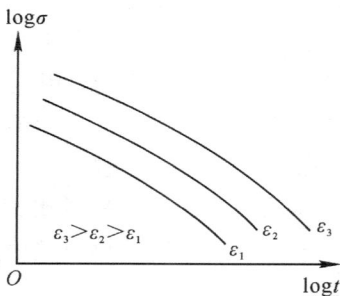

图 7-2   等应变蠕变曲线

当前，随着宇航事业的发展，负荷参数日益提高，破坏强度问题就更为突出，它直接影响高温应力零部件的寿命估算工作。因此下面着重研究蠕变破坏理论及寿命预估方法。

§7.2   一维应力蠕变破坏

首先让我们观察蠕变破坏过程的机理。拉伸试棒在蠕变过程中材料内部形成微观的裂纹，这些裂纹不断扩展互相汇合导致破坏。破坏的基本形式可分为塑性破坏（或延性破坏）

与脆性破坏两种。对于前一种，断裂时出现颈缩，试件显著伸长，断口处截面拉细而形成线状或接近点状，显示出暗灰色杯状断口，上述征状发生于高应力，短破坏时间的区段，如蠕变破坏曲线图 7－3 所示。

从金相显微镜下观察，断口有穿晶破坏特点（晶粒分裂）。对于后一种，断裂时试样不出现明显的颈缩，断口平齐，显示闪烁金属光泽的结晶状。有时有明显的人字形花样，这些征状发生于较低应力、较长破坏时间的区段。从微

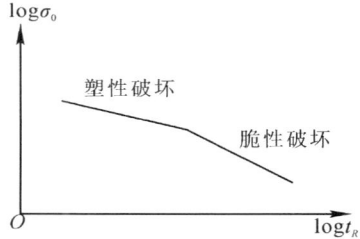

图 7－3　蠕变破坏曲线

观观察，具有晶间破坏的特征（在晶粒与晶粒之间断裂）。有时破坏情况界于两种基本形式之间，由上述两种形式混合出现，处于塑性破坏与脆性破坏的过渡阶段。下面分析应力与破坏时间之间的关系。

§7.2.1　常载荷情况

曾有一些学者根据上述破坏特征提出不同的观点：

（一）塑性破坏

1953 年 Hoff[58] 曾发表了"恒拉力作用下圆棒试样的颈缩和破坏"一文，其观点是：考虑因蠕变的结果引起截面无限地缩小直到趋近于零，导致试件破坏。在分析中考虑到破坏阶段前的蠕变过程，略去了瞬时变形与蠕变第一阶段，采用恒速理论公式

$$\dot{\varepsilon} = Q(\sigma) = B\sigma^n \qquad (7-2)$$

设 l_0 为试件的原始长度，l 为试件在变形过程中的瞬时

长度，F_0 为原始截面面积，F 为变形过程中的瞬时截面面积，载荷为 P。

在蠕变与破坏过程中，采用真应力与真应变 ϵ

$$d\epsilon = \frac{dl}{l} \text{ 或 } \epsilon = \ln\frac{l}{l_0}$$

由体积不变的假设，$\nu = \frac{1}{2}$，可得

$$F \cdot l = F_0 l_0$$

真应力 $\quad\quad \sigma_T = \frac{P}{F} = \frac{P}{F_0} \frac{l}{l_0} = \sigma_0 e^\epsilon \quad\quad\quad\quad \text{(a)}$

式中 σ_0 为按原始截面面积计算的条件应力。

把(a)式代入(7-2)式可得

$$\dot{\epsilon} = B\sigma_0{}^n e^{n\epsilon}$$

积分之

$$\int_0^\epsilon e^{-n\epsilon} \, d\epsilon = \int_0^t B\sigma_0{}^n \, dt \quad\quad\quad\quad \text{(b)}$$

即 $\quad\quad \dfrac{1}{n}\left[1 - \left(\dfrac{F}{F_0}\right)^n\right] = \displaystyle\int_0^t B\sigma_0{}^n \, dt \quad\quad \text{(7-3)}$

当恒载荷下发生蠕变破坏时，$t = T$，$\sigma_0 =$ 常数，ϵ 趋近于 ∞，则有

$$\frac{1}{n} = \int_0^T B\sigma_0{}^n \, dt, \quad T = \frac{1}{nB\sigma_0{}^n} \quad\quad \text{(7-4)}$$

式中，T 为理论破坏时间，常数 n、B 可由蠕变试验确定。式 (7-4)称为塑性破坏条件，在双对数坐标中的图形为一直线，与实验资料相符。

实际的破坏时间 t_R 要小于计算所得的 T 值，因试件的真应变 ϵ 不会达到 ∞，但曲线终段很陡，破坏时间 t_R 与变形

无限大时的 T 差别很微小,如图 7 - 4 所示。

(二)脆性破坏

按照 Качаиов[54] 脆性破坏理论:

设 Ψ 表征材料完好的程度,称为连续性因子。原始状态时 $\Psi=1$,破坏时 $\Psi=0$,故 $0 \leqslant \Psi \leqslant 1$。

令 $\sigma = \dfrac{\sigma_0}{\Psi}$ 表示材料能胜任工作的有效应力。

$\dfrac{\mathrm{d}\Psi}{\mathrm{d}t}$ 为 Ψ 的变化率,表示微裂纹扩展的速度,与有效应力 σ 有关,设采用幂函数关系

$$\frac{\mathrm{d}\Psi}{\mathrm{d}t} = -A\left(\frac{\sigma_0}{\Psi}\right)^m \qquad (7-5)$$

式中负号因 Ψ 是时间的减函数,$d\Psi$ 是负值之故。

利用条件:$t=0$ 时,$\Psi=1$;破坏时,$t=T$,$\Psi=0$ 积分可得

$$T = \frac{1}{A(1+m)\sigma_0{}^m} \qquad (7-6)$$

式中常数 A、m 与温度、应力、材料有关,由蠕变破坏试验确定。显然,(7-4)式与(7-6)式的形式相同,仅是确定常数的方法不同。

(三)混合型

上述两种观点都有其片面性,没有考虑到蠕变与裂纹形

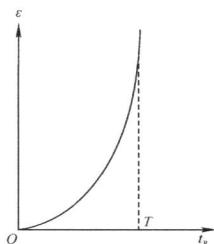

图 7 - 4 理论破坏时间与
实验值比较

221

成的相互影响。Качаиов后来又提出第三种观点，他认为在持久强度曲线的塑性破坏段，蠕变变形是主要的因素；在脆性破坏段，裂纹萌生与发展是主要因素。在脆性破坏的基础上联系 Hoff 理论，考虑到蠕变对裂纹形成与扩展的影响而提出破坏时间的计算方法，这个理论称为 Hoff - Качаиов 理论。

设按观点(一)、(二)求得的破坏时间分别为 t_H 及 t_K。根据(7-4)式可得

$$t_H = \frac{1}{nB\sigma_0^n} \tag{7-7}$$

式中，n、B 由蠕变试验确定。又由(7-6)式可得

$$t_K = \frac{1}{A(1+m)\sigma_0^m} \tag{7-8}$$

其中，A、m 由持久强度曲线确定。

若考虑到蠕变对脆性破坏的影响，设破坏时间为 t^*，则 $t^* \leqslant t_H$，由(7-3)及(7-7)式可得

$$\frac{F}{F_0} = \left(1 - \frac{t}{t_H}\right)^{\frac{1}{n}} \tag{7-9}$$

由(7-5)式考虑到蠕变过程截面积的变化，可得

$$\Psi^{m+1} - 1 = \int -A(1+m)\sigma_T^m \, dt$$

$$= -\int A(1+m)\left(\frac{P}{F_0}\frac{F_0}{F}\right)^m dt$$

考虑到蠕变对脆性破坏的影响，利用(7-8)(7-9)式得到表达式

$$\Psi^{m+1} - 1 = -\frac{1}{t_k}\int_0^t \left(1 - \frac{t}{t_H}\right)^{-\frac{m}{n}} dt \tag{c}$$

由实验资料可知 $n \geqslant m$。

当 $n > m$，破坏时 $\Psi = 0$，蠕变条件下的破坏时间 t^* 可由积分 (c) 式可得

$$\frac{t^*}{t_H} = 1 - \left(1 - \frac{n-m}{n}\frac{t_K}{t_H}\right)^{\frac{n}{n-m}}$$

因 $t^* \leqslant t_H$，则利用 (7-7)(7-8) 式可得

$$\sigma_0 \leqslant \left[\frac{A(m+1)}{B(n-m)}\right]^{\frac{1}{n-m}} \tag{7-10}$$

令 $t^* = t_H$ 时的 σ_0 值为 $\bar{\sigma}_0$，当应力比较大时属塑性破坏段，按照 Hoff 塑性破坏的解；当应力比较小时属脆性破坏，但这时或多或少有蠕变变形。考虑到这一点，求得持久强度曲线如图 7-5 中的实线所示，当应力 $\sigma_0 > \bar{\sigma}_0$ 时，重合于塑性破坏段 ab（b 点为 $\sigma_0 = \bar{\sigma}_0$ 点）；当 $\sigma_0 < \bar{\sigma}_0$ 时，曲线趋近于 de 线。图中虚线 abc、de 分别为塑性破坏及脆性破坏曲线。

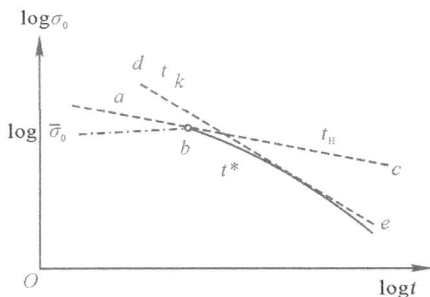

图 7-5　$\log\sigma_0 - \log t^*$ 曲线

上述三种观点是基本的。但在理论公式的推导中都略去了瞬时应变及蠕变第一阶段，因此必然会带来一些误差。为了得到更加精确的结果，学者 Carlson 提出在破坏时间的计

算公式中引入第一阶段蠕变，即

$$\varepsilon = \varepsilon_{\mathrm{I}} + \varepsilon_{\mathrm{II}}, \quad \varepsilon_{\mathrm{I}} = G(\sigma)$$

则

$$\dot{\varepsilon} = G'(\sigma)\dot{\sigma} + Q(\sigma)$$

从而得到更为复杂的公式，详见文献[55]。

§7.2.2　变载荷情况

当载荷为时间函数时，即 $\sigma_0 = \sigma_0(t)$，由 $(7-4)$ 或 $(7-6)$ 式都能得到相应的破坏条件

$$1 = \int_0^T nB\sigma_0{}^n \mathrm{d}t$$

Работнов 又把上式进行

变换，令 $nB\sigma_0^n = \dfrac{1}{T(\sigma_0)}$ 得到

$$\int_0^T \frac{\mathrm{d}t}{T(\sigma^n)} = 1 \qquad (\mathrm{d})$$

当载荷阶梯形变化如图 $7-6$ 时，若已知持久强度曲线，设 σ_{oi} 为按原始截面计算的某一瞬时应力，t_i 为 σ_{oi} 的作用时间，而在持久强度曲线上对应的破坏时间为 T_i，考虑到各

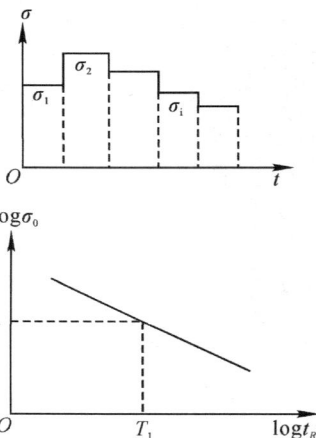

图 $7-6$　阶梯变载

段时间的载荷变化，得到的破坏条件为

$$\sum_{i=1}^j \frac{t_i}{T_i} = 1 \qquad (7-11)$$

这也就是线性损伤总和原理。

对于非阶梯变载情况如图 $7-7$ 所示，只要把载荷谱分

成多块阶梯加载，仍可近似采用(7-11)式所示的破坏条件。

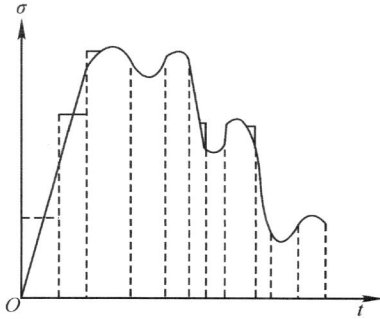

图 7-7　载荷谱按阶梯变载简化

§7.3　多维应力蠕变破坏

上一节讨论了单向应力状态的破坏条件，但问题在于结构零件常在多维应力状态下工作，要分析结构零件是否有足够的强度储备，预估构件的寿命，就必须建立多维应力状态的破坏准则，为此需要引入相当应力的概念。

(一)相当应力

为了搞清概念，首先考虑单向变载拉伸的情况。

设在某种变载情况下破坏时间为 t_1，而另一恒载情况下的破坏时间亦为 t_1，则此恒载应力即为与变载应力 $\sigma_0(t)$ 有相同破坏时间的应力称之为相当应力，用符号 σ_e 表示。

在恒载下，(7-4)与(7-6)式可归结为表达式

$$t = T(\sigma) = A\sigma^{-m}$$

引入相当应力

$$1 = \frac{t_1}{T(\sigma_e)} = \frac{t_1}{A\sigma_e^{-m}} \tag{e}$$

已知变载应力 $\sigma_0(t)$，代入(d)式可得

$$\int_0^{t_1} \frac{\mathrm{d}t}{T(\sigma_0)} = 1$$

利用(e)式，则有

$$\frac{t_1}{T(\sigma_e)} = \int_0^{t_1} \frac{\mathrm{d}t}{T(\sigma_0)} = 1$$

而 $$T(\sigma_0) = A\sigma_0^{-m}(t)$$

可得相当应力表达式

$$\sigma_e = \left(\frac{1}{t_1} \int_0^{t_1} \sigma_0^m(t)\,\mathrm{d}t \right)^{\frac{1}{m}} \tag{7-12}$$

由于式中 t_1 表示破坏时间，故所得 $\sigma_e - t_1$ 曲线与持久强度曲线的交点必是相当应力的破坏时间，亦即变载应力的破坏时间。

（二）多维应力破坏准则

在复杂应力状态下，一般采用单向应力破坏准则进行推广，根据不同的观点采用不同的相当应力与单向应力等效，这样才能引用单向应力破坏试验的资料。

A.E.Johnson 曾根据自己的实验研究资料作出结论，认为复杂应力状态下蠕变破坏的准则由最大拉应力所决定。他把最大拉应力作为相当应力，以代替(7-4)、(7-6)式中的 σ_0。

Сцобачрев 认为 Johncon 只进行了两种材料的试验，得此结论未免过早，他对合金钢采用各种加载方式进行大量试验后，发现最大拉应力准则有系统偏差，经研究提出了修正

的准则，即

$$\sigma_e = \frac{1}{2}(\sigma_{max} + \bar{\sigma})$$

式中，$\bar{\sigma}$ 是 σ_{max} 所在点的等效应力。

后来 Работнов 又研究了涡轮盘的破坏问题，发现这种修正影响不大，并说明对于这种脆性破坏结构，采用最大法向应力准则为宜。

此外，Качанов，从裂纹扩展的观点出发，并按照连续介质力学的方法进行分析。按 Качанов 的观点，裂纹发展使试件破坏是由于最大拉应力的作用，令

$$\sigma = \sigma_{max} / \Psi$$

σ 表示能胜任工作的有效应力，连续性因子 Ψ 由原始状态 1 变到 0，则

$$\frac{d\Psi}{dt} = -A \left(\frac{\sigma_{max}}{\Psi}\right)^m$$

式中 A、m 由持久强度曲线确定。

在复杂应力状态下，考虑到应力不均匀性会引起局部效应，即连续性因子 Ψ 未到达零局部区域已先发生破坏（该破坏区连续性因子 $\Psi = \Psi_0$），然后由局部区扩展到整个截面。详见算例 7-1。

上面提到的准则都是从局部的损伤条件出发或与连续介质力学概念相联系的，没有涉及整体损伤的演变过程，因此与实际情况会有差别，如果联系损伤力学概念从整体出发研究破坏过程及预估寿命，结果会更精确，有关内容将在下一节中介绍。

§7.4　连续损伤破坏分析

(一)损伤

这里研究的主要是载荷引起的损伤。蠕变过程最终导致蠕变破坏的主要因素是大应变或材料变脆,在升温过程中金属变弱变脆的主要原因从微观角度来看,是由于空穴与裂阻的成核与生长。这些缺陷的产生用不严格的术语表达为材料的损伤,显然塑性变形与蠕变都会引起材料损伤,而在此只研究蠕变损伤。

(二)一维蠕变破坏的本构关系

Качанов首先提出"净应力"的概念,他指出由于蠕变过程中材料受到损伤,实际承受载荷的有效面积在不断缩小,这时截面上具有的真实应力是"净应力",并引入了连续性因子 Ψ,如§7.2所述。

1969年 Работнов 将上述思想进一步加以完善,提出了损伤因子概念,指出材料的损伤程度由损伤因子 D 来度量。D 在物理上可理解为微裂纹和空穴在整个材料中所占体积的百分比,当 $D=0$ 时材料完好,当 $D=1$ 时材料破坏。设材料初始的截面积为 F_0,则有效面积为 $F_0(1-D)$,即净应力为

$$\sigma^* = \frac{\sigma}{1-D}$$

损伤过程中,蠕变破坏的本构关系为

$$\dot{\varepsilon}_c = B\,\frac{\sigma^n}{(1-D)^n} \qquad (7-13)$$

及

$$\dot{D} = A\,\frac{\sigma_k}{(1-D)^k} \qquad (7-14)$$

这里 A、B、n、k 均为材料常数，由蠕变曲线及持久强度曲线确定。这样，考虑了蠕变与损伤的耦合关系，当损伤增长时蠕变速度也增加，反映了蠕变第三阶段加速到达破坏的事实。对许多材料大致存在如下关系[36]

$$k \simeq 0.7\, n$$

(三) 多维蠕变破坏本构关系

随着损伤力学的发展，1977 年在前述观点的基础上 Leckie 等提出了类似于 (7 - 13)、(7 - 14)式但更为完善的三维蠕变破坏本构关系，其基本形式为

$$\dot{\varepsilon}_c = B\, \frac{\overline{\sigma}^{n-1}}{(1-D)^n} \boldsymbol{S} \qquad (7-15)$$

$$\dot{D} = A\, \frac{\Phi(\sigma)^k}{(1-D)^k} \qquad (7-16)$$

上面两式称为蠕变方程与损伤方程。式中 S 为应力偏量。

对于公式 (7 - 15)、(7 - 16)可作如下解释，根据唯象分析的方法进行实验观察，单向试验的结果表明：在蠕变第三阶段材料破坏期间，应变速度分量之间的比例仍保持为常数。由此推断，对于多维本构关系存在一标量函数 $\gamma(t)$，即

$$\dot{\varepsilon}_c = \gamma(t)\, \frac{f(\overline{\sigma})}{\overline{\sigma}} \boldsymbol{S}$$

标量函数 $\gamma(t)$ 的值在恒载荷下随时间单调增加，反映了蠕变过程的损伤效应。它与损伤因子 D（或简称损伤）有关，可以把损伤 D 作为内变量来描述，若取 $f(\sigma) = B\sigma^n$，对比式 (7 - 13)即有蠕变方程 (7 - 15)式。

至于多维应力下损伤增长的规律，可在应力空间用类似于讨论屈服面的方式来研究。通过多维破坏试验，可以得出

破坏条件在应力空间的几何图形。当破坏时间为某一常数时，根据不同应力状态的破坏试验可以在应力空间画出一曲面，表示破坏时间相同时的应力组合条件，称为等时破坏面，或简称等时面。若以平面应力状态为例，如图7-8所示。图中 d、e 点由单向拉伸蠕变破坏试验得到，图示有两个极值面：一是最大主应力面，一是等效应力面，其间则是混合型的。这样，对于不同破坏时间可形成一组等时破坏面。

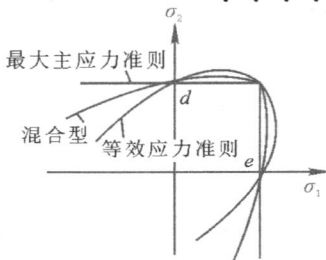

图 7-8 等时面

Leckie 和 Hayhurst[56] 曾作过试验，发现不锈钢与铝符合 Mises 型曲面（即图中等效应力准则），而铜符合最大主应力面（即图中最大主应力准则）。

等时面在数学上可用标量函数 $\Phi(\sigma_1, \sigma_2, \sigma_3)$ 来表示，即

$$\Phi(\sigma) = a\sigma_1 + b\bar{\sigma} + 3c\sigma_m \qquad (7-17)$$

其中，σ_m 为平均应力，而 a、b、c 为由破坏试验得出等时面后所确定的常数。显然在单向应力时 $\Phi(\sigma) = \sigma_1$，因此这些常数必须满足关系

$$a + b + c = 1 \qquad (f)$$

参考(7-14)式，损伤增长规律表示为(7-16)式。

注意到图7-8所示的等时面没有扩展到压应力区，但在工程结构的分析中，某些部分可能处于受压状态。如是各向同性体，(7-16)式也表示材料受压时损伤将继续增加，这是有疑问的。另外也有这样的表示法：在纯压区 $\sigma_m < 0$，假

定损伤不再增长。总之，还需要探索更合适的本构方程，有的学者进一步研究了损伤的各向异性问题，采用损伤张量描述，但给实际应用带来了更多困难。

(四)连续损伤过程及连续损伤计算方法

物体在复杂应力状态下，由于应力分布不均匀会引起局部效应。在局部区域先发生破坏，而破坏了的这部分材料就不能再承受载荷；当破坏区域逐步扩展到整体时即完全失去承载能力。

设物体的体积为 V，表面 S_T 及 S_u 分别为力边界及位移边界。蠕变进展的破坏过程可分为两个阶段：第一阶段为破坏孕育阶段，设 $t=t_1$ 为破坏开始时刻，这时 V 内出现局部破坏区，D 值的分布是不均匀的，时期 t_I（$0<t<t_1$）称为孕育期。在 t_1 时刻后，物体 V 被一曲面 Σ 分成两部分，一部分是破坏区如图 7-9 所示 V_1，另一部分是未破坏区 V_2，曲面 Σ 称为破坏前沿，ν 为前沿的法线方向。第二阶段为破坏发展阶段，设 $t=t_2$ 时破坏，则时期 t_{II}（$0<t<t_2$）称为发展期。这时破坏区 V_1 的前沿 Σ 向 V_2 区发展直到整体，即完全破坏。总的寿命时间 $t_R=t_I+t_{II}$。

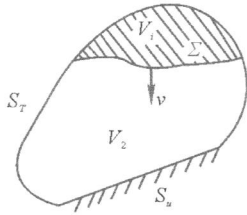

图 7-9　连续损伤过程

连续损伤的计算方法可参照 §5.4 一般应力重新分布方程来描述。

在第一阶段，$0 \leqslant t \leqslant t_1$，尽管材料的损伤在增长，但还没有出现破坏区，应按原始面积计算，这时对蠕变问题可作为初值问题来分析，其基本方程为

$$\left.\begin{array}{l} \dfrac{\mathrm{d}\varepsilon_{ij}^{c}}{\mathrm{d}t}=f_{ij}\left(R_{kl}\left(\varepsilon_{mn}^{c}\right)+\sigma_{kl}^{o},\ D\right)\\[3mm] \dfrac{\mathrm{d}D}{\mathrm{d}t}=g\left(R_{kl}\left(\varepsilon_{mn}^{c}\right)+\sigma_{kl}^{o},\ D\right) \end{array}\right\} \qquad (7-18)$$

式中，σ_{kl}^{o} 为等效弹性解，R_{kl} 为残余弹性问题的解，函数 f_{ij}，g 则由 $(7-15)$、$(7-16)$ 式确定。其初始条件为

$$\varepsilon_{ij}^{c}(0)=0,\ D(0)=0$$

在第二阶段，$t_1 < t \leqslant t_2$，局部区域已经破坏，且有效面积随破坏前沿的发展而缩小，因此在发展期需要考虑计算面积的变化，这时适用于非破坏区的计算公式为

$$\dfrac{\mathrm{d}\varepsilon_{ij}^{c}}{\mathrm{d}t}f_{ij}\left(R_{kl}^{\Sigma}\left(\varepsilon_{mn}^{c}\right)+\sigma_{kl}^{\Sigma},\ D\right)$$

$$\dfrac{\mathrm{d}D}{\mathrm{d}t}=g\left(R_{kl}^{\Sigma}\left(\varepsilon_{mn}^{c}\right)+\sigma_{kl}^{\Sigma},\ D\right) \qquad (7-19)$$

破坏前沿的初始条件为

$$\varepsilon_{ij}^{c}(t_1)=(\varepsilon_{ij}^{c})_{\mathrm{I}},\ D(t_1)=D_1 \qquad (\mathrm{g})$$

由于破坏前沿是运动的，因此等效弹性问题及残余弹性问题都必须用未破坏区的瞬时位置来表示。式中 σ_{ij}^{Σ} 表示 V_2 区的等效弹性应力，R_{ij}^{Σ} 表示 V_2 区因蠕变引起的残余弹性应力。其边界条件亦必须考虑到破坏区的发展变化而进行调整。

破坏前沿往往不能预测，它与材料及所用破坏模型及应力水平有关，因此只得记录物体变形的整个过程，用数值解法进行演算。在计算中接近破坏时，应力与变形变化很快，所以时间步长必须小，另外，不一定正好满足破坏准则，即当全部时间分步算完时不一定正好 $D=1$，这时只能人为地假设某些准则，例如规定损伤值超过 $D_i=0.9999$ 即发生破坏。

§7.5 算 例

例 7-1 一半径为 a 的圆截面杆仅承受扭转力矩 M，试用 Качанов 准则分析其寿命。

解： 按 Качанов 观点蠕变破坏的本构关系为

$$\frac{\mathrm{d}\Psi}{\mathrm{d}t} = -A\left(\frac{\sigma_{\max}}{\Psi}\right)^m \tag{h}$$

式中，连续性因子 Ψ 在材料的原始状态为 $\Psi=1$（无损伤），随着损伤值扩大 Ψ 值减小，当完全破坏时 $\Psi=0$。另外，他认为稳态蠕变是寿命的基本部分，故可采用稳态蠕变解粗略地估算应力。对扭转问题，$\sigma_{\max}=\tau_{z\theta}$，由 §4.3 可知圆截面扭转的稳态蠕变解为

$$\tau_{z\theta} = \frac{(3n+1)M}{2\pi n a^3}\left(\frac{r}{a}\right)^{\frac{1}{n}}$$

故在第一阶段

$$\frac{\mathrm{d}\Psi}{\mathrm{d}t} = -A\,\frac{\tau_{z\theta}^m(r)}{\Psi^m} \tag{7-20}$$

当 $t=t_1$ 时，$\Psi=\Psi_1(r)$，积分可得

$$\Psi_1{}^{m+1} - 1 = -A(m+1)\tau_{z\theta}^m(r)t_{\mathrm{I}}$$

这时局部区域破坏，有效面积均匀缩小，故有效半径由 a 变为 a_0，则有

$$\Psi_1{}^{m+1} - 1 = -A(m+1)\left[\frac{(3n+1)M}{2\pi n}\right]^m \frac{r^{\frac{m}{n}}}{a_0{}^{3m+\frac{m}{n}}} t_{\mathrm{I}} \tag{i}$$

在第二阶段，破坏前沿由 a_0 开始向圆心扩展，故破坏区扩展时有效半径为 $a(t)$，破坏前沿发展速度由于裂纹前沿

Ψ＝常数，故

$$\left(\frac{\mathrm{d}\Psi}{\mathrm{d}t}\right)_{\Sigma}=\left(\frac{\partial\Psi}{\partial t}+\frac{\partial\Psi}{\partial\nu}\frac{\mathrm{d}\nu}{\mathrm{d}t}\right)_{\Sigma}=0$$

利用(h)式可得

$$\frac{\mathrm{d}\nu}{\mathrm{d}t}=\frac{\dfrac{\partial\Psi}{\partial t}}{\dfrac{\partial\Psi}{\partial\nu}}=-\frac{(\sigma_{\max})_{\Sigma}^{m}}{\left[\dfrac{\partial}{\partial\nu}\displaystyle\int_{0}^{t}\sigma_{\max}^{m}\mathrm{d}t\right]_{\Sigma}}$$

式中 ν 表示裂纹前沿 Σ 的法线方向，且分子分母上因 Σ 上的 Ψ 值相同而消去。在此对圆轴的 $\dfrac{\mathrm{d}\nu}{\mathrm{d}t}$ 即是 $\dfrac{\mathrm{d}a}{\mathrm{d}t}$。

由(7-20)式对 Ψ 积分，其初值条件为：$t=t_{1}$ 时，$\Psi=\Psi_{1}$，$a=a_{0}$，得到

$$\Psi^{m+1}-\Psi_{1}{}^{m+1}=-A(m+1)\left[\frac{(3n+1)M}{2\pi n}\right]^{m}r^{\frac{m}{n}}\int_{t\mathrm{I}}^{t}\frac{\mathrm{d}t}{a^{2m+\frac{m}{n}}}$$

$$\text{(j)}$$

将(i)式代入(j)式并对 r 取微分，注意到 $\dfrac{\partial\Psi}{\partial r}$ 在 Σ 上即 $r=a$ 处，$\Psi=\Psi_{0}$，故

$$\left(\frac{\partial\Psi}{\partial r}\right)_{r=a}=\frac{-A\left[\dfrac{(3n+1)M}{2\pi n}\right]^{m}\left(\dfrac{m}{n}\right)a^{\frac{m}{n}-1}}{\Psi_{0}^{m}}$$

$$\cdot\left[\int_{t\mathrm{I}}^{t}\frac{\mathrm{d}t}{a^{3m+\frac{m}{n}}}+\frac{t_{\mathrm{I}}}{a_{0}{}^{3m+\frac{m}{n}}}\right]$$

由(7-20)式

$$\left(\frac{\partial\Psi}{\partial t}\right)_{r=a}=\frac{-A\tau_{z\theta}^{m}(a)}{\Psi_{0}^{m}}$$

得到

$$\frac{\mathrm{d}\nu}{\mathrm{d}t} = \frac{\mathrm{d}a}{\mathrm{d}t} = -\frac{\left(\dfrac{\partial\Psi}{\mathrm{d}t}\right)_{r=a}}{\left(\dfrac{\partial\Psi}{\partial r}\right)_{r=a}}$$

$$= -\frac{n}{m}a^{-3m-\frac{m}{n}+1}\frac{1}{a_0^{-3m-\frac{m}{n}}t_{\mathrm{I}} + \displaystyle\int_{t_{\mathrm{I}}}^{t} a^{-3m-\frac{m}{n}}\mathrm{d}t} \qquad (\mathrm{k})$$

设 $a^{3m+\frac{m}{n}} = R$，进行交换，则有

$$\frac{\mathrm{d}R}{\mathrm{d}t} = \left(3m+\frac{m}{n}\right)a^{3m+\frac{m}{n}-1}\frac{\mathrm{d}a}{\mathrm{d}t}$$

将(k)式对时间取一次微商，并消去积分号，得到

$$\frac{\mathrm{d}}{\mathrm{d}t}\left(\ln\frac{\mathrm{d}R}{\mathrm{d}t} - \frac{1}{3n+1}\ln R\right) = 0 \qquad (\mathrm{l})$$

(l)式的解为

$$R^{\frac{3n}{3n+1}} = c_1 t + c_2$$

式中 c_1、c_2 为积分常数。利用初始条件：$t=t_{\mathrm{I}}$ 时 $a=a_0$，及破坏时 $t=t_R$，$R=0$，得到破坏时间

$$t_R = \left(1+\frac{1}{3n}\right)t_{\mathrm{I}}$$

因常数 n 恒大于 1，而且在 2～10 之间，故第二阶段为 $\frac{1}{3n}t_{\mathrm{I}} \ll t_{\mathrm{I}}$，说明 t_{I} 是寿命的基本部分。

例 7-2 一等温场厚壁筒，内外半径各为 a 及 b，承受不变的内压 p。用连续损伤计算方法分析蠕变破坏。

解： 此问题可按平面应变问题处理。按连续损伤算法，在破坏孕育阶段与破坏发展阶段本构方程应有所区别，前者

用方程组(7-18)，后者用(7-19)。现分别根据厚壁筒特点列出具体方程。

在第一阶段，(7-18)式中的蠕变本构方程具体表达式参照 §4.4 与(7-15)式可写成

$$\left.\begin{array}{l}
\dfrac{\mathrm{d}\varepsilon_r^c}{\mathrm{d}t}=B\ \dfrac{\bar{\sigma}^{n-1}}{(1-D)^n}\left[\sigma_r-\dfrac{1}{2}(\sigma_\theta+\sigma_z)\right]\\[3mm]
\dfrac{\mathrm{d}\varepsilon_\theta^c}{\mathrm{d}t}=B\ \dfrac{\bar{\sigma}^{n-1}}{(1-D)^n}\left[\sigma_\theta-\dfrac{1}{2}(\sigma_r+\sigma_z)\right]\\[3mm]
\dfrac{\mathrm{d}\varepsilon_z^c}{\mathrm{d}t}+\dfrac{\mathrm{d}\varepsilon_r^c}{\mathrm{d}t}+\dfrac{\mathrm{d}\varepsilon_\theta^c}{\mathrm{d}t}=0
\end{array}\right\} \qquad (7-21)$$

第三式是由于蠕变体积不可压缩而得到的。式中常数 B、n 由蠕变试验确定。而且

$$\bar{\sigma}=\frac{1}{\sqrt{2}}\left[(\sigma_r-\sigma_\theta)^2+(\sigma_\theta-\sigma_z)^2+(\sigma_z-\sigma_r)^2\right]^{1/2}$$

按一般方程求解是把蠕变阶段的解看作等效弹性问题与残余弹性问题两种解的叠加，即

$$\left.\begin{array}{l}
\sigma_r=\sigma_r^r+\sigma_r^o=R_r(\varepsilon_r^c,\ \varepsilon_\theta^c)+\sigma_r^o\\[2mm]
\sigma_\theta=\sigma_\theta^r+\sigma_\theta^o=R_\theta(\varepsilon_r^c,\ \varepsilon_\theta^c)+\sigma_\theta^o\\[2mm]
\sigma_z=\sigma_z^r+\sigma_z^o=R_z(\varepsilon_r^c,\ \varepsilon_\theta^c)+\sigma_z^o
\end{array}\right\} \qquad (7-22)$$

而等效弹性应力为

$$\left.\begin{array}{l}
\sigma_r^0=\dfrac{pa^2}{b^2-a^2}\left(1-\dfrac{b^2}{r^2}\right)\\[3mm]
\sigma_\theta^0=\dfrac{pa^2}{b^2-a^2}\left(1+\dfrac{b^2}{r^2}\right)\\[3mm]
\sigma_z^0=2\nu\ \dfrac{pa^2}{b^2-a^2}
\end{array}\right\} \qquad (7-23)$$

残余弹性应力已由 §5.4 求得为

$$R_r = \frac{E}{2(1-\nu^2)}\left(\int_a^r \frac{\varepsilon_r^c - \varepsilon_\theta^c}{\eta}\mathrm{d}\eta - \frac{r^2-a^2}{b^2-a^2}\frac{b^2}{r^2}\int_a^b \frac{\varepsilon_r^c - \varepsilon_\theta^c}{\eta}\mathrm{d}\eta\right)$$
$$+ \frac{E(1-2\nu)}{2(1-\nu^2)}\frac{1}{r^2}\left(\int_a^r \eta\varepsilon_z^c\,\mathrm{d}\eta - \frac{r^2-a^2}{b^2-a^2}\int_a^b \eta\varepsilon_z^c\,\mathrm{d}\eta\right)$$
$$R_\theta = \frac{E}{2(1-\nu^2)}\left(\int_a^r \frac{\varepsilon_r^c - \varepsilon_\theta^c}{\eta}\mathrm{d}\eta - \frac{r^2+a^2}{b^2-a^2}\frac{b^2}{r^2}\int_a^b \frac{\varepsilon_r^c - \varepsilon_\theta^c}{\eta}\mathrm{d}\eta\right)$$
$$- \frac{E(1-2\nu)}{2(1-\nu^2)}\frac{1}{r^2}\left(\int_a^r \eta\varepsilon_z^2\,\mathrm{d}\eta + \frac{r^2+a^2}{b^2-a^2}\int_a^b \eta\varepsilon_z^c\,\mathrm{d}\eta\right)$$
$$- \frac{E}{1-\nu^2}(\varepsilon_\theta^c + \nu\varepsilon_z^c)$$
$$R_z = \nu(R_r + R_\theta) - E\varepsilon_z^c \tag{7-24}$$

损伤公式采用 $\Phi(\sigma) = \overline{\sigma}$（按 Mises 型破坏模型），即

$$\frac{\mathrm{d}D}{\mathrm{d}t} = A\left(\frac{\overline{\sigma}}{1-D}\right)^k \tag{7-25}$$

式中 A，k 由蠕变破坏试验确定。

当筒体出现破坏区后（即第二阶段），就要考虑筒体破坏前沿的发展是从内向外，还是从外向内。这一问题取决于材料性质与破坏准则。本问题按等效应力的破坏准则，由第一阶段孕育期公式计算可知，破坏是从内缘开始向外发展的。故令破坏前沿的半径 c 为筒体的计算内径，因此计算范围为 $b \geqslant r \geqslant c$，计算公式变成

$$\left.\begin{aligned}
\sigma_r &= R_r^\Sigma(\varepsilon_r^c,\ \varepsilon_\theta^c) + \sigma_r^\Sigma \\
\sigma_\theta &= R_\theta^\Sigma(\varepsilon_r^c,\ \varepsilon_\theta^c) + \sigma_\theta^\Sigma \\
\sigma_z &= R_z^\Sigma(\varepsilon_r^c,\ \varepsilon_\theta^c) + \sigma_z^\Sigma
\end{aligned}\right\} \tag{7-26}$$

$$\left.\begin{aligned}
\sigma_z^\Sigma &= \frac{pc^2}{b^2-c^2}\left(1-\frac{b^2}{r^2}\right) \\
\sigma_\theta^\Sigma &= \frac{pc^2}{b^2-c^2}\left(1+\frac{b^2}{r^2}\right) \\
\sigma_z^\Sigma &= 2\nu\frac{pc^2}{b^2-c^2}
\end{aligned}\right\} \tag{7-27}$$

$$R_r^\Sigma = \frac{E}{2(1-\nu^2)}\left(\int_c^r \frac{\varepsilon_r^c - \varepsilon_\theta^c}{\eta}\mathrm{d}\eta - \frac{r^2-c^2}{b^2-c^2}\frac{b^2}{r^2}\int_c^b \frac{\varepsilon_r^c - \varepsilon_\theta^c}{\eta}\mathrm{d}\eta\right)$$

$$+ \frac{E(1-2\nu)}{2(1-\nu^2)}\frac{1}{r^2}\left(\int_c^r \eta\varepsilon_z^c\mathrm{d}\eta - \frac{r^2-c^2}{b^2-c^2}\int_c^b \eta\varepsilon_z^c\mathrm{d}\eta\right)$$

$$R_\theta^\Sigma = \frac{E}{2(1-\nu^2)}\left(\int_c^r \frac{\varepsilon_r^c - \varepsilon_\theta^c}{\eta}\mathrm{d}\eta - \frac{r^2+c^2}{b^2-c^2}\frac{b^2}{r^2}\int_c^b \frac{\varepsilon_r^c - \varepsilon_\theta^c}{\eta}\mathrm{d}\eta\right)$$

$$- \frac{E(1-2\nu)}{2(1-\nu^2)}\frac{1}{r^2}\left(\int_c^r \eta\varepsilon_z^c\mathrm{d}\eta + \frac{r^2+c^2}{b^2-c^2}\int_c^b \eta\varepsilon_z^c\mathrm{d}\eta\right)$$

$$- \frac{E}{1-\nu^2}(\varepsilon_\theta^c + \nu\varepsilon_z^c)$$

$$R_Z^\Sigma = \nu(R_r^\Sigma + R_\theta^\Sigma) - E\varepsilon_z^c \qquad\qquad (7-28)$$

数值解的步骤如下:

(1)不计损伤,按(7-23)式求得初始弹性解 $\sigma_{ij}(0)$,并记存。

(2)沿径向半径分成有限点 r_i, $i=1, 2, \cdots, M$,取时间间隔 Δt_i, $i=1, 2, \cdots, L$。计算 Δt_1,设 $D=0$, $\varepsilon_{ij}^c(0)=0$,则 $R_{ij}=0$,由(7-21)式求得 Δt_1 末的 $(\varepsilon_{ij}^c)_1$ 作为下一步初值。再由(7-25)式计算损伤 D,作为下一步计算 $\Delta\varepsilon_{ij}^c$ 用。

(3)计算 Δt_i,据前一步所得蠕变总量 $(\varepsilon_{ij}^c)_{i-1}$ 由(7-24)式求得 R_{ij},由(7-22)式求得 σ_{ij},再由(7-21)式计算 $\Delta\varepsilon_{ij}^c$,得到 $(\varepsilon_{ij}^c)_i$。

(4)由(7-25)式计算损伤 D_i,并记录时间 t。

(5)重复(3)(4)直到出现破坏区,即 $D\geqslant0.9999$。

(6)改变计算半径(扣去破坏区),重复步骤(3)、(4)直到出现新的破坏区。但这时等效弹性解及残余弹性解应分别按(7-27)、(7-28)式计算,而 σ_{ij} 则按(7-26)式计算。

(7)重复步骤(6),直到完全破坏。

这里，在计算 $\Phi(\sigma)$ 时采用了 Mises 型破坏面，也有学者采用最大拉应力型破坏面（而蠕变本构方程相同）的，即损伤方程为

$$\frac{\mathrm{d}D}{\mathrm{d}t} A\left(\frac{\sigma_\theta}{1-D}\right)^k$$

由数值计算，得到了令人感兴趣的结果。按这一破坏准则，算得破坏区首先出现在最外圈。计算中沿径向分成 5 段，即 6 个有限点。令 $\rho = \dfrac{r}{a}$，$t^* = EB\sigma_0^{n-1}t$，而 σ_0 为一任意常应力，所得到的孕育期应力随损伤过程的变化如图 7-10 所示。发展期 σ_θ 与损伤随时间发展的过程如图 7-11。显然孕育期是主要的，得到与例 7-1 相同的结论。

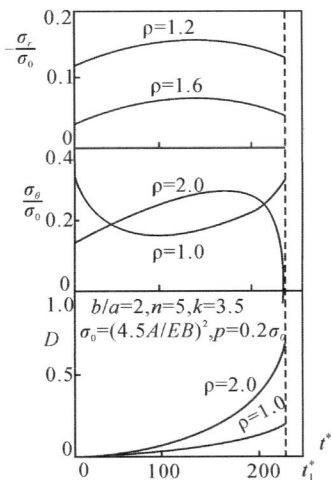

图 7-10 孕育期损伤过程　　　　图 7-11 发展期损伤过程

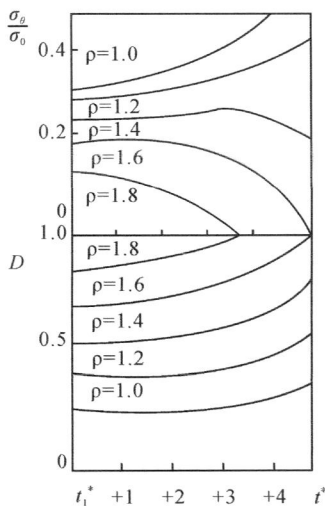

值得指出，损伤力学的分析方法也可以从损伤本构方程出发按有限元方法求解，并且可以求解更为复杂的问题。

* §7.6 寿命估算的上、下限法

由上节算例可见，要得到破坏寿命需应用计算机详细计算，为节约开支，也可采用简化方法进行近似计算，求得寿命的上下限范围。

(一)上限法

在第五章已经提到，等温蠕变过程中设想应力空间存在一势函数 F，并且等势面是外凸的，而蠕变矢量沿着等势面的外法线方向。本节为书写简便，蠕变量的下标 c 予以省略，即

$$\dot{\varepsilon} = \frac{\partial F}{\partial \sigma} \tag{7-29}$$

Leckie 和 Hayhurst 的破坏试验结果[57]，他们认为等势面与等时面是外凸的，在物理上是一致的且具有同样的形式。损伤规律(7-16)式是以 $A\Phi^K(\sigma)$ 为基础的，因此可设势函数形式为

$$F = A\Phi^K(\sigma) \tag{7-30}$$

这样就可以得到破坏寿命的上限

$$t_R = \frac{V}{(1+K)A\displaystyle\int_V \Phi^K(\sigma)\mathrm{d}V}$$

证明如下：由(5-34)式，蠕变耗散余能 $F = \displaystyle\int_0^\sigma \dot{\varepsilon}\,\mathrm{d}\sigma$ 由(7-30)式，弹性体的总耗散能为 $\displaystyle\int_V A\Phi^K(\sigma)\mathrm{d}V$。

设满足平衡条件与边界条件的静力允许的应力场为 σ^s，这里满足(7-30)式的稳态蠕变体的应力场为 σ，按最小余能原理

$$\int_V A\Phi^K(\sigma)\mathrm{d}V \leqslant \int_V A\Phi^K(\sigma^s)\mathrm{d}V \qquad (7-31)$$

根据静力允许的应力场 σ^s，按损伤规律(7-25)式可得

$$\int_V (1-D)^K \frac{\mathrm{d}D}{\mathrm{d}t}\mathrm{d}V = \int_V A\Phi^K(\sigma^s)\mathrm{d}V$$

考虑到 D 非均匀分布，令

$$\omega(t) = \frac{1}{V}\int_V (1-D)^{K+1}\mathrm{d}V$$

上式可变换为

$$-\frac{1}{K+1}\frac{\mathrm{d}\omega}{\mathrm{d}t} \leqslant \frac{1}{V}\int_V A\Phi^K(\sigma)\mathrm{d}V$$

初始值 $t=0$ 时，$D=0$，故 $\omega(0)=1$，破坏时 $D=1$，即 $\omega=0$，由上式可得破坏时间

$$t_u \leqslant \frac{V}{(1+K)A\int_V \Phi^K(\sigma)\mathrm{d}V} \qquad (7-32)$$

故破坏时间上限值为

$$t_R^{\perp} = \frac{V}{(1+K)A\int_V \Phi^K(\sigma)\mathrm{d}V}$$

(二)下限法

设 σ^{ss} 表示稳态蠕变应力解。若不考虑蠕变与损伤之间的耦合关系，直接按未损伤的稳态解由损伤方程(7-25)估算寿命，这样的作法实际上等于对破坏发展期作了简化，相当于假设破坏前沿移动时的应力解仍近似等于稳态应力，不

考虑损伤过程的应力重新分配。因此求得的破坏时间必然小于真实值，故由(7-25)式积分。

$$\int_V (1+D)^K \frac{\mathrm{d}D}{\mathrm{d}t} \mathrm{d}V = \int_V A \Phi^K (\sigma^{ss}) \mathrm{d}V$$

可得真实破坏时间

$$t_l \geqslant \frac{V}{(1+K)A \int_V \Phi^K (\sigma^{ss}) \mathrm{d}V} \qquad (7-33)$$

故破坏时间的下限值为

$$t_R^{\mathrm{F}} = \frac{V}{(1+K)A \int_V \Phi^K (\sigma^{ss}) \mathrm{d}V}$$

但是否据(7-33)式得到的 t_l 为最小的下限，不能保证。因为有时以初始弹性解 σ^0 求得的 t 值更小，即

$$t_R^{\mathrm{F}} = \frac{V}{(1+K)A \int_V \Phi^K (\sigma^0) \mathrm{d}V}$$

故通常取两者中较小者作为下限解。

(三)举例

例7-3　以承受内压 p 的厚壁筒为例分析其寿命的上、下限。

解:

(1)按上限法:

设 $\Phi(\sigma) = \bar{\sigma}$，即

$$F = A \bar{\sigma}^K$$

对平面应变情况，$\dot{\varepsilon}_z = 0$，$\sigma_z = \frac{1}{2}(\sigma_r + \sigma_\theta)$。故

$$\bar{\sigma} = \frac{\sqrt{3}}{2}(\sigma_\theta - \sigma_r)$$

蠕变本构方程为

$$\left.\begin{array}{l} \dot{\varepsilon}_r = \dfrac{\partial F}{\partial \sigma_r} = -AK\left(\dfrac{\sqrt{3}}{2}\right)^K (\sigma_\theta - \sigma_r)^{K-1} \\[3mm] \dot{\varepsilon}_\theta = \dfrac{\partial F}{\partial \sigma_\theta} = AK\left(\dfrac{\sqrt{3}}{2}\right)^K (\sigma_\theta - \sigma_r)^K \end{array}\right\} \qquad (7-34)$$

考虑不可压缩条件 $\dfrac{\mathrm{d}u}{\mathrm{d}r} + \dfrac{u}{r} = 0$，解得

$$u = \frac{C_1}{r} \qquad (7-35)$$

平衡条件

$$\frac{\partial \sigma_r}{\partial r} + \frac{\sigma_r - \sigma_\theta}{r} = 0 \qquad (7-36)$$

边界条件为 $r = a$ 时 $\sigma_r = -p$

由 $(7-34)$—$(7-36)$ 式可解得

$$\sigma_\theta - \sigma_r = -\frac{2}{K-1} \frac{\left(\dfrac{r}{a}\right)^{-\frac{2}{K-1}}}{\left(\dfrac{b}{a}\right)^{-\frac{2}{K-1}} - 1} p$$

由 $(7-32)$ 式可得

$$t_R^{\pm} = \frac{V}{(1+K)A\displaystyle\int_V \bar{\sigma}^K \,\mathrm{d}V}$$

$$= \frac{(K-1)^{K-1}}{A(K+1)}\left[\left(\frac{b}{a}\right)^2 - 1\right]\left[\left(\frac{b}{a}\right)^{-\frac{2}{K-1}} - 1\right]^{K-1}\left(\frac{1}{\sqrt{3}\,p}\right)^K$$

(2)按下限法：

蠕变规律为 $\dot{\varepsilon}_c = B\sigma^n$，所得稳态解为

$$\bar{\sigma}^{ss} = \frac{\sqrt{3}}{2}(\sigma_\theta - \sigma_r) = \frac{\dfrac{\sqrt{3}}{n}\left(\dfrac{b}{r}\right)^{\frac{2}{n}}p}{\left(\dfrac{b}{a}\right)^{\frac{2}{n}} - 1}$$

由(7-33)式可得

$$t_R^{\text{下}} = \frac{V}{A(1+K)\displaystyle\int_V [\bar{\sigma}^{ss}]^K \, dV}$$

$$= \frac{\pi(b^2 - a^2)}{A(1+K)\displaystyle\int_V 2\pi \left[\dfrac{\dfrac{\sqrt{3}}{n}\left(\dfrac{b}{r}\right)^{\frac{2}{n}}p}{\left(\dfrac{b}{a}\right)^{\frac{2}{n}} - 1}\right]^K r \, dr}$$

$$= \frac{(n-K)n^{K-1}(b^2 - a^2)\left[\left(\dfrac{b}{a}\right)^{\frac{2}{n}} - 1\right]^K}{A(1+K)[b^{\frac{2}{n}(n-K)} - a^{\frac{2}{n}(n-K)}]b^{\frac{2}{n}K}}\left(\dfrac{1}{\sqrt{3}\,p}\right)^K$$

例 7-9 Leckie 及 Wojewodzi 曾对图 7-12 所示二杆机构用类似的上、下限法进行计算，其结果与精确解比较如表 7-1(可详见文献[58])。

表 7-1

上限解	下限解	精确解	
		杆 1	杆 2
40469	24833	33036	34552

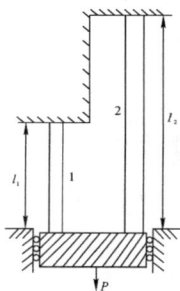

图 7-12 二杆机构

显然上限与下限的平均值为 32651，这与精确解非常接近。因此应用上、下限法计算可取平均值。

习　题

1.对汽轮机管道进行强度设计时，主要采用什么强度指标？试述原因及方法。

2.总结单向应力状态下蠕变破坏的几种观点。

3.蠕变的等势面与等时面的含意是什么？它们之间有何关系？

4.能否提出用有限元法进行连续损伤分析的计算步步骤？

5.试用图 7－10 中所示的数据，按损伤方程 $\Phi(\sigma)=\bar{\sigma}$ 分析 §7·2 厚壁筒的连续损伤过程。

6.若损伤方程为 $\Phi(\sigma)=\sigma_\theta$，试按上、下限法推导例 7－2 厚壁筒蠕变的破坏寿命(设 A、B，E 为已知常数)。

*第八章　蠕变疲劳

§8.1　蠕变疲劳

　　航空发动机、燃气轮机、核压力容器等零部件经常在高温条件下，承受循环应力，有必要考虑蠕变与疲劳共同作用的影响。随着宇航事业的发展，工作参数（温度与速度）的不断提高，20 世纪 70 年代以来，涡轮盘失事事件屡屡发生，这与发动机转子寿命预测不准确有关，特别是高载荷下的低周疲劳，有明显的蠕变疲劳交互作用的影响。因此蠕变疲劳寿命预测方法的研究，是航空界的一项重大研究课题。

　　高温下构件的疲劳问题，涉及的因素很多，如温度、应力状态、延性、冶金状态、环境腐蚀及加载历史等对它都有影响，并且这种影响往往是错综复杂的，因此至今对此问题的研究还很不成熟。

　　蠕变疲劳区别于常规的疲劳，主要是要考虑时间效应，故也可称为与时间相关的疲劳。

　　疲劳寿命通常包含裂纹萌生（初始裂纹）与裂纹扩展两部分，这里主要讨论初始寿命（即出现初始裂纹时的寿命）的预测方法。裂纹扩展可按断裂力学方法处理，也有人提出将两者结合起来研究，但本章不予讨论。对于初始寿命的预测，首先碰到的问题是初始裂纹的定义，目前各国所取初始裂纹的大小标准不一。国内对金属材料一般以工程裂纹为准，习惯上取 0.8～1 mm 裂纹长度作为破坏状态来确定初始寿命。具体选取须视预测对象及测试能力而定。

本章根据工程需要着重介绍恒温下低周疲劳问题的寿命预估，并以一维问题为主，对多维疲劳、高周疲劳及用损伤力学预测寿命等亦作简介。

§8.2 交变应力下的蠕变破坏强度与疲劳强度

工程上常遇到高温下快速交变应力与静应力叠加的情况，如图 8-1(a)，例如涡轮叶片、喷气发动机和火箭发动机

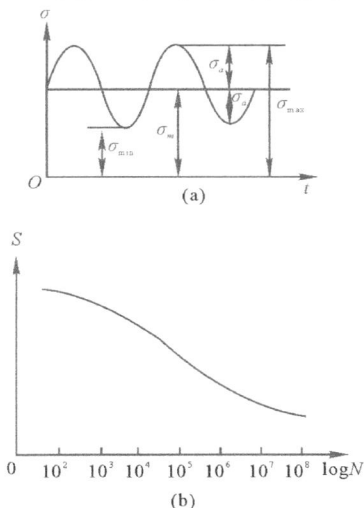

(a)

(b)

图 8-1 交变应力

各部件的受载情况，都属于高周疲劳问题。对于这些问题，要考虑蠕变与疲劳两种效应的结合，除了需要蠕变破坏试验资料外，还需要高温下的疲劳试验资料作为计算依据。

材料疲劳特性的描述通常采用 $S-N$ 曲线，称 Wöhler 疲劳曲线，S 表示应力幅 σ_a（或最大应力 σ_{max}），N 表示等幅值对称循环疲劳试验到破坏时所测得的循环次数，如图 8-1(b)所示。

为了研究透平叶片及盘体在高频振荡应力下的蠕变疲劳交互作用，学者 Lazan[59] 对蒸汽透平的合金材料作了 100 小时寿命（$N_f = 2.16 \times 10^7$）的低应力水平蠕变-高周疲劳的交互作用试验，其结果如图 8-2 所示，纵坐标为 σ_a / σ_f（σ_a 为应力幅、σ_f 为 2.16×10^7 循环疲劳强度），横坐标为 σ_m / σ_0（σ_m 为平均应力、σ_0 为 100 小时破坏应力）。图中示出了在室温时 $\dfrac{\sigma_a}{\sigma_f} = 0.4$，$\dfrac{\sigma_m}{\sigma_0} = 0.6$ 即破坏。但在高温时 $\dfrac{\sigma_a}{\sigma_f} = 0.4$，$\dfrac{\sigma_m}{\sigma_0} \geqslant 1$ 才破坏。此结果表明，当交变应力达到疲劳强度的 40% 时，仍不降低蠕变破坏强度。由此试验说明，在高温下低应力水平的振荡应力改善了蒸汽透平合金的破坏强度。对高周疲劳问题，日本学者平和田中等通过实验研究，认为总的损伤由蠕变损伤 D_c 及疲劳损伤 D_f 两部分之和达到某一给定值时，材料发生破坏。

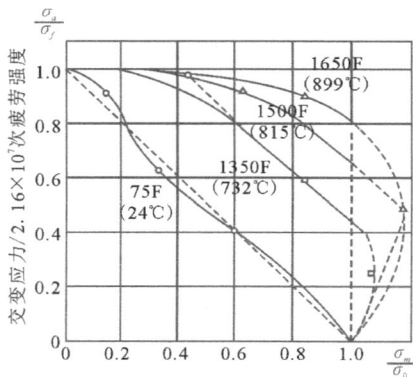

图 8-2　破坏时间强度曲线

对于蠕变损伤 D_c，可假设在交变应力下，蠕变损伤的增长速度仅是应力的函数，即

$$\frac{\mathrm{d}D_c}{\mathrm{d}t} = a_c(|\sigma|)^c \qquad (8-1)$$

由于应力是时间的函数，即

$$\sigma = \sigma_m + \sigma_a \sin\omega t = \sigma_m(1 + A\sin\omega t)$$

其中，$A = \sigma_a / \sigma_m$。

设与静态单向蠕变寿命等效的破坏强度（即相当应力）为 σ_e，若经过 n 个循环破坏，则由(8-1)式

$$n\int_0^{2\pi} a_c\sigma_e^c \mathrm{d}(\omega t) = n\int_0^{2\pi} a_c\sigma_m^c(|1 + A\sin\omega t|)^c \mathrm{d}(\omega t) = D_c$$

可得 $\sigma_e = \sigma_m \left[\dfrac{1}{2\pi}\int_0^{2\pi}(|1 + \sin\omega t|)^c \mathrm{d}(\omega t)\right]^{\frac{1}{c}} = \sigma_m I^{\frac{1}{c}}$

$$(8-2)$$

而 $$D_c = a_c(|\sigma_e|)^c t_R \qquad (a)$$

式中 c 由应力-破坏时间曲线在双对数图中的斜率确定。如果 c 已知，即可按(8-2)式对任意平均应力 σ_m 及应力比 A 计算 σ_e。t_R 是破坏时间。

对于疲劳损伤 D_f，可设想在交变应力作用下，好似在障碍物之间发生往复运动引起的损伤，且认为在这种损伤过程中位错的往复运动与平均应力关系不大，而疲劳损伤速度取决于应力幅值的大小，即

$$\frac{\mathrm{d}D_f}{\mathrm{d}t} = a_f(|\sigma - \sigma_m|)^f \qquad (8-3)$$

积分可得

$$D_f = a_f\left[\frac{\sigma_a^f}{2\pi}\int_0^{2\pi}(|\sin\omega t|)^f \mathrm{d}(\omega t)\right] t_R$$

式中，a_f 与 f 都是与应力、时间无关的常数，而 f 可由 $S-N$ 双对数图中的斜率确定。

总的损伤

$$D = D_c + D_f = a_c \sigma_m^e I t_R + a'_f \sigma_a^f t_R \tag{8-4}$$

其中

$$I = \frac{1}{2\pi} \int_0^{2\pi} (\,|\,1 + A\sin\omega t\,|\,)^c \, \mathrm{d}(\omega t)$$

$$a'_f = \frac{a_f}{2\pi} \int_0^{2\pi} (\,|\,\sin\omega t\,|\,)^f \, \mathrm{d}(\omega t)$$

在实际应用中可作些简化，若应力比 $A < 1$，即振荡应力较弱，如图 8-3(a) 所示，可以仅考虑蠕变损伤部分；当 A 较大时，如图 8-3(b) 所示，交变应力是主要的，破坏基本上取决于疲劳损伤，这时在 (8-4) 式的总损伤中只取第二项。对于蠕变损伤和疲劳损伤两者皆有的一般情况采用 (8-4) 式时，尚需确定 a'_f 与 a_c。

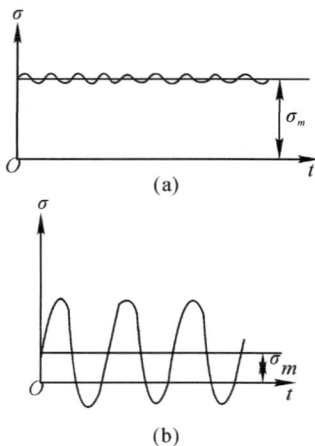

(a)

(b)

图 8-3　动态应力情况

一般情况下的相当应力可由下式确定：

因
$$\frac{\mathrm{d}D}{\mathrm{d}t}=a_c(|\sigma|)^c \qquad (b)$$

由此可得

$$a_c\sigma_e^c t_R = D_c + D_f$$

$$\sigma_e = \sigma_m\left[I + A^f\left(\frac{a'_f}{a_c}\right)\sigma_m^{f-c}\right]^{\frac{1}{c}} \qquad (8-5)$$

若仅对对称交变应力情况，因 $\sigma_m = 0$，故 $A = \infty$。如果交变应力与静态蠕变破坏强度（即持久强度）之比 $\left[\dfrac{\sigma_a}{\sigma_e}\right]_{A=\infty}$ 已知，则由(8-5)式略去 I 可求得

$$\frac{a'_f}{a_c} = \left[\frac{\sigma_a}{\sigma_e}\right]_{A=\infty}^{-c} \cdot \sigma_a^{c-f} \qquad (8-6)$$

这样根据 a'_f/a_c、c、f 为已知，即可由(8-5)式确定 σ_e，算出任意交变应力下的 σ_m/σ_e 与 σ_a/σ_e。

图 8-4 给出低碳钢在 450℃、10 小时和 100 小时破坏的试验结果（图中用 o 及。号分别表示），与计算结果（图中实线）比较，两者基本上一致。材料应力点落在实线范围内表示是安全的。图中虚线为蠕变断裂临界线，通过纵轴上交变疲劳强度 A 的点划线为给定破坏时间疲劳断裂的临界线。此材料约在应力比大于 1.7 时，断裂取决于疲劳损伤。而在应力比小于 1.7 时，断裂取决于蠕变损伤。如果考虑到因变形使截

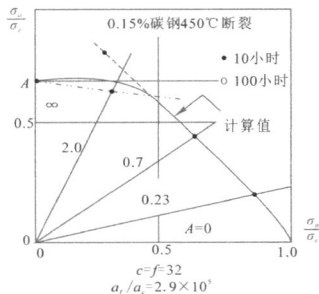

图 8-4 疲劳蠕变破坏

面积减小引起应力幅增加，能得到更好的结果，如图中所示的二点划线。

§8.3　一维蠕变疲劳寿命预估理论

这里主要研究一维低周蠕变疲劳问题的寿命预测理论。所谓低周疲劳，一般是指应力比较高（接近或超过屈服应力）局部地区进入塑性，材料在应力循环中产生一定的塑性应变。循环加载过程可能引起塑性变形的累积，因此寿命比较短。循环次数 N_f 一般在 $10^2 \sim 10^4$ 量级的范围内。

传统疲劳特性采用 $S-N$ 曲线描述，在低周疲劳下已不再适用。因材料进入塑性状态后，对于疲劳问题起控制作用的不再是应力，而是应变。因此需要的是 $\varepsilon-N$ 曲线，用以建立高温下应变变程与寿命关系，常用的是总应变增量 $\Delta\varepsilon_t - N_f$ 或 $\Delta\varepsilon p - N_f$ 曲线。

由于低周疲劳应力高寿命短，为保证零部件安全工作，寿命预测是一突出问题。值得强调，这里预测的是初始寿命，根据不同观点可有各种估算方法，常用的有：寿命-时间分数法、频率修正法、应变变程区分法、应变能区分法、延性损耗法、连续损伤法等。下面扼要介绍几种方法。

§8.3.1　寿命-时间分数法（寿命分数法）

在工程中至今仍被广泛应用的线性累积损伤理论，是由德国人 Palmgrem 及美国人 Miner 先后于 1924 年及 1945 年提出的，简称 Miner 理论。在常温状态，其基本假设是：各级交变应力幅（或应变幅）引起的损伤可以分别计算，然后叠加。设某级应力幅所施加的循环数为 N_i，该级应力水平疲

劳破坏的循环数为 N_{fi}，其比值 N_i/N_{fi} 称损伤比，如果是多级加载，各级损伤与其损伤比成正比，则总的损伤等于各级损伤比的总和，当损伤总和等于 1 时发生破坏。

Miner 法则推广应用到高温状态，在多级加载情况下，若不计蠕变效应则为

$$\sum_{i=1}^{n} \frac{N_i}{N_{fi}} = D_1$$

当破坏时 $D_1 = 1$，式中 n 表示加载级数。

与此类似，若不计疲劳效应，对于静态加载，Качаиов 定义作用时间与破坏时间之比为损伤参数。若有 q 级加载，则第 i 个应力水平的损伤参数 $D_i = t_i/t_{Ri}$，总的损伤为

$$\sum_{i=1}^{n} \frac{t_i}{t_{Ri}} = D_2$$

当 $D_2 = 1$ 时破坏。式中 t_i、t_{Ri} 表示应力水平 σ_i 的保持时间（称驻留期）及常应力 σ_i 作用下的蠕变破坏时间。

若蠕变损伤与疲劳损伤共同作用，其总的损伤为两者之和，称为寿命-时间分数法。破坏时表达式为

$$\sum_{0}^{n} \frac{N_i}{N_{fi}} + \sum_{0}^{n} \frac{t_i}{t_{Ri}} = D = 1 \qquad (8-7)$$

实际上 D 与材料特性有关，其值可由蠕变疲劳交互作用试验给出。研究蠕变疲劳的交互作用试验，目前采取的有两种途径，(1)在应变控制条件下，完成在一个循环内给出一段持续常应变（详见图 8-7(b)）的低周疲劳试验。(2)在应力控制条件下，完成在一个循环内给出一段常载荷蠕变期的低周疲劳试验。Curran 和 Wundt[61] 采取了第二种途径进行试验研究。所得结果如图 8-5 所示，给出了不同材料的损伤曲线。若表示蠕变与疲劳总损伤的点子落在该材料损伤曲线

界线以下，认为是安全的；在曲线以上将引起结构破坏。从图 8-5 可见，不同材料（或不同温度）交互作用的影响有明显的差异。因此按 $D=1$ 作为破坏条件的寿命分数法，会 3～10 倍过高地估计结构元件的寿命，但也曾得到过一些成功的结果。这种方法由于其形式简单且适用于各种复杂的变幅加载情况，目前很多国家设计规范中仍然使用。

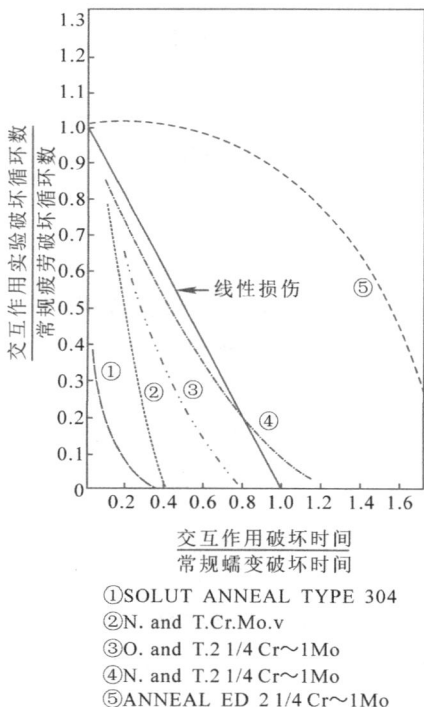

①SOLUT ANNEAL TYPE 304
②N. and T.Cr.Mo.v
③O. and T.2 1/4 Cr～1Mo
④N. and T.2 1/4 Cr～1Mo
⑤ANNEAL ED 2 1/4 Cr～1Mo

图 8-5 蠕变疲劳交互作用简图

§8.3.2 频率修正法[62](FM法)与频率分离法 (FS法)

由 Coffin-Manson 所提出的，适用于常温下的低周疲劳寿命估算分式为

$$N_f \Delta \varepsilon_p^\alpha = C \qquad (8-8)$$

式中 N_f 是单独由 $\Delta \varepsilon$ 应变循环下破坏的循环数，α、C 是由应变控制的疲劳试验确定的常数。

(一)频率修正法

在高温情况下，Coffin 提出应对上述公式的频率加以修正，认为低周疲劳中主要损伤是由塑性应变所引起的，据 Eckel 观测，提出下列的公式

$$\nu^k t_f = 常数 = f(\Delta \varepsilon_p) \qquad (c)$$

式中 t_f 是破坏时间，k 是依赖于温度的材料常数，ν 是频率。等式左边可写成

$$\nu^k t_f = \nu^k \frac{N_f}{\nu} = N_f \nu^{K-1}$$

此即频率对寿命的修正公式。因此高温下，考虑到对频率的修正式(c)，(8-8)式可写为

$$\nu^{K-1} N_f \Delta \varepsilon_p^\alpha = C \qquad (8-9)$$

显然当 $K=1$ 时，上式与(8-8)式相同，即在室温下寿命与频率无关。

(二)频率分离法

Coffin 于 1976 年提出"频率分离法"(FS法)，考虑了高温下保载时间对寿命的影响。他认为在拉伸与压缩保载时间不同的循环下，式中应引入拉伸部分的频率 $\nu_t = 1/t_t$

与压缩部分的频率 $\nu_c = 1/t_c$，将比值 ν_c/ν_t 作为修正系数，其中 t_t、t_c 分别代表拉伸与压缩部分的保载时间，修正后的公式为

$$N_f = C\Delta\varepsilon_{in}^{-\alpha}\nu_t^m\left(\frac{\nu_c}{\nu_t}\right)^K \qquad (8-10)$$

式中 ε_{in} 表示非弹性应变总量（因有保载时间，故包括蠕变部分）。这种方法实质上是把加载频率作为一个修正系数引进 Coffin-Manson 公式，以此来反映蠕变对疲劳寿命的影响。这种方法对于微观机制是穿晶断裂的问题比较适用。

§8.3.3 应变范围区分法（SRP 法）

这种方法由 Manson[63] 提出，他的基本观点是，对于与时间相关和时间无关两类应变，即使应变的量相同，但所引起的损伤并不相同。他考虑蠕变与疲劳的交互作用，把一个应力应变循环中的非弹性应变变程，按其性质不同分成几个部分，然后确定每一部分所引起的损伤，求和得出总的损伤。

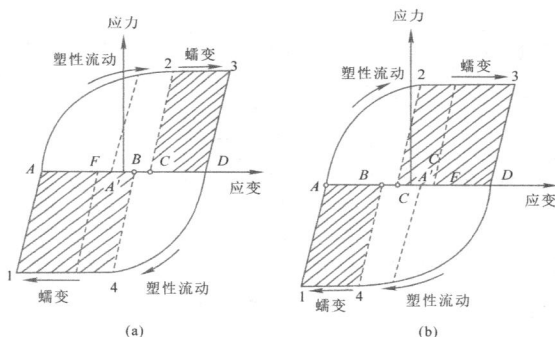

图 8-6　典型滞后曲线

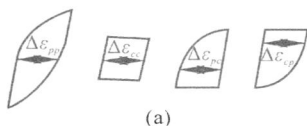

(a)

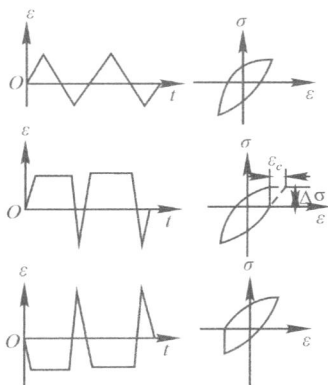

(b)

图 8-7　典型应变控制滞后迴线

如果一个应力应变循环所画出的滞后迴线如图 8-6 所示,(图 8-6(a)及(b)分别表示拉伸塑性大于压缩塑性及拉伸塑性小于压缩塑性的情况)。图中 AC 与 CD 分别为拉伸塑性与拉伸蠕变,DB 与 BA 分别为压缩塑性与压缩蠕变的变程,其非弹性应变范围为 AD,即

$$\Delta\varepsilon_{in} = AD$$

而非弹性的应变变程可分为

(1) $\Delta\varepsilon_{pp}$——拉伸塑性后继压缩塑性完全对称的应变循环,如图 8-7(a)。它取图 8-6 中拉伸塑性 AC 和压缩塑性 DB 中的小者。即在图 8-6(a)中,$\Delta\varepsilon_{pp} = BD$;在图 8-6(b)中,$\Delta\varepsilon_{pp} = AC$。

(2) $\Delta\varepsilon_{cc}$——拉伸蠕变继之压缩蠕变的完全对称循环,如图 8-7(a)。它取图 8-6 中拉伸蠕变 CD 和压缩蠕变 BA 中的小者。即在图 8-6(a)中 $\Delta\varepsilon_{cc} = CD$;在图 8-6(b)中 $\Delta\varepsilon_{cc} = BA$。

(3) $\Delta\varepsilon_{pc}$——拉伸塑性继之压缩蠕变的循环,如图 8-7(a)。在图 8-6(a)中拉压两部分塑性之差为 $A'C$,拉压两部分蠕变之差为 FB,显然 $A'C = FB$。$\Delta\varepsilon_{pc}$ 即是图 8-6(a)中由所

余下拉伸塑性 $A'C$ 和后继压缩蠕变 FB 所构成的循环如图 $8-7(a)$，其变程 $\Delta\varepsilon_{pc}=AC-BD$，仅当拉伸塑性大于压缩塑性时存在。

(4)$\Delta\varepsilon_{cp}$——在压缩塑性大于拉伸塑性时，$\Delta\varepsilon_{cp}$ 即是图 $8-6(b)$ 中由余下拉伸蠕变 CF 和后继压缩塑性 BA' 构成的循环，如图 $8-7(a)$。同理 $\Delta\varepsilon_{cp}$ 仍取拉压塑性之差，即 $\Delta\varepsilon_{cp}=BD-AC=BA'$。因此 $\Delta\varepsilon_{pc}$ 与 $\Delta\varepsilon_{cp}$ 不可能同时并存。

这样，总的非弹性应变 AD 可分成 $\Delta\varepsilon_{pp}$、$\Delta\varepsilon_{pc}$（或 $\Delta\varepsilon_{cp}$）、$\Delta\varepsilon_{cc}$ 三个应变变程，而可分别将交互作用的损伤计入每个应变变程。与每个应变区相对应的滞后迴线型式如图 $8-7(b)$ 所示[1]。通过图示 pp、cc、pc、cp 四种循环类型的疲劳试验，可分别建立 $\Delta\varepsilon-N$ 寿命曲线。

按照 Coffin-Manson 公式（$8-8$），对上述四种应变变程可以根据试验资料建立四个不同寿命的关系式

$$N_{ij}=A_{ij}\,\Delta\varepsilon_{ij}^{\beta_{ij}} \qquad (8-11)$$

式中下标 ij 分别代表 pp、pc、cp、cc 而 A_{ij}、β_{ij} 为相应于各种类型的试验常数，N_{ij} 表示上述四种类型的循环寿命。

非弹性应变的损伤量用 $\dfrac{1}{N_{ij}}$ 表示。但考虑到各应变变程分量间交互作用的影响有差异，在损伤律中引入了权系数 $F_{ij}=\Delta\varepsilon_{ij}/\Delta\varepsilon_{in}$，于是考虑交互作用的损伤总量为

---

[1]　对 cp、pc、cc 型循环，是通过保持应变而产生的应力松弛得到所希望的蠕变应变，如图 $8-7(b)$ 中虚线 $\Delta\varepsilon_c=\Delta\sigma/E$，随后反向应变完成另一半循环，若后半部分为塑性，则迅速加载达反向应变极限。

$$\frac{1}{N_f} = \Sigma \frac{F_{ij}}{N_{ij}} \tag{8-12}$$

即

$$\left.\begin{array}{l} \dfrac{F_{pp}}{N_{pp}} + \dfrac{F_{cp}}{N_{cp}} + \dfrac{F_{cc}}{N_{cc}} = \dfrac{1}{N_f} \\[3mm] \dfrac{F_{pp}}{N_{pp}} + \dfrac{F_{pc}}{N_{pc}} + \dfrac{F_{cc}}{N_{cc}} = \dfrac{1}{N_f} \end{array}\right\} \tag{8-13}$$

或

但实际情况是,求 N_f 时 N_{pc}、N_{cp}、N_{cc} 总与 N_{pp} 并存,因此有了 pp、cp、pc、cc 四种典型应变控制迴线如图 8-7(b) 的疲劳试验资料,建立不同循环类型的寿命关系式(8-11),由式(8-13)可得到预估寿命[*]。于是 Saltsman 等对 AISI 型 304 及 316 不锈钢在 316—816℃ 温度及不同热处理工艺条件下进行交互作用的试验研究[64],并用 SRP 法所得的预测寿命与试验值相比较,其比例因子为 2 倍以下者占总数的 76%,为 3 倍以下者占 98%。因此 SRP 法对蠕变疲劳的寿命预测能力,基本上在 2 倍因子内。

§8.3.4 应变能区分法(SEP 法)

何晋瑞、段作祥等提出应变能区分法的基本思想,认为决定疲劳损伤的主要因素是消耗于裂纹扩展时所需的非弹性应变能,并假设只有使裂纹张开时的拉伸滞后迴线面积所代表的应变能会产生疲劳损伤,使微裂纹扩展。这部分能量表达式为

$$\Delta U = \int_{ABCA} \sigma \, \mathrm{d}\varepsilon_{in} = \alpha \sigma_M \Delta \varepsilon_{in} = \Delta W$$

---

[*] 注:关于寿命预估问题,后面将继续讨论 SEP 方法,推广应用到多轴情况,并在 §8.4.2 中联系结构给出了具体的数字算例,得到预估寿命供参考。

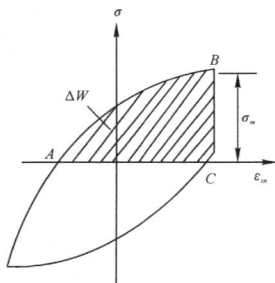

图 8-8　拉伸滞后迴线

式中，$ABCA$ 代表拉伸部分迴线，σ_M 循环中最大拉应力，如图 8-8 所示。α 为滞后迴线中拉伸部分的实际面积 $\int_{ABCA} \sigma \, d\varepsilon_p$ 与矩形面积 $\sigma_M \Delta\varepsilon_p$ 之比。故亦称迴线的形状系数。

SEP 法汲取了（SRP 法提出的）不同应变（塑性或蠕变）划分的损伤对寿命影响不同的观点，建立了各应变分量的损伤关系，即

$$N_{ij} = C_{ij}(\Delta U_{ij})^{\beta_{ij}} = C_{ij}(\alpha_{ij}\sigma_M \Delta\varepsilon_{ij})^{\beta_{ij}} \qquad (8-14)$$

式中 C_{ij}、β_{ij} 为实验确定的常数。

按照线性累积损伤法则，即得寿命估算公式：

$$\left.\begin{aligned}
\frac{1}{N_f} &= \Sigma \frac{F_{ij}^*}{N_{ij}} \\
F_{ij}^* &= \alpha_{ij}(\sigma_M)_{ij} \Delta\varepsilon_{ij} / (\alpha\sigma_M \Delta\varepsilon_{in})
\end{aligned}\right\} \qquad (8-15)$$

有人指出上述所用的假设有不完善之处，在微观裂纹产生之前似不存在裂纹"扩展"和"张开"。但文献指出这种方法对 GH_{33A} 镍基合金（700℃）及 1Cr18Ni9Ti（600℃）的寿命估算，所得结果比 SRP 法更为精确。

当非弹性区很小很难进行应变区分时，采用 SRP 及 SEP 法都有困难，1984 年董照钦、何晋瑞提出对 FS 法以应变能进行修正，称 SEFS 法，其公式为

$$N_f = C(\Delta\varepsilon_{in}\sigma_M)^{\beta}\nu_t^m(\nu_c/\nu_t)^k$$

式中 C、β、m、k 为常数，可详见文献[65]。

除上面介绍的各种方法之外，还有损伤函数法[666]、损伤率法[67]、延性耗损法[68]等，不再一一介绍。总的来说，SRP 法自 1978 年以来已获得国际上 20 多个著名实验室近 20 多种材料的试验验证，肯定其对高温合金的预测能力及与时间相关的损伤观点。对 SEP 法虽有学者指出理论上的不足之处，但实验给出比 SRP 法更为精确的结果(国内亦有用于粘性材料而得到较为满意结果的[69])。总的看 SRP 法为应变修正，SEP 法为应变能修正，就这一点而言，后者物理意义更明确。因此 SEP 法值得进一步验证与研究。寿命分数法由于方法简单，适用范围广，故仍被广泛使用，只是临界损伤值 D 需通过蠕变疲劳交互作用实验加以修正。

在实际应用中，上述方法解决了很多问题，但仍有其局限性。首先 SRP 法不宜预测那些平均应力对寿命有影响的材料。假如循环应力(或应变)下，滞后迴线不闭合，或得不到稳定的滞后迴线时，SRP 法与 SEP 法都难以应用。另外在多级加载过程中如何反映加载历史的影响(或时序效应)，上述方法未予考虑。Ostergren 提出用能量函数来反映这一影响，但离实际应用还有距离。因此即使是一维问题也还有许多值得探讨的地方。

§8.4　多维蠕变疲劳寿命预估理论

上面所讨论的是一维情况的寿命估算方法，对于实际工作零件，则更需要获得多维应力的寿命估算方法。由于实验工作的困难，这方面的研究还很不充分。根据已发表的著作，大多是利用局部应变法（或局部应力法）把多维问题简化成一维问题；此外，也有人提出多轴应变范围区分法。下面分别对应这两种方法作一简介。

§8.4.1 局部应变法（或局部应力法）的应用

局部应变法与局部应力法是常温下解决零件疲劳问题常用的方法，前者用于低周疲劳，后者用于高周疲劳。这种方法的基本观点是：不论是光滑试件或结构零件的局部材料，当经受相同的应变历程（或应力历程）时，材料所承受的损伤相等，因而其寿命（裂纹萌生）也是相等的。按此观点预测寿命的步序大致为：先按构件的载荷谱分析构件的应力应变场（注意计算时用循环应力应变曲线），求得危险部位的应力应变历程，求得载荷与局部应变（或局部应力）的关系曲线，即标定曲线，利用光滑试件的 $\Delta\varepsilon - N$（或 $\Delta\sigma - N$）寿命曲线，按 Miner 损伤原理，求出每一循环导致的损伤分数，当分数值为 1 时，认为寿命殆尽。

这种观点也推广应用到高温情况，例如一带孔平板，沿平板对称面均匀受拉时属平面应力问题。在加载过程中最大应力发生在孔边，按照局部应变法（或局部应力法）的思想，可按孔边危险点的应力应变历程来估算平板的寿命，因孔边应力仅有周向应力，成为一维应力状态。于是前述一维问题的寿命预测方法可以直接应用于零件的寿命预估。

文献[70]曾对 GH_{36} 材料在温度 550℃ 及 650℃ 时采用图 8-9 所示模拟构件试样，研究零件寿命的预测方法。按有限元方法分析模拟试样的应力、应变，求得危险点（缺口处）的应变历程，得到载荷-应变标定曲线，用寿命分数法与 SRP

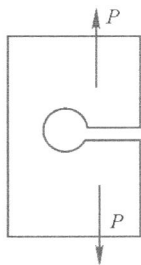

图 8-9 模拟
试件简图

法预测试样寿命，并与实测比较，如表 8-1 所示。试验结果说明①用寿命分数法预测 550℃的正弦波及梯形波情况，与实验值很接近。但 650℃梯形波实测与预测值的比例因子，约为 3 倍，表明温度较高时，交互作用影响大，寿命分数法所得误差较大。② SRP 预测寿命，比例因子在 2 以内，精度较高。

表 8-1

试验温度	波形	频率次/分	P（载荷）公斤	反复时间 t_r（秒）	保持时间 t_H（秒）	实测值平均	预测值	
							分数总和	SRP法
550℃	正弦波	6	±1200			225	230	
	梯形波		±1200	10	1	192	215	
650℃	正弦波	6	±1000			284	280	
	正弦波	2	±1000			174	195	
	梯形波		±1200	10	3	28	9	
	梯形波		±1000	10	3	69	26	105
	梯形波		±1000	10	5	59	16	102

对于更为复杂的情况。如零件表面的非加载区，往往是双轴向的，某些特殊情况还是三轴向的。由于多轴疲劳试验的困难，通常的做法是把多轴问题用等效应力、等效应变折算成单向应力，借助单向试验资料，按单向应力求解多维问

题。例如 Davis 及 Connelly 提出三轴因子 TF 来度量延性，即

$$\text{TF} = \frac{\sqrt{2}\,\sigma_{ocT}}{\tau_{ocT}} = \frac{\sqrt{2}\,(\sigma_1 + \sigma_2 + \sigma_3)}{[(\sigma_1 - \sigma_2)^2 + (\sigma_2 - \sigma_3)^2 + (\sigma_3 - \sigma_1)^2]^{1/2}}$$

式中 σ_{ocT} 及 τ_{ocT} 为八面体面上的正应力与剪应力。在三向等应力（即静水压力）时，$\text{TF} = \infty$；在纯扭应力时，$\text{TF} = 0$，说明其数值与应力状态有关。若应变累积所引起的损伤使材料的延性耗尽，则材料破坏，因此可以用一个与 TF 有关的常数 C_{TF} 来修正一维公式，即

$$\Sigma\,\frac{t}{t_d} + \Sigma\,\frac{N}{N_d} = D_d C_{\text{TF}}$$

下标 d 表示材料单向应力的设计极限（蠕变断裂、疲劳寿命与损伤的临界值），这些值由设计规范给出，而 C_{TF} 由延性材料的多轴试验作 $\bar{\varepsilon}/\varepsilon_0$－TF 图，建立常数 C_{TF} 与 TF 的关系，详见文献[71]。

§8.4.2　多轴 SRP 法

前述应变范围区分法同样可以推广应用到多维情况，其基本方法是用一简单特征参数来表示多维应力和应变分量的效果。由于各种应变的损伤不同，仍将应变区进行划分，按不同类型的单向疲劳实验资料来预估零件寿命，Manson 及 Halford 提出的具体步骤如下：

（1）由反映循环应力应变特性的本构关系，分析确定反复加载过程中各瞬时应力及非弹性应变的三个主值及主方向。对非弹性应变要求能区分出与时间有关（蠕变）及与时间无关（塑性）的部分。有可能的话，还应把蠕变分成瞬态与稳态，把稳态部分计入蠕变，瞬态部分计入塑性；若难以分开

时，则可认为整个过程都是与时间有关的应变。

（2）计算等效应力 $\bar{\sigma}$ 与等效应变 $\bar{\varepsilon}$ 以反映主方向非弹性应变的疲劳强度。

因 $\bar{\sigma}$、$\bar{\varepsilon}$ 恒互为正值，故在计算中要求能区分出应变场的"拉"或"压"，或者说要确定等效应力与等效应变在加载循环过程中的类型，来反映主方向非弹性应变的疲劳强度。这可以通过主控制方向（按三个主应力在循环中取 $\Delta\sigma$ 最大者）的应力应变形式来确定，例如单轴拉伸，其轴向即是主控制方向（其它两个主应力方向即是次控制方向）。但在有些条件下还要应作次控制方向的计算，最后取寿命最小者（详见本节算例）。

（3）应变区域的划分。假如算得等效应变表示的循环应变形式（如图 8-10）有两个最小点，一个最大点。由最小点 1 到最大点 2 为半周（非弹性；"拉伸"），由最大点 2 到最小点 3 为另半周。（非弹性压缩）即

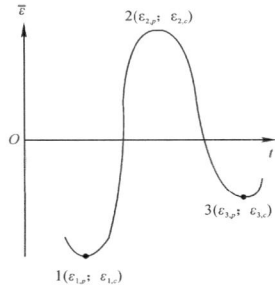

图 8-10　等效应变循环

$$(\Delta\varepsilon_p)_{拉} = \varepsilon_{2,p} - \varepsilon_{1,p}$$
$$(\Delta\varepsilon_c)_{拉} = \varepsilon_{2,c} - \varepsilon_{1,c}$$
$$(\Delta\varepsilon_p)_{压} = \varepsilon_{2,p} - \varepsilon_{3,p}$$
$$(\Delta\varepsilon_c)_{压} = \varepsilon_{2,c} - \varepsilon_{1,c}$$

下标的数码表示点号，字母 p、c 分别表示"塑性"与"蠕变"部分。令 S_L^p 及 S_{ε}^p 各表示 $(\Delta\varepsilon_p)_{拉}$ 或 $(\Delta\varepsilon_p)_{压}$ 中较大者及较小者；S_L^c 及 S_{ε}^c 各表示 $(\Delta\varepsilon_c)_{拉}$ 或 $(\Delta\varepsilon_c)_{压}$ 中较大者及较小者；

B_s 表示总的非弹性应变 $\Delta\varepsilon_{in}=B_s=\Delta\varepsilon_{pp}+\Delta\varepsilon_{cc}+\Delta\varepsilon_{cp}$（或 $\Delta\varepsilon_{pc}$），这样，所区分的应变分量为

$$\Delta\varepsilon_{pp}=S_\varepsilon^p$$

$$\Delta\varepsilon_{cc}=S_\varepsilon^c$$

$$\left.\begin{array}{l}\Delta\varepsilon_{pc}=B-S_\varepsilon^p-S_\varepsilon^c \quad\text{（若拉伸塑性＞压缩塑性）}\\[2mm]\Delta\varepsilon_{cp}=B-S_\varepsilon^p-S_\varepsilon^c \quad\text{（若拉伸塑性＜压缩塑性）}\end{array}\right\}$$

（4）交互作用损伤规律

每个加载循环的总损伤为

$$\frac{F_{pp}}{N_{pp}}+\frac{F_{cc}}{N_{cc}}+\frac{F_{cp}}{N_{cp}}=\frac{1}{N_f}\left(\text{或}\frac{F_{pp}}{N_{pp}}+\frac{F_{cc}}{N_{cc}}+\frac{F_{pc}}{N_{pc}}=\frac{1}{N_f}\right)$$

$$(8-16)$$

式中 $\quad F_{pp}=\dfrac{\Delta\varepsilon_{pp}}{\Delta\varepsilon_{in}},F_{cc}=\dfrac{\Delta\varepsilon_{cc}}{\Delta\varepsilon_{in}},F_{cp}=\dfrac{\Delta\varepsilon_{cp}}{\Delta\varepsilon_{in}},F_{pc}=\dfrac{\Delta\varepsilon_{pc}}{\Delta\varepsilon_{in}}$

上式中 N_{pp}、N_{cc}、N_{cp}、N_{pc} 分别为由 pp、cc、cp、pc 型的应变范围 $\Delta\varepsilon_{in}$ 的寿命曲线读得的数值，下面介绍一计算简例

Manson 曾对 AISI$_{304}$ 不锈钢的薄壁管试件，施加扭转力矩（纯扭情况），在 1200℉ 高温下进行蠕变疲劳试验。非弹性应变可以通过试验直接测量，蠕变与塑性很易分开。这里采用所有时间都考虑蠕变，得到扭转稳定循环时的应力、应变历程与滞后迴线如图 8-11[72] 所示。等效应变循环形式如图 8-12。

纯扭时的等效应变 $\bar\varepsilon=0.577\gamma$（$\gamma$ 为剪应变）。这时其三个主应变方向是：有两个主方向与轴向夹角均为 45°。第三个主方向沿轴向。经分析可得

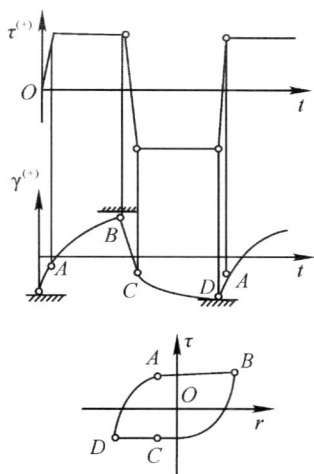

图 8-11　纯扭应力应变图

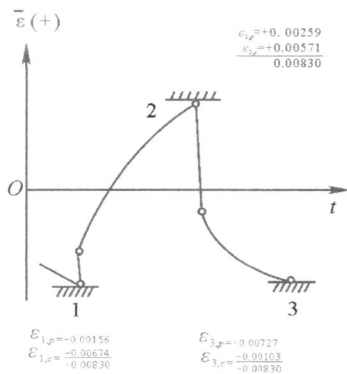

图 8-12　等效应变循环类型

$$\varepsilon_{1,p} = -0.00156 \qquad \varepsilon_{1,c} = -0.00674$$

$$\varepsilon_{2,p} = +0.00259 \qquad \varepsilon_{2,c} = +0.00571$$

$$\varepsilon_{3,p} = -0.00727 \qquad \varepsilon_{3,c} = -0.00103$$

$$\Delta\varepsilon_{pp} = 0.00415 \qquad F_{pp} = 0.25$$

$$\Delta\varepsilon_{cc} = 0.00674 \qquad F_{cc} = 0.406$$

$$\left.\begin{array}{l} \Delta\varepsilon_{cp} = 0.00571 \\ \Delta\varepsilon_{pc} = 0 \end{array}\right\} \text{沿一个控} \qquad \left.\begin{array}{l} F_{cp} = 0.344 \\ F_{pc} = 0 \end{array}\right\} \text{制方向}$$

$$\left.\begin{array}{l} \Delta\varepsilon_{pc} = 0.00571 \\ \Delta\varepsilon_{cp} = 0 \end{array}\right\} \text{沿另一个} \qquad \left.\begin{array}{l} F_{pc} = 0.344 \\ F_{cp} = 0 \end{array}\right\} \text{控制方向}$$

这时 $\quad \Delta\varepsilon_{in} = \Delta\varepsilon_{pp} + \Delta\varepsilon_{cc} + \Delta\varepsilon_{cp}$（或 $\Delta\varepsilon_{pc}$）$= 0.0166$

分别按 $\Delta\varepsilon_{pp}$、$\Delta\varepsilon_{cc}$、$\Delta\varepsilon_{cp}$、$\Delta\varepsilon_{pc}$ 由单向寿命曲线确定

$$N_{pp} = 245 \qquad N_{cc} = 199$$

$$N_{cp} = 27.5 \qquad N_{pc} = 216$$

按交互作用下的损伤方程，两个控制方向各为

$$\frac{0.25}{245} + \frac{0.406}{199} + \frac{0.344}{27.5} = \frac{1}{N_f}, \qquad N_f = 64$$

$$\frac{0.25}{245} + \frac{0.406}{199} + \frac{0.344}{216} = \frac{1}{N_f}, \qquad N_f = 216$$

因此最后估算的寿命为 64。

薄管按 pp 型、$cp + pp$ 型、$cc + cp + pp$ 型三种循环类型作试验，预估寿命基本上在实测寿命的 2 倍因子范围内，（但这里材料寿命曲线 cc、cp 及 pc 型是按 1300℉ 的资料近似处理的）。

需要指出的是上面的计算仅限于比例加载，即应力主方向不变的情况；对于复杂的情况，还要作进一步研究。

§8.5 按损伤力学方法估算寿命

按连续介质损伤力学观点，将损伤看作连续发生的过程，并将宏观裂纹的出现（即裂纹萌生）定义为破坏状态，这和前述传统的寿命估算法定义一致。

对一维问题，Lemaitre 和 Chaboche 提出蠕变体的损伤本构方程为

$$\frac{\mathrm{d}D_c}{\mathrm{d}t} = \left(\frac{|\sigma|^r}{A} (1-D_c)^{-k} \right) \qquad (8-17)$$

或

$$\mathrm{d}D_c = f_c(\sigma, D_c)\mathrm{d}t \qquad (8-18)$$

式中，A、r、k 为与温度有关的材料常数，由蠕变破坏试验确定，D_c 为蠕变损伤程度，开始与破坏时，其数值分别为 0 与 1。

在应力控制条件下的疲劳损伤本构方程为

$$\frac{\mathrm{d}D_F}{\mathrm{d}N} = [1-(1-D_F)^{\beta+1}]^\alpha \left[\frac{\sigma_M - \sigma_m}{M(\sigma_m)(1-D_F)} \right]^\beta$$

$$(8-19)$$

$$\mathrm{d}D_F = f_F(\sigma, D_F)\mathrm{d}N \qquad (8-20)$$

D_F 为疲劳损伤程度。当开始时 $N=0$ 时，$D_F=0$；破坏时 $N=N_f$，$D_F=1$。积分可得

$$N_F = [(\beta+1)(1-\alpha)]^{-1} \left[\frac{\sigma_M - \sigma_m}{M(\sigma_m)} \right]^{-\beta} \qquad (8-21)$$

而

$$\alpha = 1 - a < \frac{\sigma_M - \sigma_l(\sigma_m)}{\sigma_u - \sigma_m} >$$

式中符号 $<>$ 表示：在 $X \leqslant 0$ 时 $<X>=0$，在 $X>0$ 时 $<X>=X$；σ_l 代表非对称循环的疲劳持久极限，σ_u 为抗

拉强度极限，σ_M 为最大应力，σ_m 为平均应力，而式中常数 α、β 为与材料特性相关的系数，由对称循环下疲劳试验 S－N 曲线确定。

在蠕变与疲劳共同作用下，Lemaitre 和 Chaboche 假设疲劳损伤与蠕变损伤具有相似的本质。作为一种近似，在累积损伤的计算中采用叠加规律，但考虑到疲劳与蠕变的交互作用的影响，以损伤增量形式表达损伤体的本构方程为

$$\mathrm{d}D = \mathrm{d}D_c + \mathrm{d}D_F = f_c(\sigma,\, D)\mathrm{d}t + f_F(\sigma,\, D)\mathrm{d}N$$

$$(8-22)$$

其中，f_c 和 f_F 两函数为非线性，区别于前述的线性损伤理论，表明了累积损伤的非线性本质。

由此，在应力控制下的一维问题，对于周期为 Δt 的方形波，将(8－18)、(8－20)代入(8－22)式，可得蠕变与疲劳共同作用的本构方程，即

$$\frac{\mathrm{d}D}{\mathrm{d}N} = \frac{\mathrm{d}D_c}{\mathrm{d}N} + \frac{\mathrm{d}D_F}{\mathrm{d}N} = \int_0^{\Delta t}\left(\frac{|\sigma|}{A}\right)^r (1-D)^{-k}\mathrm{d}t + [1-$$

$$(1-D)^{\beta+1}]^\alpha \left[\frac{\sigma_M - \sigma_m}{M(\sigma_M)(1-D)}\right]^\beta = \int_0^{\Delta t}\left(\frac{|\sigma|}{A}\right)^r$$

$$(1-D)^{-k}\mathrm{d}t + [1-(1-D)^{\beta+1}]^\alpha \left[\frac{A_\mathrm{I}}{M(1-D)}\right]^\beta$$

$$(8-23)$$

上式表示一个应力循环中的损伤度。对上式积分，根据开始状态，$N=0$，$D=0$ 及破坏状态 $N=N_f$，$D=1$，可得蠕变疲劳交互作用下的预测寿命循环次数，即

$$N_f = \int_0^1 \frac{\mathrm{d}D}{\dfrac{1}{N_c}\dfrac{(1-D)^{-k}}{K+1} + \dfrac{1}{N_F}\dfrac{[1-(1-D)^{\beta+1}]^\alpha}{(\beta+1)(1-\alpha)(1-D)^\beta}}$$

$$(8-24)$$

式中

$$N_c = \left[(K+1) \int_0^{\Delta t} \left(\frac{\sigma}{A} \right)^r \mathrm{d}t \right]^{-1} \left. \begin{matrix} \\ \\ \end{matrix} \right\}$$

$$N_F = \left[(\beta+1)(1-\alpha) \right]^{-1} \left[\frac{A_{\mathrm{I}}}{M(\sigma_m)} \right]^{-\beta} \qquad (8-25)$$

其中 N_c 可按每一应力循环的纯蠕变损伤的起始与破坏条件即 $N=0$，$D_c=0$ 及 $N=N_c$，$D_c=1$，由

$$\frac{\mathrm{d}D_c}{\mathrm{d}N} = \int_0^{\Delta t} \left(\frac{|\sigma|}{A} \right)^r (1-D_c)^{-k} \mathrm{d}t \qquad (8-26)$$

积分求得。而 N_F 则可按纯疲劳损伤条件由(8 − 20)式积分算出。因此 N_c 为略去疲劳只计蠕变损伤而破坏的循环数，N_F 为只计疲劳损伤而破坏的循环数。

如果不是方形波，本构方程(8 − 23)式中，σ 及 A_{I} 可以用 $\sigma(t)$ 及其它形式函数 A_{I}' 代替，用以描述更一般情况。

现举例加以说明，若应力为等幅周期加载，令

$$u = (1-D)^{\beta+1} \qquad (8-27)$$

并引进一新参数

$$\lambda = \frac{k+1}{\beta+1} \qquad (8-28)$$

则(8 − 24)式可写成

$$\frac{N_f}{N_F} = \int_0^1 \left[\frac{N_F}{N_c} \frac{u^{1-\lambda}}{\lambda} + \frac{(1-u)^\alpha}{(1-\alpha)} \right]^{-1} \mathrm{d}u \qquad (8-29)$$

若已知 N_F、N_c，则(8 − 29)式即是两参数(λ 和 α)方程，无法直接求解，这时可用作图法，先按某一 $\lambda = \lambda_1$ 值和不同的 α 值，画出以 $\dfrac{N_f}{N_F}$、$\dfrac{N_f}{N_c}$ 分别为纵、横坐标的基本曲线，如

图 8-13 所示。同样按 $\lambda = \lambda_2, \lambda_3, \cdots$ 等不同值作图。只要知道 k 和 β 值就可选用适当的 λ 值，由结构危险点应力确定 α 求得 N_F/N_c 的比值，作射线与 α 值的基本曲线相交，可得交点纵坐标 N_f/N_F，从而求得寿命估算值 N_f。

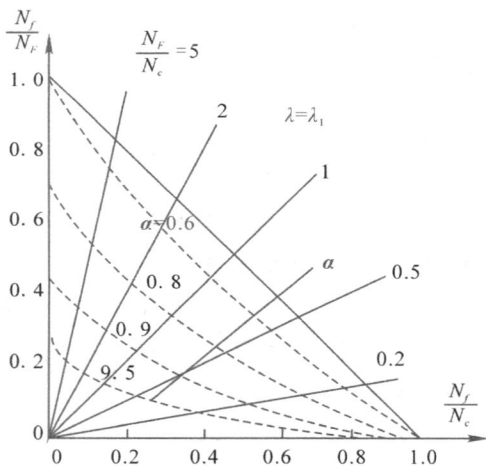

图 8-13　不同 λ 值时的 $\dfrac{N_f}{N_F} - \dfrac{N_f}{N_c}$ 的曲线

对于三维问题，本构方程可作如下修改：

$$\frac{\mathrm{d}D_c}{\mathrm{d}N} = \int_0^{\Delta t} \left(\frac{\bar{\sigma}}{A}\right)^r (1 - D_c)^{-k} \mathrm{d}t \qquad (8-30)$$

式中 $\bar{\sigma}$ 为等效应力，也可用最大拉应力，或 $\bar{\sigma}(t)$。又

$$\frac{\mathrm{d}D_F}{\mathrm{d}N} = \left[(1 - D_F)^{\beta+1}\right]^\alpha \left[\frac{A_{\mathrm{II}}}{M(\bar{\sigma}_H)(1 - D_F)}\right]^\beta$$

$$(8-31)$$

在一个循环中[①]，上式的

$$A_{\mathrm{II}}=\frac{1}{2}(\mathop{\mathrm{Sup}}_{t}\bar{\sigma}[\sigma(t)]-\mathop{\mathrm{Sup}}_{t_0}\bar{\sigma}[\sigma(t)]) \qquad (d)$$

$$M(\bar{\sigma}_H)=\sigma_l(0)(1-b\,\bar{\sigma}_H)$$

$$\alpha=1-\alpha<\frac{A_{\mathrm{II}}-\sigma_l(0)(1-b\,\bar{\sigma}_H)}{\sigma_u-\bar{\sigma}_M}>$$

式中：σ 表示应力张量，$\bar{\sigma}_H$ 为应力张量中静水应力在一个应力循环中的平均值，$\bar{\sigma}_M$ 为 $\bar{\sigma}$ 的极大值。

损伤本构方程由(8-30)、(8-31)式建立

$$\frac{\mathrm{d}D}{\mathrm{d}N}=\frac{\mathrm{d}D_c}{\mathrm{d}N}+\frac{\mathrm{d}D_F}{\mathrm{d}N}$$

即

$$\frac{\mathrm{d}D}{\mathrm{d}N}=\int_0^{\Delta t}\left(\frac{\bar{\sigma}}{A}\right)^r(1-D)^{-k}\,\mathrm{d}t$$

$$+[1-(1-D)^{\beta+1}]^\alpha\left[\frac{A_{\mathrm{II}}}{M(\bar{\sigma}_H)(1-D)}\right]^\beta$$

这时一般只能求得数值解。

这种方法是采用应力控制条件，在 N_c 和 N_F 的算式中所用的系数，均采用纯蠕变或纯疲劳试验中确定的值，因此没有充分考虑到两者交互作用的影响。近期有加拿大学者 Bui-Quoe 将此法推广到应变控制条件下的估算法[73]，并且采用了非线性损伤法则，这样就能够更充分地反映交互作用及加载历史的影响，较之传统预测寿命的方法更有发展前途。需要指出的是，多维问题比较复杂，损伤分布是不均匀的，所以按局部应力（或局部应变）预估寿命不够完善；又

---

① (d)工中 $\mathop{\mathrm{Sup}}_{t}$、$\mathop{\mathrm{Sup}}_{t_0}$ 各表示 t 及瞬时 t_0 函数 $\bar{\sigma}$ 的上确界。故 A_{II} 在一维应力状态即表示一个循环的应力幅 σ_a。

如,根据结构零件的应力分析,危险点的位置往往是变化的,按局部点应力(或应变)计算可能并不安全,因此有人提出了按整体损伤观点来预估寿命的方法。

总之,蠕变疲劳是比较复杂的问题,有些问题还不清楚。譬如,试件在起裂前停止一段时间再继续试验,疲劳寿命会有所提高,例如镍在170℃,经过2×10^5次循环后停留一个晚上继续试验,比不停留的试件,寿命提高将近一倍,确切的原因尚未搞清楚。又如电站设备在各种环境下工作,如液态钠、大气、蒸气、水等,环境对疲劳的影响和蠕变作用相比如何?虽有一些资料研究有关环境一般因素的影响,但蠕变-疲劳-环境三者的交互作用又如何?有关的实验研究的数据则至今罕见。因此高温下的疲劳问题还是有待于继续深入探讨。

思 考 题

1.试分析处理高周疲劳与低周疲劳问题的异同(以一维问题为例)。

2.对复杂应力低周疲劳问题,试归纳利用局部应变法及SRP法预测零件初始寿命的步骤。

参 考 文 献

[1]　L. J. Vicat：Am postet chausées. *Mem et Doc.*，7 (1834)，pp40

[2]　E. N. da C. Andrade：*Proc. Roy. Soc.*，A84 (1910)，pp1

[3]　A. E. Johnson：*Proceeding of the Institution of Mechanical Engineers*，1941，pp210

[4]　穆霞英，刘西瑞：《航空动力学报》，Vol3. No4. (1988) pp351

[5]　H. Zehokke：*Broan Boveri Review*，*Vol* 25，(1938) pp247

[6]　C. R. Soderberg：*Transaction of the ASME*. Vol 58，No. 8 (1936)

[7]　Ю. Н. Работнов：РасчеТ ЧеТалей Маши Н На Лолзучестb，ИЗВ. АН СССР ОТН，NO. 6 1948

[8]　Л. М. КачаНОВ：НЕкОТОРЫ ТеорийПопзучеСТи，гиТТл (1949). ТЕОРНЯ ЛолзудЕСТи ФизМаТгиз (1960)

[9]　A. Nadai：The Creep of Metals Under Various Stress Conditions，*Th. V. Karman Anniversary Volume*，(1941)

[10] E.A.Davis: *Journ. of Appl. Mech.*, Vol. 10, No.2 (1943)A－101

[11] Ф. С. ЧурикОВ: К Волросу о НалряжеНиях и ДеФортачиях при ВЫICOKИX ТемПераТурах Becth, МГУ No. 2.(1949)

[12] Ю. Н. рабОТНОВ: НекОТОРые: Волросы Теории ПолзучеСТи, ВеСТН. МГу, No.10, (1948)

[13] A.E.Johnson: *Engineering*, Vol. 168(1949) N 4362

[14] В. Й. ДаНилОВСкая, Г. М. ИВаНОВа, ю. Н. рабСТНОВ: ПОлзучеСТь и релаксауия ХрОМОМ － олибдеНОВОЙ СТали, ИзВЕСТия АН СССР. ОТп, ТеХН. Нук No.5(1955)

[15] 柯受全、卢锡年: 李桃萼:《力学学报》, Vol.3 No4 (1959)第 356 页

[16] А. М. Жуков Ю. Н. работнов, Ф. С. Чуриков: зкслериментальная лроверка некоторых теории ползучети, ИнЖенерный сборникюТ. XVⅡ. uзд. АН СССР.(1953)

[17] Aldén and L. Rohlin: *Creep in Structures* Springer Berlin(1972)pp64

[18] J.H.Lamberment, J.F.Besseling: *Creep in Structures* Springer Berlin (1972)pp38

[19] J.Dorn: *Mechanical Behavior of Materials at Elevated Temperatures*, McGraw － Hill New york (1961)

[20] R.K.Penny and D.L. Marriott: *Design for Creep*,

McGraw—Hill，London(1971)

[21]　　Г. М. ИВАНОВА：ИзВЕСТИЯ ah CCCP. OTH：ОТД. TEXH.НАУК No4.(1958)p.98

[22]　王仁等:《塑性力学基础》,科学出版社(1985)

[23]　R.Bailey：Creep relationships and their application to pipes，tubes and cylindrical parts under internal pressure，*The Inst. Mech. Eng — s Proc.*，T164，4 (1951)

[24]　F.K.G.Cdqvist：*Mathematical Theory of Creep and Creep Rupture*，oxford University Press(1966)

[25]　J.Hult：*Creep in Engineering Structures*，Blaisdell，waltham Mass(1966)

[26]　R.W.Bailey：The Utilization of Creep Test Data in Engineering Design，*Proc. Inst. Mech. Eng.*，Vol 131，(1935)

[27]　Л. М.卡恰诺夫,周承倜、唐照千译:《塑性力学基础》,人民教育出版社(1959)

[28]　　Б. С. Начестников：Изв. АН СССР отн，No. 4 (1957)pp141

[29]　F.H.Norton，C.R.Soderberg：*Trans.AS ME*，Vol 61 (1942)p769

[30]　平修二:《金属材料的高温强度理论、设计》,养贤堂(1968)有中译本,郭廷玮等译(1983)

[31]　S.Taira，R. Koterazawa & R. Ohtani：*Proc. 8th Japan* Cong. Tsting Materials，(1965)p，53

[32]　Mu Xiaying，Zho Shexu：A Researoh on Constitutive

Eguations of Anisotropic hardening material in The Transient temperature Field，国际 ICCLEM 会议论文集，(1989)

[33] 刘厚钰：《透平零件结构和强度计算》，机械工业出版社。(1982)

[34] D.L.Marriatt：*Second IUT AM Symposium on Creep in Structures*(1970)，Springer，Berlin(1972)

[35] A.Johnsson；A Refined Definition of Reference stress for creep，*IME－ASTM－ASME Interntional Conference on Creep and Fatigue in Elevated Temperature Appkucatuibsm Philadelphia*(1973)

[36] J. T. Boyle and J. Spence：*Stress Ama；usos for Creep*，Butter orths(1983).

[37] 杜庆华主编：第一层工程中的边界元法会议文集，重庆出版(1985).

[38] A. Mendeson，M. H. Hirschberg，S. S. Manson：*Transactions of the ASME*，81D(1959)pp585

[39] R. G. Sim and R. K. Penny：*Explt Mech.*，10，(1970)1529

[40] A. M. wahl：*Trans. ASME，J.Appl.Mech.*Vol.76(1954)pp225

[41] 谢贻权、何福保：《弹性和塑性力学中的有限单元法》，机械工业出版社(1981)

[42] G. A. Greenbaum and M. F. Rubinstein：*Nuclear Engineering and Design*，7(1968)pp379

[43] P.stanely：*Non－Linear Problems in Stress Analysis*，

(1977)

[44]　J. R. Tillerson，J. A. Stricklin：*AMD*，Vol. 6 (1973)pp67

[45]　穆霞英、胡互让：《应用力学学报》，Vol. 3. No. 3 (1986)第 31 页

[46]　穆霞英、刘西瑞：《应用力学学报》Vol.5，No.4(1988) 第 55 页

[47]　同[32]

[48]　H. G. Landau，J. H. Weiner，E. E. Zwicky：*J*，*Appl. Mech.*，(1960)pp297

[49]　B. A. Boly，J. H. Weiner：*Theory of Thermal Stresses*，John Wiley & Son(1960)

[50]　E. B. Royce. Shih－Chi Chu：*Computational Methods in Nonlinear Mechanics.*(1974)pp427

[51]　竹内洋一郎著，郭廷玮等译：《热力学》，(1977)

[52]　熊昌炳、郭淑芬：《固体力学学报》，Vol.3.(1985)第 364 页

[53]　N. Hoff：*J. Appl. Mech.*，T20(1953)1

[54]　Л. М. Қачанов：Времени разрушения в Условиях ползучести，изв. *AH CCCP OTH* No8(1985)

[55]　R. L. Carlson.：*J. Mech. Engng. Cci*，*Vol.* 7. No. 2 (1965)pp228

[56]　D. R. Hayhurst & F. A. Leckie：*J. Mecj. Phys. Solids*，21 (1973)pp431

[57]　D. R. Hayhurst：*J. Mech. Phy. Solids*，20，(1972)pp381

[58]　F. A. Leckie & W. Wojewodzki：*Int. J. Solids Struc-*

tures，Vol. 11 (1975)pp1357

[59] B.J.Lazan：Dynamic Creep and Rupture Properties of Temperature－Resistant Materials Under Tensile Fatigur Stress，*Proceedings of the ASME*，Vol. 49 (1949)

[60] 平，田中，小寺，田中，藤田：机械学会论文集 25 卷 151 号（昭 34）163 平，小寺，小，铃木，同上 26 卷 167 号（昭）35pp935

[61] R. M. Curran，B. M. Wundt：*ASME Publication G*87 (1974)pp1

[62] L.F.Coffin：*ASME－MPC on Creep－fa－tigue Interaction MPC－*3. p349

[63] S.S.Manson：NASA TM X－67838(1971)

[64] J. F. Saltsman & G. R. Halford：*Transactions of the ASME*，May (1977)264

[65] 何晋瑞等编著：金属高温疲劳，科学出版社(1988)

[66] W. J. Ostergren：*ASTM Standardization* New 4.10 (1976)327

[67] Majumdar et al：AUnied and Machanical Approach to Creep Fatigue Damage，ANL－76－58(1976)

[68] M. J. Manjoine：Elevated Temperature Mechanics of Metals，*Symposium on Mechanical Behavior of Material*，Kyoto，Japan(1974)

[69] 王为标，吴利言，孙振天：《应用力学学报》，No. 4 (1989)

[70] 徐林耀：第四届航空发动机结构强度振动专业学术会

义论文集(1987)第 289 页

[71]　E.,A.Davis，F.M.Connelly：*ASME J. of Engineering Maerials and Techology*，Vol.81(1959)

[72]　S.Y.Zamrik：*N ASA* CR—134817(1975)

[73]　T.Bui—Quoc & R Gomuc：*Aduances in life Preductuin*，ASME(1983)pp105

[74]　穆霞英，胡志强. 循环加载的热弹塑蠕变有限元分析[J]. 航空动力学报，1990，5(4)：297－301.

[75]　穆霞英，赵社成. 瞬态温度场三维涡轮盘的热弹塑性蠕变有限元分析[C]. 中国力学学会固体力学在工程中的应用学术会议，1989.

[76]　穆霞英，王吉伟. 用有限元法解稳态蠕变问题的新途径[J]. 航空动力学报，1993，8(2)：169－172.